JN097435

説話文学会［編］

説話文学研究の最前線

——説話文学会55周年記念・北京特別大会の記録

◉目次

二 シンポジウム「中国仏教と説話文学」

Ⅱ ラウンドテーブル1「釈氏源流を読む」

ラウンドテーブル2 「東アジアの〈環境文学〉と宗教・言説・説話」

II　これからの説話文学研究のために

付録

※原文の引用は各論中に断りがない場合、読みやすさに配慮して、かなに濁点・半濁点を付し、漢字は通行の字体に改めるとともに適宜ふりがなを施して、句読点を付けた。

序――「中国仏教と説話文学」の沃野へ　●小峯和明

シンポジウム開催の経緯

本書は、二〇一八年十一月三日～五日の三日間、北京の中国人民大学（崇徳楼）で開催された説話文学会五十五周年記念・北京特別大会の報告集である。

説話文学会の海外開催は、二〇一二年の韓国・崇実大学での五十周年記念以来、二度目であり、今回、日本からの参加者は四十名弱（ソウルの時は五十名を越えた）、中国側もあわせて二日間とも七十名を越える盛会となった。全体のテーマを「中国仏教と説話文学」とし、初日は、午前に基調講演、午後にシンポジウム、ついで中国の読書会メンバーによる「『釈氏源流』を読む」のラウンドテーブル、二日目は、午前に個別の研究発表、午後は「東アジアの〈環境文学〉と宗教・言説・説話」をめぐるラウンドテーブルという構成であった。三日目は、「遼代の寺院を訪ねて」と題したバス見学で、北京西郊の遼代の古刹を中心に廻った（巻末に見学配付資料を掲載）。

学会後に記念論集の編集委員会（近本謙介・開催時事務局、佐伯真一・現事務局、鈴木彰・五十周年事務局、李銘敬・開催校、小峯和明・開催校・編集実務）を組織して編集に当たり、今後の説話文学研究の展望をはかるために、編集委員会から、非会員も合わせて内外の研究者十名に依頼し、自身の研究課題と重ねつつ、今後の研究への提言を執筆いただいた。

これからの説話文学研究と東アジア

現在の人文学を取り巻く研究と教育環境はきわめて厳しいものがあり、とくに大学院生の減少は将来の学問の継承と発展におおいなる危惧をもたらしている。必然的に海外からの留学生に依存する比率が高まっているが、逆にみれば、おのずと国際的な環境が将来され、それが研究と教育のあり方にも大きな影響を及ぼしている。

ことに中国の場合、主要な大学では学部大学院を問わず、日本語科専攻の学生は日本への短期留学が一般化しており、さらに日本で学位を取得後、中国の大学に就職して学生を指導する研究者層が中心を占めるようになり、研究のあり方も大きく変わりつつある。中国や韓国、さらにはベトナムなどの研究者間の交流がますますもとめられるし、それによって日本文学研究総体が世界にどれだけ開かれていくか、試されているだろう。

近年、激動する中国や朝鮮半島との関係をはじめ、周辺の国際情勢を背景にしつつ、東アジアをめぐる漢文訓読、歴史文化、宗教、美術等々の研究もまた活況を呈している。これは日本に限らず、中国、韓国などでも同様で、東アジア研究が主要な路線となっている（中国の域外漢籍研究など）。日本文学研究も内向きの状態ではもはやどこにも対応できず、閉塞に陥らざるを得なくなっているが、打開策に向けた動きは緩慢である。文科省の促進する英語化路線を一方の策とすれば、〈漢字漢文文化圏〉を基軸とする東アジア研究路線はもう一方の策の要の一つであると考えられる（かつて東洋史や東洋思想・哲学・美術はあっても、東洋文学は領域化されなかった）。

とりわけ説話文学研究は、「説話」の語彙自体が中国の唐宋代には話芸全般を指す用語であり、話芸の専門家は「説話人」と呼ばれていたように、東アジアに共有されていた概念であり、中国、朝鮮半島、琉球、ベトナムにおよぶ広範の文化圏から考究されるべき課題であるといえる。〈漢字漢文文化圏〉には、南限のベトナムまで含まれるので、「東北・北東アジア」は用語として不適切である。

ことに、近年の東アジア仏教を主とする宗教研究は、欧米の研究者も合わせて著しく進展しており、世界的な視野の目配りが欠かせない状況になっている。従来、和漢比較研究は漢籍主体であったが、漢訳仏典の意義が広範に再注目されつつあり、漢訳の具体相や教学面の注釈（注疏）をはじめ、唱導面からもさまざまに検証されている。

本書の構成

そこでここでは、中国仏教に焦点を当てて、講演とシンポジウムに加え、『釈氏源流』を事例とするラウンドテーブル、さらなる問題展開として〈環境文学〉を軸に東アジアの宗教言説と説話をめぐるラウンドテーブルを行った。以下、概要のみ摘記しておこう。

最初の**講演**の**金文京論**は、従来、朝鮮半島の高麗時代の作とされていた仏伝文学の一つ、釈迦の前世を語る本生譚を集成した『釈迦仏十地修行記』が、実は中国明代の出版をもとにする偽撰であったことを明らかにし、さらに漢訳仏典の典拠のない金牛太子伝についても検証し、中国から朝鮮への流伝や、中国の民間の語り物「宝巻」への影響など多角的に論じた。従前の仏伝文学史の変更を迫る刺激的な論であった。

ついで、**石井公成論**では、近年研究が活性化している擬経（偽経）を取り上げ、東アジアの漢訳仏典の三分の一がインドの原典のない擬経であるとし、『大方便仏報恩経』を中心に、漢文仏典が説話文学としての意義をも持つことを強調した。学会の翌年に公刊された氏の『東アジア仏教史』（岩波新書）は、この「擬経」を中心に論じた浩瀚かつ画期的な研究であり、本講演と関連が深い。「擬経」という表記は、一般的には「偽経」「疑経」とされるが、あまりにインドの原典をカノン化した呼称であり、東アジア産の漢文仏典の意義を再評価するのに不適切である。私見では、経典に擬する意味で「擬経」の表記につくべきと主張しており、石井氏はこれに即応したものである。

李銘敬論は唐宋代の往生伝の編纂、とくに遼代の非濁撰『新編随願往生集』を中心に、日本での改編や偽撰、引用等々、東アジアへの影響を取り上げる。非濁は『三宝感応要略録』で有名だが、それ以上にこの『往生集』の重要性を主張、埋もれていた感のある往生伝の大作の意義を浮き彫りにした。説話集の編纂が時代や地域、享受の要請によって幾重にも改編、抄出、増補される動的な位相にあることを東アジアレベルで立証したものである。

いずれも従来の知見を刷新し、今後の研究動向を左右する重要な論として印象深く、三者に共通して言えることは、かつての研究ではカノン化した仏典や中国古典が規範となり、それをいかに受容したかの一方通行的な出典、典拠論一辺倒だったのが、カノンそのものの見直しや解析による相対化の時代になったことを痛感させられる。

また、九十年代以降、中世を中心に「偽書」の問題が着目され、歴史学の偽文書や偽史研究とも響き合って研究が注目されたが、それもカノンの再定位の動向と密接する。とりわけ偽撰や擬経論は、まさに東アジアの〈漢字漢文文化圏〉の所産であり、中国仏教の枢要にかかわり、その意義が今後ますます重要視され、波及する問題が大きいことが予想される。

次の**シンポジウム**も、講演を引き継ぐかたちで**「中国仏教と説話文学」**の統一テーマでのぞんだが、**馬駿論**は上代文学にみる時空の表現を事例に、漢訳仏典の表現がいかに深く関わっていたかを豊富な実例で精緻に立証する論。翌年に刊行された大著『漢文仏経文体影響下的日本上古文学』全三巻（社会科学文献出版社、二〇一九年）に結実する一端を披瀝したもので、当著書は上代文学の語彙表現と漢訳仏典類との関係を精密に検証した労作である。中国語版であるため、まだ日本では認識されていないが今後の研究動向に大きくかかわる重要な成果といえる。

小川豊生論は夢窓疎石の『夢中問答』を例に、如来蔵思想など東アジアに共有される宗教世界を深い視座からとらえた。ここでもとくに擬経の『首楞厳経』の重要性が指摘され、石井論とも共鳴するが、さらには世阿弥の能楽論の真髄とされる「離見」（の見）が、その源泉はこれら擬経にあることを明らかにし、あらたな研究の地平が拓かれたといえる。

小島裕子論は、東アジアにおける華厳や文殊の聖地であった五台山の意義をめぐり、東大寺創建の聖武、良弁、菩提僧正、行基らを聖化した『四聖御影』を中心にとらえ、四聖観が影響を及ぼす説話言説の展開相を検証する。聖地もまたさまざまな人やものが行き交う、説話に欠かせない磁場であり、さらには三国伝来や菩薩化身や東大寺創生神話等々、多面的な説話の機能や生態を浮き彫りにしている。

野村卓美論はコメンテーターであったが、観音化身で名高い宝誌の墓や廟のある南京の霊谷寺のフィールドワークをふまえつつ、李白の詩、呉道子の肖像画、顔真卿の書による「三絶碑」に関する報告が詳細で、特論のかたちで掲載することになった（ちなみに「三絶詩」に関しては近時、金文京論〈新釈漢文大系『李白』上・月報〉もある）。

以上の発表をもとに、**渡辺麻里子**、**陸晩霞**、**吉原浩人**各氏が**コメンテーター**としてそれぞれの立場から意見を述べ、あわせて『鷲林拾葉鈔』などの天台談義書（渡辺）、補陀落渡海と普陀山（陸）、日本偽撰とされる『心性罪福因縁集』（吉原）等々と関連づけて自説を展開し、「中国仏教と説話文学」の議論をより深化（進化）させることができた。

ついで、初日と二日目とそれぞれ「中国仏教と説話文学」の課題の延長及び個的展開として**ラウンドテーブル**を行ったが、初日**「『釈氏源流』を読む」**は、二〇一二年以来継続している北京を主とする内外の「東アジア古典研究会」メンバーによる『釈氏源流』読書会の成果報告である。

『釈氏源流』は明代の十五世紀、南京の大報恩寺の宝成の編、前半は仏伝（釈迦の伝記）、後半は中国への仏教伝来を主題に僧伝形式で語る挿絵付きの刊本で、全四百段からなる。個々の段は「双林涅槃」のごとく、四字句の表題が提示される。明代にも複数の改編があり、十八世紀の清朝に仏伝のみの大幅な改編本が作られ、書名も『釈迦如来応化事蹟』になり、挿絵もまったく変わり、段や本文にも出入りがある。朝鮮版や和刻本（挿絵なし）、ベトナム版なども作られ、文字通り東アジアの〈漢字漢文文化圏〉を代表する作例である。**小峯論**は東アジアや欧米にもひろまった『釈氏源流』伝本の紹介、**周以量論**は『釈氏源流』と出典との関連、**高兵兵**及び**何衛紅論**はそれぞれ具体的な章段例からの検討であった。

読書会では、基礎的な翻刻注解をふまえ、漢訳仏典や仏典類書など出典との関連、仏教史や文学史上の意義、あるいは挿絵の意義等々について多角的な検証を行っており、いずれ成果を集約したいと考えている。

二日目の**ラウンドテーブル「東アジアの〈環境文学〉と宗教・言説・説話」**は、近年関心の高まっている〈環境文学〉を軸に、中国仏教と説話の課題をさらに相対化しようとしたもので、その年の夏に立教大学で開催されたシンポジウム「日本と東アジアの〈環境文学〉」の続編的な意義をも持つ。**劉暁峰論**は年中行事研究の立場から東アジアにひろがる「鼠の嫁入り」説話から習俗と環境を照射した。**染谷智幸論**は、東アジアの〈性〉と〈環境文学〉を探る立場から、遊郭文化とシラネ・ハルオ氏の提唱する二次的自然との相関をとらえようとする。**樋口大祐論**は歴史叙述（時間）と類書（空間）の対比を軸に延慶本『平家物語』、『古今著聞集』『塵袋』などを事例に動植物表象の位相差を取り上げた。**米田真理子論**は栄西による菩提樹の将来説話を中心に、それが仏法伝来や再興に深くかかわることを精細に跡づけた。**金英順論**は朝鮮の説話集といえる野談集の代表作『於于野談』を例に災害説話と龍や鰐、蛇、烏、梟等々、異類や動物との関わりから検証した。**グエン・ティ・オワイン論**は、ベトナムの〈環境文学〉研究の現状を紹介し、ベトナム古典から神話伝説集の『嶺南摭怪列伝』の「傘円山伝」及び説話的類書の

『公余捷記』の「強暴大王」「崑崙三海記」等々を例に洪水、治水の説話を取り上げた。

〈環境文学〉の具体的な対象からみれば、劉・樋口・米田・金論は動植物・異類、金・オワイン論は災害、劉論は年中行事の時間と習俗、染谷論は遊郭という場、社会環境がそれぞれ対象となり、これらに宗教の言説が深くかかわることが明らかにされた。とくに米田論の菩提樹は釈迦の成道にまつわる聖なるイメージが付与され、仏法の伝来や中興の象徴となり、同時に〈異文化交流文学〉を際立たせる聖樹をめぐる論として意義深いものがある。

以上、新見に富んだきわめて興味深い議論が展開され、今後の研究を推進させる基盤が開拓できたといえよう。

見学をめぐって

北京周辺は、十世紀初頭に北方の契丹・遼が渤海を滅ぼして勢力を延ばし、朝鮮半島（高麗）にも侵攻、中国東北部を中心に広大な王国を築き、仏教文化が花開くが、十二世紀前半に金（女真）に滅ぼされ、各地に塔や遺跡が多く残る。中京を中心に東南西北にそれぞれ都を置くが、その南京が現在の北京に相当するため、現在の北京郊外の西部に遼の寺院が多く残っており、「中国仏教と説話文学」の課題にもふさわしい場であった。

三日目の見学はこれに合わせて、西北部の龍泉寺（背後に山並みが聳え、北京市街が遠望できる景勝地）、大覚寺（遼代の碑文あり、大銀杏でも有名、精進の昼食）、潭柘寺（創建は晋代にさかのぼり、北京周辺で最古に属する。群小石塔が貴重）、最後に北京市街の天寧寺の塔をめぐった。

今後さらに説話文学会が世界に開かれ、海外で説話や古典研究を進めている若い人たちが共に自由に参加できる広場となるよう祈念したい。本書がその一つの道標とならば幸いである。

中國人民大學

説話文学研究の最前線

——説話文学会55周年記念・北京特別大会の記録

開会の辞

●李 銘敬

みなさんおはようございます。中国人民大学の李銘敬です。今日は空気があまりよくないですが、日本からも四十人近くの方々が北京にお出でいただき、また中国も各地から大勢、人民大学にお集まりいただきまして、心から感謝申し上げます。

このたび、このような盛大な学会を開くことができましたのは、説話文学会の事務局を担当していらっしゃる名古屋大学の近本謙介先生が昨年来、北京にいらして、わたしどものところで学会を開きたいということで、ちょうど小峯和明先生も五年前から人民大学の講座教授で毎月のように北京にお出でいただいていますので、すぐにお引き受けしてご相談しながら話を進めてきたのです。説話文学会も五十五周年ということで、記念の北京特別大会という機会をいただきまして、とても意義深いことと存じます。

この間、いろいろ準備をしたのですけれども、あいにくわたしは九月から一年間、在外研究で荒木浩先生のいらっしゃる京都の国際日本文化研究センターに滞在しておりまして北京にいないので、直接の会議の準備を小峯先生やわたしの院生たちにやっていただいて、大変ご苦労をおかけしました。感謝とお詫びを申し上げます。

今回は「中国仏教と説話文学」という統括的テーマで、講演やシンポジウム、ラウンドテーブルや研究発表など盛りだくさんの内容で、研究の最前線をじかに拝聴できますのを楽しみにしています。中国でも説話を専攻する若手が少しづつ増えてきていますので、今回の学会が大きな刺激になることと思います。三日目の見学も北京の郊外の古刹巡りが予定されていますので、北京の紅葉などお楽しみいただければと思います。

以上、簡単ですが、ご挨拶といたします。よろしくお願いいたします。

基調講演「中国仏教と説話文学」

1 朝鮮翻刻明伊王府刊『釈迦仏十地修行記』の金牛太子説話について

金 文京（きん・ぶんきょう）
所属：京都大学名誉教授
専門分野：中国古典小説・戯曲
主要著書・論文：「東亜漢文訓読起源与仏経漢訳之関係―兼談其相関語言観及世界観」（『文化移植与方法―東亜的訓読・翻案・翻訳』広西師範大学出版社、二〇一三年）、『三国志的世界』（広西師範大学出版社、二〇一四年）など。
現在の研究テーマ：中国近世戯曲、小説

summary

朝鮮顕宗一年（順治十七年、一六六〇）に翻刻された『釈迦仏十地修行記』は、第一地から第十地まで釈迦の十の前世譚を集めた仏教説話集であり、本書以外にはその内容が知られていない。現在高麗大学、延世大学および姜賛洙氏所蔵本があり、すべて同版、ただ姜賛洙所蔵本のみに跋文がある。その成立時期は、最後の第十地「釈迦仏誕生」の記述から、元の泰定五年（一三二八）と推定される。

本書は韓国の学界では韓国人の編著、また底本も朝鮮時代の出版とされているが、序文によれば、明の正統十三年（一四四八）に伊府の承奉、普秀が刊行したものである。伊府とは、明の太祖、朱元璋の第二十五子である伊厲王、朱㰘の王府で、場所は洛陽、承奉は王府の宦官である。したがって本書の底本は明代中国の出版であり、それが朝鮮に伝わり翻刻されたものである。本書の十の釈迦前世譚のうち、第七地「金牛太子伝」（擬題）は、唯一『大正大蔵経』所載の仏典に典拠を見いだせない小説的な話で、かつ高麗国の公主が登場する点が注目される。本発表では、本書の出版と中国から朝鮮への流伝について従来の研究の誤りを補訂するとともに、「金牛太子伝」の内容が、のちの「金牛宝巻」など中国の民間文学へ影響した点について考察する。

1 テキストと内容

金でございます。トップバッターでちょっと緊張していますけども、時間厳守ということで、さっそくはじめさせていただきます。

今日わたしがお話するのは、朝鮮で翻刻された明代の伊王府という洛陽にあった王府なのですが、そこで出た『釈迦仏十地修行記』という説話集で、とくにその中の「金牛太子説話」について、これは金英順さんも含めて、日本・中国で多くの方が研究されていますが、それについて自分の考えを述べたいと思います。

まず『釈迦仏十地修行記』（以下、『十地修行記』）は、韓国にあるテキストで、①高麗大学、②延世大学、それから③個人の姜銓燮さんという方がお持ちです。姜銓燮さんはもう亡くなりましたので、ご子息の姜賛洙さんが持っておられます。

これはその後、韓国ではとくに「金牛太子伝」はハングルの小説になっていて、非常に有名です。『十地修行記』はお釈迦様の十の前世譚で、十番目が釈迦誕生譚になっていまして、散文と韻文を組み合わせた形態で、中国でいう説唱文学、日本風に言うと語りものになっています。第一地から第十地まであるのですが、第一地を翻字したものをお見せします【資料1】。中に韻文が入っています。

第二地から第十地まで、だいたい「六度集経」や「賢愚経」など、仏教説話でおなじみの『大蔵経』に入っている経典が出典で、それをわかりやすく書いて、かつ全部ではありませんが、韻文と散文の語り物形式にしたものです。

ただ第七地の「金牛太子伝」は『大蔵経』には出典がなくて、敦煌から出た『孝順子応変破悪業修行経』がもとになっていて例外です。「金牛太子伝」はどういう話かというと、波利国の王様に、殊勝、浄徳、普満という三人の夫人がいたのですが、この第三夫人の普満が子どもを産みます。父の国王が清涼山（五台山）に、行っている間に生まれるのですが、第一、第二夫人がこれに嫉妬して、産婆を買収して、皮をはいだ猫の死体と子どもを交換します。それで、第三夫人は猫を生んだと言って讒訴する。本当の子どものほうは山に捨てますが、動物が助けてくれて死なない。仕方がないので、子どもを殺すために、宮中にいた牛に食べさせたところ、牛が仔牛を生みます。一方、第三

資料1　第一地〈善色鹿王傳〉(出典『大莊嚴論經」巻14)

按大藏經云:爾時,如來與調達往昔因中,於金波國中有一山名七香山,同隱山中,化為獸身,具為鹿王,一名善色鹿王:一名惡鹿王,各有五百眷屬,飢吃山頭嫩草,渴飲澗下清流。自在修行,化度野獸。一日國王夏日領御兵馬出城,捕採野味,至於七香山下,四方圍繞。忽見山禽壤壤(穰穰),野獸垓垓,內有群鹿,尚有千數。驚慌怖亂,奔走無門。爾時,善色鹿王安慰東鹿曰:"勿怖,勿怖,吾當救汝。"直至駕前,雙足叩地,口作人言:"吾是山中野獸,不知大王有何用度?"國王見之,敕止軍卒:"莫放箭。御廚中雖有多般,唯愛埜味新鮮,联作御食。"鹿王奏曰:"善哉,善哉。吾乃山中野獸,住國王山場,飲國王水草,豈敢違令。奈有千命一時壞了,食之不盡,夏月炎天,恐其不鮮。唯願大王,暫且停止軍馬回宮,赦其多命。小鹿尚有一千,成其兩運,次第輪流,逐日差一鹿來,晨早赴命,供作御食,不違命令。"是時國王聞說思之:"人有人言,獸有獸語,真乃如是。"即時領軍回宮。設其早朝,果見一鹿,直至殿前,雙足叩地。國王大悅。"山中野獸,有此忠信之禮。"即令御廚司宰之,烹作御飯。如是七日七鹿。至八日,該於惡鹿王群中一母鹿。其母鹿告惡鹿王曰:"腹中現懷一子,將於下生。乞容分娩之後,前去赴命。"鹿王曰:"排定汝身,誰肯代命?"不免其母鹿惆悵不已。轉告善色鹿王曰:"小鹿懷羔未生,願救雙命。"善鹿王曰:"汝之群隊尚前不肯,何況別乎?只是吾身替汝二命,方可解脫。"因作無常偈
一首曰:
萬象光中誰是主,天堂地獄總心王。
衆生造下輪回路,死生頭來誰肯當。
母愛兒身兒愛母,今朝子母合雙亡。
吾令替汝歸泉路,明早清晨見帝王。
至第九日,善色鹿王,直至殿前。國王大怒:"昨日何不差一鹿來?今朝如何自至?"善鹿王告說母鹿緣由:"如此如是,因此自來。"是時國王,俯案嘆言:"此爾靈獸,尚懷救命之情,豈凡獸乎?必是聖賢隱於類中,方便如是。"遂對鹿王發願:"從今斷食鹿肉,永不採獵。放汝回七香山,自在修行,賜名御鹿山,亦名鹿野苑:出榜張掛,禁止官民人等,從今不得擅入御鹿山場打捕。"其善色鹿王與惡鹿王,在於山中,率領群鹿,永無怖畏,自在修行。善鹿王向後臨命終時,告其衆曰:"飢吃山頭草,渴飲澗下泉。守心常在此,莫住去平川。"於盤陀石上,臥化而逝。爾時,九色善鹿王者,豈異人乎?即釋迦佛。五百眷屬者,今五百羅漢是也。惡鹿王及五百眷屬者,即調達并徒衆是也。

婦人は猫を生んだということで、髪を切られ、石臼の部屋で苦役に従事させられることになります。生まれた牛はピカピカの金牛で、国王は自分の子どもとも知らず非常に可愛がり、大将軍などに任命します。第一、第二夫人が、この牛は殺した子どもだということに気がついて、仮病を使い、この牛の肝を食べないと自分たちは死んでしまうと国王に訴えます。国王は仕方なく牛を殺すよう命令しますが、牛を殺す屠戸、屠殺人に、この牛が人間の言葉を喋って、これこれこういう事情で実は太子だ、という風に訴えます。それで屠殺人は牛を逃がして、別に肝を工面して誤魔化します。

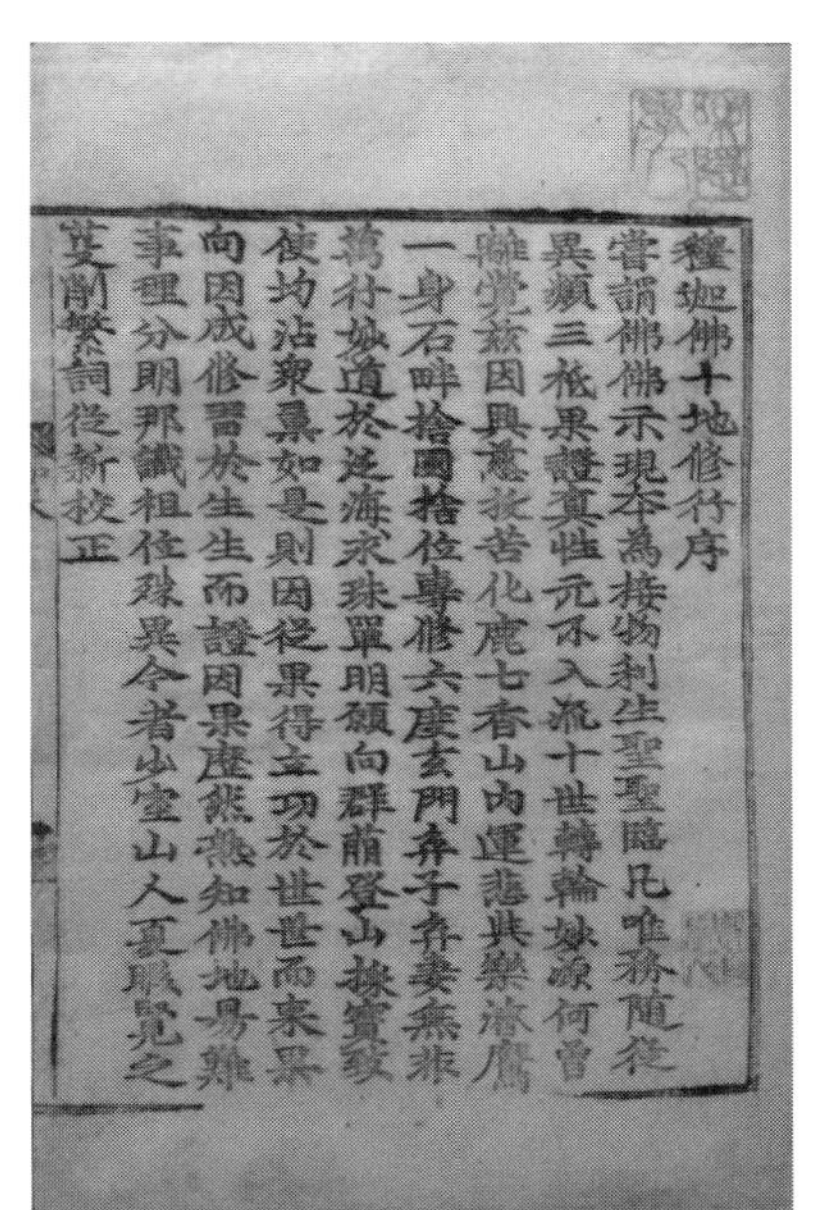
釋迦佛十地修行序
嘗謂佛佛示現本為接物利生聖聖臨凡唯務隨從
異類三祇果證真性元不入流十世轉輪妙源何曾
離覺菽因興慈拔苦化鹿七香山内運悲興藥治鷹
一身石畔捨國捨位專修六度玄門弃子弃妻無非
爲村妙道於逆海求珠單明頓向群萌登山採寶教
使均沾衆集如是則因從果得立功於世世而來果
向因成修習於生生而證因果歷然幾知佛地易難
事理分明那識祖位殊異今者出宝山人重飜見之
芟削繁詞從新校正

図1　『釈迦十地修行記』（姜賛洙氏所蔵）

金牛は、高麗国に逃げますが、そのときちょうど高麗の微妙公主というお姫さまが、玉（繍毬）を高いところから投げて、当たった人を婿にする、ということをやっていました。それがたまたま金牛に当たったので、金牛が婿になるというと、父の高麗国王がとんでもないということで怒り、この二人を追放してしまいます。追放された金牛とお姫さまが逃げて行くと、途中で仙人に会い、桃（仙桃）を食べると、太子が牛から元の人間に戻ります。そして一緒に金輪国に行きます。金輪国王は夢に、帝釈天のお告げで太子が来るということで、王位を金牛太子に譲ります。金輪国王となった太子が、自分が生まれた波利国に行き、父王に会って事情を話し、目が見えなくなっていた母親を救い出して、目をなめると、また見えるようになります。そして金輪国に戻って、後にみんな成仏した、という話です。

ここで注目されるのは、まず生まれた子どもを猫あるいは狸に替えるという話で、これは中国人なら誰でも知っている『三侠五義』の「狸猫換太子」という話と同じです。また石臼で母親が苦労するという話は、遼代の『劉知遠諸宮調』、後に『白兎記』という戯曲になりますが、この中にある話で、よく知られています。それから玉（毬）を投げて婿を探すというのは、『西遊記』の玄奘の「江流和尚」のところに、玄奘のお母さんの話として見えます。最近では、もともとは広西の壮族の風習であったという説もあります。また目の見えない親の目をなめて見えるようにするという話はいろんなところにありますが、古いところでは敦煌の『舜子変』にあります。これらは民間文学や小説の常套的プロットを集めたような感じです。それから、太子が生まれたときに迫害を受けて、九死に一生を得ていろいろ逃げ回って、その間、部下を集め、美女と結婚して、最終的に国王の位に戻るという話は、多くの類話があります。今日は時間の関係で省略しますが、わたしは以前、これらを太子走国、走国というのはいろんな国を逃げることで、日本風に言うと、貴種流離譚みたいなものですが、太子走国説話群として、以前論文を書いたことがあります。この「金牛太子伝」も広い意味では太子走国説話の一つです。

2 制作時期

『十地修行記』は朝鮮の刊本しかないのですが、いつ作られたのかということについては、第十地の「釈迦仏誕生」の末尾【資料2】に、釈迦が生まれたのが中国でいうと東周の昭王のときで、今の戊辰年の大定五年まで何年、それから入滅してから今の戊辰の泰定五年まで、二一七六年だと書いてあります。大定は戊辰年ではなくて、大定は金の年号で、その五年は一一六五年。干支は乙酉で合わない。元の泰定五年は戊辰年なので、これは元の泰定五年（一三二八）に成立したものです。大と泰はこの時代は通用します。

3 刊行時期

次に、実際に刊行されたのがいつかといいますと、序文【資料3】を読むと、少室山人という人が校正、新たに編集し、それを伊府承奉の普秀が明の正統戊辰（十三年、一四四八）に刊行したとあります、これは泰定五年の百二十年後にあたります。

韓国では、韓国の本だということになっているんですが、実はこの伊府というのは、洛陽にあった太祖朱元璋の二十五番目の子、伊厲王の朱㰘の王府で、いわゆる王府刊本です。明代には王府の出版物というのがたくさんあって、この本は第二代目の簡王、朱顒炔のときに刊行されたものです。承奉というのは王府の宦官です。王の宦官である普秀、これは後に申し上げる王晶波氏の論文によると、阮普秀という人が刊行したということになります。

洛陽の伊府刊本はいろいろありますが、中に元代の本がかなりあり、この『十地修行記』も、元の泰定五年の本を明代に再編して出版したものが、朝鮮に伝わったのです。

資料2 『十地修行記』第十地〈釋迦佛誕生〉末尾

> 按本，釋迦佛生於西天中印度迦維羅國。於東周昭王甲寅二十四年四月八日降誕。至今戊辰年大定五年三十九箇甲寅令十五（年），算二千四百五十五年。於周穆王五十九年壬申二月十五日入滅。至今戊辰泰定五年，得三十九箇壬申令五十九年，算二千二百七十六年。
>
> ――金の大定5年（1165）は乙酉、元の泰定5年（1328）は戊辰、大定は泰定の誤。

資料3 『十地修行記』序文

> （前略）今者少室山人，夏暇覽之。芟削繁詞，從新校正。伊府承奉普秀刊印，流通散施。四方知音，依此而修用捨。一國達者，向此而進□□（脱二字）。人人盡證菩提，箇箇同登般若，警勸信善。
>
> 大明正統戊辰端陽，伊府用梓命工刊行。

中国には残っていないだけでなく、記録もありません。

それから明代の承奉、つまり王府の宦官が出した本というのもいくつか残っています。だいたい明代の王府官本はほとんどが嘉靖以降、つまり明代後期のもので、明代前期の王府刊本は非常に珍しい。

4 翻刻時期

次に、朝鮮でいつどういう経緯で刊行されたかですが、跋文【資料4】によると、一六四六年に天悟という僧侶がこの本の写本を獲得しましたが、「この本はいまだ東国（朝鮮）に布せず」ということで、順治十七年（一六六〇）に、忠洪道（忠清道の別名）の徳周寺というところで刊行したと書いてあります。

一六四六年というのは朝鮮ではどういう年かというと、その十年前の一六三六年に満州族が侵入して、朝鮮国王が降伏した丙子胡乱があった年ですから、大混乱期です。そういう時期に入ってきたということを考えると、満州軍が持って来たという可能性もあるのではないかと。これは推測ですが、戦争のときに本が伝わるということは結構あるので、そういうことも考えられると思います。
　わたしは二〇一六年に寧波の天一閣であった国際学会で以上のことを発表して、その後、あとで申し上げることに気がついて今日の発表に臨んだわけですが、実は数日前に、王晶波さんという方が、「从敦煌本《佛说孝顺子修行成佛经》到《金牛宝卷》」（『敦煌学輯刊』二〇一七年三月）という論文を書いておられて、それに今日わたしが申し上げることはだいたい書いてあったので、数日前に非常にがっかりしてしまいました。わたしは口頭発表ですので、あまり価値がなくなってしまって申し訳ないですが、一応お話します。

資料4　『十地修行記』跋文

天悟跋文云：（前略）此如來行迹者，萬藏之源，三聖之首。而未布東國，故不識最妙之迹久矣。天悟赤犬（筆者按：丙戌，1646）之秋，得此寶，敬寫藏囊。遊歷諸方，而到乎月岳山德周禪院，遇骨格超凡義能大師之弟，學寶禪相。禪相餘（？）就板材，而欲刻至迹。合德同力，不日成功。…順治十七年（1660），忠洪道忠州月岳山德周寺開版。

5　「金牛太子伝」の原典

　この「金牛太子伝」の原典は、金英順さんを含めていろいろな方がこれまで研究されたものですが、敦煌の『孝順子応変破悪業修行経』、これは『銀蹄金角犢子経』ともいわれているものです。これは『開元釈教録』などに載っていますが、偽経なので『大蔵経』には入っていません。ただ敦煌写本の北京本と、ペテルブルクのものにあります。これは方広錩さんが発見されたもので、話は「金牛太子伝」とだいたい同じです。旃陀羅頗黎国の国王に三人の妻がいて、第三夫人が子どもを産んだのですが、上の二人が嫉妬して、太子が銀蹄金角牛となる。第三夫人は石臼をひいて苦行、二夫人が金牛の肝を食べたいと言ったので殺そうとしますが、屠戸が逃がします。先ほどの「金牛太子伝」の高麗国に相当するところが、舎婆提国になっています。その公主を娶って、金城国で天子となって、舎婆提国王と和解して、自分が生まれた旃陀羅頗黎国に帰って、母を救って、成仏します。基本的に同じ話です。これについては方広錩さんをはじめ、日本では牧野和夫さん、金英順さんなどの研究の歴史があるわけですが、この王晶波さんの論文は去年（二〇一七年）出たので、わたしは気がつかなかったですが、これに宝巻との関係が出てきます。わたしも宝巻について今年の二月くらいに気がついたので、今日はそれをメインにしようと思ったのですが、王晶波論文にすでに書いてありました。

まず、『十地修行記』と敦煌の『孝順子応変破悪業修行経』を比べると、敦煌のほうが早いわけですが、「旃陀羅頗黎国王」が「金牛太子伝」では「波利国王」に、「金城国」が「金輪国」になっています。これらはとくに問題ありませんが、「娑婆提国」は「舎衛国」のことで、祇園精舎があった場所ですが、これが「金牛太子伝」で高麗国になっているのは解せない。高麗国だと朝鮮ですから、舞台がインドでなくなり、インド説話から離脱してしまうわけです。なんでこれが高麗国になっているのか、ということが一つの大きな疑問になります。

6 「金牛太子伝」の類話

中国では『十地修行経』は残っていませんが、実は「金牛太子伝」は残っています。その一つは宝巻です。宝巻というのは明清時代、民間で行われた仏教などの宗教的語りものです。今残っているものは非常に新しく清末民国初のものです。その宝巻に「金牛巻」（張希舜等編『寶巻』初集二十四、山西人民出版社）というのがあって、これは「金牛太子伝」とほぼ同じ話です。発端に別の話がありますが、時間の関係で省略します。それ以外は同じ話ですが、ただ太子を殺そうとして、蒸籠の中に入れて蒸して殺すとか、楼の上から高い所から突き落として殺すとか、細かいところが詳しくなっていて、話が長くなっています。太子が逃げるのは「海東高利国」になっていますが、これは中国語では「カオリ」と同じ発音ですので、明らかに「高麗国」を継承しています。

また太子が、自分を逃がしてくれた屠殺人の陳屠に譲位し、陳屠が波利国王になるということになっていて、そこが若干異なる点です。宝巻はすべて韻文でできており、より古い時代の口承文学は、詞話というのが元、明代にありますが、それと同じような文句が出てくるので、由来はかなり古く、おそらく明代くらいのものであろうと考えられます。「金牛太子伝」にくらべると、細部に潤色が多いという点が異なります。

もう一つは、最初に波利国王が、五台山に避難しているときに太子が生まれるということになっています。中国の皇帝が五台山に行った例としては、元のときに仁宗皇帝が五台山に行っており、それに高麗の忠宣王も随行したという事実があります。これも高麗との関係、つまり元の時代の特色を反映していると考えられます。

もう一つの宝巻は、さらに世俗化したもので、河陽（江蘇省の張家港）の『金牛宝巻』（『中国・河陽宝巻集』上海文化出版社、二〇〇七年）では、仏教説話とは関係がなくなり、波利国王ではなく、明の嘉靖皇帝の代の話、完全に中国の話になっています。ただし、太子が高麗に行き、お姫様と結婚する話などは同じで、最後は高麗国王が北京にきて、高麗と明が同じ国になり、両国が一つの国になるという結末になっています。これは明代、あるいは清代、朝鮮が中国の朝貢国であったという政治背景を反映しているように思われます。それ以外は「金牛巻」と、細部に至るまで一致します。

それからもう一つ、これは王晶波論文で挙げてなくて、わたしが気づいたものですが、台湾の『四十二品因果録』（財団法人台湾省台中聖賢堂・聖賢雑誌社印行　民国七十年）というよく素性がわからない本にも「金牛太子伝」があります。ただしこれには高麗国は出てきません。

さらに北京の北の石家荘にある毘盧寺には明代の水陸図の壁画があって有名ですが、毘盧寺の釈迦殿の西の壁画が金牛太子の話になっています。詳細は田亜濤「石家荘毗盧寺釈迦殿壁画考」（『中国文物報』二〇一四年七月九日）に見えます。ですから、この話は中国でも明代にはかなり広まっていたと推測されます。

図2 『目連救母出離別地獄生天宝巻』（『中国俗文学史』下冊第11章より）

ちなみに現存最古の宝巻は、中国国家図書館にある北元の宣光三年（一三七二）蒙古脱脱氏施捨の彩絵抄本『目連救母出離地獄生天宝巻』【図2】というものです。

北元というのは、元が明に追われてモンゴルに逃げ帰った時期のことで、脱脱氏はモンゴル人で、宝巻の発展にはモンゴル人が関係している可能性があります。

7 高麗の敬天寺石塔の『西遊記』浮彫

さて、先に述べたように敦煌の『孝順子応変破悪業修行経』と『十地修行記』の「金牛太子伝」との最大の相違点は、「金牛太子伝」では高麗が登場することです。これはなぜでしょうか。最後に王晶波論文にはない、わたし独自の考えを申し上げます。

『十地修行記』が成立したのは元の泰定五年（一三二八）ですが、『仏祖統紀』（巻四十八）によると泰定帝と皇后は帝師から仏戒を受けています。モンゴル皇帝は仏教を信仰していましたが、仏戒を受けた皇帝は泰定帝だけです。『十地修行記』はこの受戒を記念して編纂されたのではないかと思います。しかも泰定帝には高麗人の皇后がいました（モンゴル皇帝には複数の皇后がいます）。また皇帝、皇后に授戒した帝師とは、証拠はありませんが、当時皇帝に信頼されていた指空というインド僧ではないかと思われます。この指空はその後、高麗に行き高麗王の帰依を受け、また元に帰って、最後の皇帝である順帝の帝師になっています。順帝は皇帝になる前に高麗の大青島（テチョンド）というところに島流しになっています。大青島は仁川（インチョン）空港のすぐ北にあります。そして後に高麗人の宮女を皇后にしました。最近韓流ドラマにもなった奇皇后で、奇皇后が生んだ子が後に北元の皇帝になります。そして指空は奇皇后とその皇子と密接な関係がありました。「金牛太子伝」に高麗が登場するのは、『十地修行記』が成立した元代末期のモンゴル皇室と高麗との深いつながりを反映しているのではないか、というのがわたしの考えです。

ちなみに奇皇后が至正八年（一三四八）、高麗の首都、開城の敬天寺（けいてんじ）に建てた塔が、現在ソウルの国立博物館にあります。朝鮮世祖十二年（一四六七）にその完全なコピーとして作られた円覚寺（えんかくじ）塔は、ソウルのパコダ公園に現存します。この二つの塔の基層部には『西遊記』の壁画が描かれています。これはなぜでしょうか。『西遊記』はみなさんご存知のように、三蔵法師のインドへの取経の旅を小説化したものですが、その初期の重要な資料に、元代末期に高麗で作られた『朴通事（ぼくつうじ）』という中国語の教科書があります。『朴通事』の中に、本屋で『西遊記』を買う場面があり、そこで三蔵法師が道士と術くらべをする車遅国（しゃちこく）の話が紹介されていますが、内容は現行本の『西遊記』とほとんど同じです。『朴通事』にはそのほかにも数か所『西遊記』に関する記述があります。それから韓国の通度寺というお寺に、やはり『西遊記』の壁画がありますが、ここは帝師のインド僧、指空が高麗に行ったとき、説法をした場所です。『西遊記』も高麗と何か関係があると思われます。台湾の謝明勲さんは「西遊記与元蒙関係試論—以車遅国与朱紫国為中心考察」(『東華漢学』二十三、二〇一六年)、という論文で、車遅国の話は奇皇后周辺の高麗人が作ったのではないかと推測しています。

8 まとめ

『十地修行記』から最後は『西遊記』の話になってしまいましたが、『西遊記』の話を載せる『朴通事』と『十地修行記』には、ここで詳しくは申せませんが、語彙の使い方などの特徴に共通点があります。だから『十地修行記』も高麗人の作だと言うつもりはありませんが、両者ともに元代末期のモンゴル皇室と高麗の密接な関係を反映していると考えられます。『十地修行記』は明代になって洛陽の伊王府から刊行されたことは先に述べましたが、『西遊記』の古いテキストは洛陽のすぐ近くの開封にあった周王府から出たと言われています。これは元代末期の皇室の持ち物が、明になって皇帝から各地の王府に下賜された結果だと思えます。

高麗は長い抵抗の末にモンゴルに降伏して属国となりますが、元代末期になると奇皇后をはじめ高麗人の宦官、宮女が宮廷で勢力をもつようになります。歴史の皮肉です。そこから生まれた『十地修行記』が、今度は満州人が朝鮮を侵略し、朝鮮が降伏した直後に朝鮮に伝わって翻刻され、現在に伝わるのは、東アジアの書物交流の歴史の中でもきわめて稀な興味深い事例だと言えるでしょう。

2　仏教説話としての擬経

石井公成（いしい・こうせい）
所属：駒澤大学教授
専門分野：仏教および仏教に関連する文化
主要著書・論文：『華厳思想の研究』、『聖徳太子―実像と伝説の間―』、『〈ものまね〉の歴史―仏教・笑い・芸能―』、『東アジア仏教史』など。
現在の研究テーマ：アジア諸国の仏教とその周辺文化

summary

説話文学について語る際は、「『法華経』に基づく説話」といったように、インドの経典が基準とされ、その経典をどのように利用して説話が作成されたか、また、元の経典とはどのように違っているか、といった点が重視されてきた。しかし、漢訳経典は訳す段階ですでに中国化されており、その経典の講釈が紛れ込んでいる場合もある。また唐代の経録によれば、現存する経典の三分の一程度は疑偽経典とされている。

そうである以上、そうした中国成立経典（以下、擬経）のうち、教理ばかりでなく物語が展開されていて一般向けの説法で用いられたような経典については、説話文学としての性格を持つものとみなすべきではなかろうか。経典、その講釈、説話集は複雑にからみあっており、その中で新たな経典が生まれてくる場合もある。

たとえば、安世高訳と伝えられてきた『大方便仏報恩経』は、これまで中国では疑われてこなかったが、船山徹「《大方便佛報恩経》編纂所引用的漢訳経典」（『仏教文献研究』第二輯、二〇一六年）は、本経はさまざまな漢訳経典を抜粋して潤色した擬経であることを論証した。また、唐代には本経に基づいて変相や変文が作られている。

本発表では、漢訳経典というもののあり方を見直したうえで、『大方便仏報恩経』の作者が元となった漢訳経典をどのように改めたか、その『大方便仏報恩経』の経文がいかに「孝」を強調するテキストに改変されたかについて検討する。

1 「擬経」とは

こんにちは、石井です。本日は「仏教説話としての擬経」と題してしてお話しさせていただきます。「擬経」というのは、「経典に擬えて作った文献」ということであって、インド以外の地でできた仏教経典という意味です。「偽経」、つまり「偽の経」という言葉を用いず、「擬経」という表現を用いたのは、小峯和明さんの提案に従ったためです。小峯さんは、「偽経」という言葉は信仰の実態を示す語としては不適切だと主張されています。

考えてみたら、前漢の揚雄が『易経』に「擬」して『太玄』を書き、『論語』に「擬」して『法言』を書いたという故事があるのですから、「擬」という表現は適切だと言えるでしょう。唐代の経録では、三分の一くらいが疑偽経とされていますが、経録には古い時代に訳されて唐代には読まれなくなっていた経典がたくさん収録されています。ですから、唐代やそれ以後の時代について言えば、民間でよく読まれていた経典の半分以上は中国成立経典なんです。それを全部「偽の経」と言ってしまったら問題でしょう。そもそも、釈尊が直接説いたもの以外は偽経だとしたら、『スッタニパータ』中の最も古い部分などを除けば、ほとんどの経典は偽経となってしまいますし、大乗経典などはその最たるものです。そのため、私も小峯さんにならって「擬経」という表現を使うようになった次第です。

2 説話文学と経典の関係

説話文学については、最近いろいろな観点の研究が出てきましたが、昔は『法華経』に基づく何々説話、『金剛般若経』に基づく何々説話などというように、経典と説話の関係を検討するのが主となっていました。経典のこの箇所がどのように中国風に、あるいは日本風に変えられているか、それを明らかにすることが重視されたのです。この場合は元になったインドの経典、実際には中国風に変容された漢訳経典を絶対的な基準にし、それとの違いや違いが生まれた背景を明らかにするのが説話文学研究でした。

ところが最近は、インドの経典の成立状況と仏典漢訳に関する見直しが進んできました。我々が馴染んでいるのは大乗経典ですが、大乗経典はそれまでの経典やジャータカなどに見える釈尊の伝記を利用して書かれています。そうなると、経典に基づいて自由に展開しているわけです。そうなると、大乗経典も経典に基づく説話の一種として見ることができるのではないか、というのが私の考えです。

それからもう一つ大事なことは、現在、漢訳経典とみなされているものには、必ずしもお経ではない場合がかなりあるということですね。私は小峯さんが編纂された『東アジアの仏伝文学』（勉誠出版、二〇一七年）という論文集に、「仏伝文学に見えるエロティックな記述を中国人はどう受け止めたか」という、非常に格調の高い論文を書きました（笑）。というのは、アシュヴァゴーシャという仏教の大詩人が素晴らしい美文で書き、インド中で老若男女が愛唱したという仏伝の『ブッダチャリタ』では、釈尊の妃について、「チャールパヨーダラーヤーム　ヤショーダラーヤーム　スヴァヤショーダラーヤーム」とリズムよく述べており、「可愛い乳房を持ち、名声高きヤショーダラ」と誉めたたえていたんです。ところが漢訳では「賢い妃の耶輸陀」となっていました。そこで、「可愛い乳房はどこへいったんだ。返してくれ！」という悲痛な思いであの論文を書いたわけです。それ以来、私は自分の学問のことを「チチ（乳）の仏教学」と言っており、「母は出てこないんですか」などと尋ねられると、「いや、チチなんです」と答えているのです（笑）。

インドでは、こんな風な面白い話をする説教師が大乗経典を広めていったのです、多分。問題は、『ブッダチャリタ（仏の行い）』は漢訳では『仏所行讃』であって、「経」とはなっていないことです。ところが、後代の目録になると「仏所行讃経」という風に「経」という字をつけて収録しています。そうなると、経典ということになりますね。

有名なところで言えば、『般若心経』も経典ではありません。梵語では「プラジュニャーパーラミターフリダヤ」であって、「プラジュニャーパーラミター」は般若波羅蜜、「フリダヤ」は「芯・核心・心臓」などの意味です。ですから「般若経典の核心・エッセンス」ということであって、実質はダラニであり、お経じゃないわけです。ところが『般若波羅蜜多心経』と翻訳されたため、格が高くなったのです。

いわゆるお経についても、実際には面白い場面や掛詞を用いている箇所などが結構見られます。たとえば、『維摩経』の場合、ヴァイシャーリーで疫病が流行った際、釈尊が依頼されて出向いておさめたという伝承があり、それに基づいてこの大乗経典が書かれました。『法華経』も仏伝に基づいている点が多く、『維摩経』と同様に掛詞を用いていることが指摘されています。聴衆たちは、そうした経典を喜んで聞いたことでしょう。

それ以上に聴衆の興味を惹くのは恋愛です。釈尊の恋愛話は書けなくても、前世で修行していた頃の釈尊だとか、釈尊に仕えている若い修行者などについてであれば、興味深い恋愛話を説くことができるんです。儒教は恋愛禁止ですが、仏教の場合は最後に「愛し合う若い男女は、ともに修行に努めることになりました」とか、「こうした恋愛の末、この女性は極楽に往生しました」などといった結論に持っていけば、途中ではどんなセクシーなシーンも描けるんです。東アジアや東南アジアで恋愛文学を発展させたのは仏教だ、というのが私の固い信念です。

『大品般若経』には若い男女の恋愛話が出てきますし、『華厳経』には恋愛話だけでなく、かなり性的な表現も出てきます。遊女が接吻したら、といった話が平気で出てくるのですが、漢訳はそこら辺を非常に曖昧に訳しています。そうでなくても、経典には興味深い話が多く、それを解説する人は、どうしても聴衆の興味を惹くような形で話すことになります。

たとえば、『維摩経』については、訳者である鳩摩羅什の講義に基づく注釈がありますが、鳩摩羅什については Yuet Keung Lo さんの "Persuasion and Entertainment at Once: Kumārajīva's Buddhist Storytelling in His Commentary on the Vimalakīrti-sūtra" という論文があります。「説教と娯楽を同時に」という題名で、「鳩摩羅什の『維摩経』注釈中に見える仏教的ストーリーテリング」という副題です。この論文によれば、鳩摩羅什は「たとえば、これこれのごとくである」という形で説話をよく引用しているものの、実際にはその説話は経典の内容とは直接対応していないことが多いそうです。鳩摩羅什は、目の前に聞いている人たちがいると、ついその人たちの興味を引くように、ちょっとだけ関連する面白い説話を話してしまう人物だったのです。

ところがそうした講義が注釈となると、権威のある仏教文献ですので、これに基づいて次の説話が生まれてくることもあり得ます。インドの経典を漢訳し、講義したり注釈したりする段階で、かなり中国化が進んでしまっているのです。

一昨日、民族大学で講演してきたんですけれども、中国仏教の基調となったのは仏性思想です。漢訳の『涅槃経』は、すべての人に仏のダートゥがあると説きますが、ダートゥとは、構成要素、本質、区分、骨などを意味します。つまり、人々の体の中に仏の要素、骨があると説くのですが、仏の骨となれば舎利ですから、舎利が体内にあるとなれば、その人は仏塔と同じだということになります。そのため、外にある仏塔は拝む必要はない、自分自身を拝めということになり、『涅槃経』には実際にそのように説いた箇所があります。ところが、漢訳者はこれを「一切衆生悉有仏性」、あらゆる人々はみな「仏性」を持っていると訳しました。これはかなり中国思想に引き寄せた訳です。「一切衆生悉有仏素」などと訳したら抽象的ですし、「悉有仏骨」などと訳したら生々しすぎるので、天から与えられたものとされる「性」の字に変えてしまったわけです。ですから、インドの経典と、それをその国なりに受容して生まれた中国・韓国・日本の説話文学という図式は実は成り立ちません。経典が漢訳された段階で中国風に変えられてしまっているのですから、その意味では漢訳経典はすでに経典に基づく説話文学となっているのです。

そうすると今度は、擬経についてはどう考えるのか、ということになります。牧野和夫さんの「七寺蔵『大乗毘沙門功徳経』と因縁・説話」（『七寺古逸経典研究』第四巻、一九九二年）という論文があります。その論文では日本製の擬経について論じておられますが、経典と、口頭で語られる「因縁」と、説話集の三つが互いに影響を与えあっていることに注意されています。そこで生まれた説話の形を整えれば、新しい擬経になるのであって、少し崩せば説話であるという風に、相互に関係しあってそれぞれ発展していったのだと説かれています。この牧野論文を踏まえて箕浦尚美さんが、「偽経と説話—金剛寺蔵佚名孝養説話集をめぐって」（『説話文学研究』四十四号、二〇〇九年）という論文を書かれており、「経典とも説話ともつかない形で、類話が量産されていた可能性がある」と述べておられます。そうした相互影響というか、循環の運動があったのですね。

実際、これと同じようなことが中国でも行われていました。その一つが省経です。インドの経典は口頭で語られるため、同じフレーズを何度も繰り返すのですが、簡潔な漢文を好む中国人はその繁雑さに耐えられないため、南北朝の半ば頃には、経典の重要な部分を巧みにまとめた省経というものが盛んに作られました。重要な部分だけ抜き出せば抜き書き集になってしまうため、前後がつながって話がうまく通じるように、少しだけ文章を加えて形を整えたら別な経典になってしまうわけです。

そこで、省経はお経なのか偽経なのかということで大変な議論がありまして、当時の経録では偽経に類すると判定されていました。しかし巧みに作られてしまうと、もう判断できません。ですから、中国で漢訳経典として流布している経典の中には、実際には中国で編纂された省経がいくつもあるんです。

直訳の経典であれ、こうした経典であれ、僧侶が講釈をするわけですが、その講釈の内容を経典の中に補足として入れこんでしまうと、どこまでがお経だか説話だかわからないものが出来上がっていくことになります。そこで、擬経そのものを考え直す、あるいは経典そのものを考え直す必要がある、というのが今回の私の提案です。

お経と呼ばれているものの中には、いわゆる経典であるスートラ、面白い前世話であるジャータカ、ジャータカ同様に興味深い因縁話であるアヴァダーナその他があり、理論を説いた論書もあり、律の文献もあって、律にはその条項が制定された面白い逸話が豊富に含まれています。いずれにしても、文才のある人が参加して漢訳する場合、中国人にも中国風に訳したり、補足を入れたりする場合、中国人にとって読みやすい美文の文献が出来上がります。そうなると、仏教文学という概念と説話文学という概念は、明確に区別されないことになってきます。つまり、美文で書かれた経典は文学なのか。お堅い経典とそれとは違う興味深い説話、という図式が通用しなくなるんです。経典そのものに説話的な面があるのであって、それはインドにもあるし中国にもあるということになってくるのです。

問題は擬経がどれぐらいあったかということです。後代の標準となった唐の智昇（ちしょう）の『開元釈教録（かいげんしゃっきょうろく）』では、一〇七六部五〇四八巻のうち、疑偽経、つまり中国でできた怪しい経とされるものが三九二部一〇五五巻に及んでいます。ということは、唐代に流行った経典の三分の一以上は擬経なんです。しかも一〇七六部というのは、後漢やら南北朝の早い時期に訳されていて、古臭くてだれも読まないような経典を含んでいるわけですから、唐代の一般庶民が読んでいたお経の半分以上は中国成立だったことになります。

なお、最も中国的な仏教と言われているのは禅宗ですが、私は最も中国的な仏教は禅宗だとは考えていません。なぜかと言うと、インドの経典に満足できない人たちが擬経を作る以上、中国人らしさが一番発揮されるのは擬経のはずだからです。禅宗は、その擬経が説いている部分をとことん突き詰めて純粋化したものです。擬経とされる経典は、インドの経典を真似ながら、儒教が入るわ、老荘が入るわ、道教が入るわ、陰陽五行が入るわで、ごちゃごちゃしたものが多いんですが、禅宗だって、黄檗希運、臨済義玄、趙州従諗といった達人の禅者は別ですけれど、一般の禅僧や禅宗信者の庶民は、結局そのごちゃごちゃした擬経の世界に戻っていくわけなんですね。

それを考えると、我々は擬経こそ中国仏教の本質と考えなければいけない。これまで書かれてきた仏教史というのは、宗派に属する僧侶学者が書いている場合が多いので、『法華経』中心とか、浄土教中心、禅宗中心といった形で書かれているんです。しかし、これからは擬経に重きを置いた東アジア仏教史が書かれなければいけない。そういう本はないのですが、幸いなことに『東アジア仏教史』という非常によい本が岩波新書で出るという噂を聞きました。著者は石井何とかという人で（笑）、来年の二月ぐらいに出るようです（二〇一九年二月刊行済）。宣伝はこれで終わりにして本題に戻ります。

3 『大方便仏報恩経』七巻

さて、禅宗の場合、後に仏祖三経と呼ばれて尊重される三つの経典があります。それは、『四十二章経』、『仏遺教経』、そして唐代後期に活躍した潙山霊祐の儒教まじりの説教集である『潙山警策』です。この三つが代表的な経とされますけれども、実はインドの経典の直訳はこの中に一つもありません。これが中国仏教の実態です。そこで擬経の一例ということであげたいのが『大方便仏報恩経』です。

私がなぜこの経に注目したかというと、いなかったという珍説もある聖徳太子関連の基本文献である「法隆寺釈迦三尊像銘」と「天寿国繡帳銘」の両方が『大方便仏報恩経』の言葉を使っていることを発見したためです。聖徳太子の場合、お母さんが病気で亡くなってしまうと、そのふた月後に、聖徳太子も亡くなりました。それはきっと、亡くなって天に生まれたお母さんに説法するために後を追ったのだ、というのが太子の周りの人の解釈というか、太子の一族と近しい関係にあった僧侶の解釈だったわけです。というのは、『大方便仏報恩経』は、お釈迦様が亡くなったお母さんに恩返しをするため、天に昇って説法したという筋立てであるため、これを当てはめたのです。それぐらいこの『報恩経』は広まっていました。

この経典については、斉の蕭子良が略出して二巻の『方便報恩経』を作っていますので、五世紀半ばから終わり頃にはできていたようです。おそらく南朝で作られたと思います。漢文からチベット語に訳したチベット語の訳もあるほど広まっていました。ここで面白いのは親孝行の「孝」という字が経題に使われていないことです。なぜかと言うと、「報恩」というのは釈尊以来尊重されていた徳目であって、クリタジュナなどいろんな言葉が「報恩」と訳されていますが、親孝行の「孝」にピタッと当たる梵語はインドにはないんです。漢訳経典には「孝」という言葉がたくさん出てきますが、それは、恩を忘れない、恩を返すといった表現を親に対して言っている場合、漢訳ではこれを「孝」と訳したからです。これは漢訳経典を読むとき非常に注意しなければならない点です。インドでは両親のことはマーターピトゥリと言い、これは「母父」です。普通の文章で使う場合も、母を先に言うことが多いです。ところが中国では父母なんですね。これはもちろん父母（fumu）の方が言いやすいということもあるかもしれませんが、やはりここには儒教の男尊女卑が反映しているでしょう。したがって、このマーターピトゥリという言葉を父母と訳したその瞬間に、漢訳経典に儒教の概念が入ってしまうことになります。

このように、漢訳経典を読むというのは怖いことなんです。実は、母父という表現は日本にもありました。この中で『万葉集』を研究されている方はご存知のように、東歌では両親のことは「あもちち」などと言いまして、母父の順になっているんですね。ところが、儒教が広まってくると、「ちちはは」という言い方に変わっていくのです。

さて、中国に仏教がもたらされると、出家して親を捨てる仏教は親不孝な教えだ、子孫を残さないのはけしからん、髪は親の「遺体」、つまり、親が残してくれたものなのにそれを切るとは何事か、といった儒教からの非難を浴びました。そこで仏教側は、仏教がいかに親孝行を重視しているかを強調するわけです。このため、そうした内容の擬経が作られていきます。『父母恩重経』もそうですし、『仏報恩経』もその一つです。

問題は、この経典は中国では誰も擬経だと思わなかったということです。擬経研究が進んだ近年の目録である曹凌編著『中国仏教疑偽経綜録』（二〇一一年）にも収録されていません。しかし、日本では七、八十年ぐらい前から、この経はちょっと怪しいというので研究が進んでおり、昨年になって船山徹さんの論文（王招国［定源］訳「《大方便仏報恩経》編纂所引的漢訳経典」『仏教文献研究』第二輯、二〇一六年）が出て決着をつけました。この論文が載った『仏教文献研究』という雑誌は、私の研究仲間である方広錩さんが主催されているもので、その記念すべき第一号と第二号が、「偽経特集」なんですね。やっとよい時代が来たなと思いました。船山さんはこの論文で、『大方便仏報恩経』がどれだけ先行経典を切り貼りして書かれているかということを明らかにしてくれました。その中には、『賢愚経』や『六度集経』『法句比喩経』『太子須大拏経』『法華経』『涅槃経』『菩薩善戒経』などが含まれているのですが、康僧会が訳したとされる『六度集経』自体、いろいろな経典の話を寄せ集めて編纂された作と推測されています。

そうして成立した『大方便仏報恩経』は、いろいろな経典を切り貼りしていながら、ところどころ中国風に書き換えています。インドの経典を中国風、韓国風、日本風に変えて説いたものというのが説話文学とされていたのですから、『大方便仏報恩経』はまさに説話文学の性格を持つということになります。

インド風な記述を削除して中国風の記述に差し替える元になった経典の一つである『太子須大拏経』は、東南アジアで大人気となったジャータカです。漢訳では、子どもがいなかった王様が神々に祈り、そして山川に祈って妃が妊娠したと記されています。山川に祈るというのは中国風に思われるため、今度パーリ語の原文を見てみようと思いますが、『大方便仏報恩経』はこの箇所を引用する際、この「山川に祈る」という部分を削除しました。そして何を加えたかと言うと、「諸の小国の王と百官と群臣、来りて朝賀す」という文章です。小国の王様や臣下たちがみんな皇帝のところに挨拶にやってきて、その後で夫人が妊娠したとなっており、中国の皇帝のような記述に書き換えられています。

『大方便仏報恩経』には、仏教用語の説明も入っています。『太子須大拏経』では王は正法によって国を治め、人民を無実の罪で虐げたりしないと書いているのですが、『大方便仏報恩経』の対応する部分では、仏が在世して教化すること十千歳、一万年であって、滅度の後、正法が世に続くこと十二千歳、そして正法に似ているものの程度が落ちる像法が滅した後に云々となっており、正法とは何であって何年続くのかといった説明になっています。まさに経典の講釈が経の中に入りこんでいる例ですね。

さらに問題は、波羅奈王という王様について、名は摩訶羅闍だと言っている点です。マハーラージャだったら大王ですから一般名称ですけど、ここでは間違えていて王の名前が摩訶羅闍だと説いているのです。また興味深いのは、大乗戒を説く『菩薩善戒経』を引用する際、「自利」という部分を削除していることです。『菩薩善戒経』では、菩薩摩訶薩は戒律を保ち、いろんなことがあっても恨むことない、これを「自利」と名付ける、そして人々のために尽くす、これを「利他」と名付ける、と書いています。

これは大乗仏教では当たり前のことです。インドでは、自利・利他に努めなければ菩薩ではありません。ところが、中国では自利というと利己主義であると受け取られる傾向があるんです。他人を利するのが利他ですから、それの対句としては利己としなくてはいけないはずですが、「己を利する」と言うと、他人のためには毛一本も抜かないなどと批判された墨子のイメージに重なってしまいます。かといって、「利自」とすると漢語としては落ち着きませんので、「自」を副詞にして「利」の前に持ってきて「自利」という言葉にし、利他と組み合わせたのです。『大方便仏報恩経』の作者は、菩薩はひたすら利他に努めるべきだと考えて「自利」の語を取り去ったんですね。

なお、菩薩という語は、仏教辞典などでは梵語のボーディサットヴァの音写である菩薩摩訶薩を略したものと説明されていますが、これは全く違います。なぜかと言うと、菩薩摩訶薩と言う音写語は六世紀、七世紀になって登場しており、三世紀ぐらいの古い訳経では菩薩となっています。ガンダーラなど西北インドの言葉が伝えられたシルクロードでは、ボーディサットヴァをボーサッなどと簡略にした発音になっていたのであって、菩薩はそのほぼ正確な音写だったのです。インドで文語である梵語がバラモン以外の知識人にも盛んに用いられるようになると、口語や方言で語られていた経典がやや梵語まじりになり、さらに梵語に書き換えられたり、最初から梵語で書かれたりするようになっていったのです。

それはともかく、『菩薩善戒経』では菩薩は自利・利他に努めるとされていたのを、『大方便仏報恩経』では、菩薩は恩を知り、恩を報じ、一切の人々の利益のために働くということになっています。そして、何よりも親に対する恩に酬いることが強調されるのです。

4 以後の影響

『大方便仏報恩経』は、聖徳太子関連の銘文にも使われるぐらい東アジアで広まっていました。『大方便広仏報恩経』は敦煌でも壁画が書かれており、変文も残っていますが、有名なのは、大足県の宝頂山の石窟のうち、南宋の一一七九年に石刻を創始した第十七窟の巨大な「大方広仏報恩経変」です。これについては、恩師の一人である鎌田茂雄先生の論文、「大足宝頂山石刻の思想史的考察—父母恩重経変図と大方広仏報恩経変図をめぐって—」(『国際仏教学大学院大学研究紀要』第二号、一九九九年)があって有益です。

第十五窟には『父母恩重経』の変相も彫られており、第二十号窟には「地獄変」があります。こうした構成を見ると、孝が強調され、不幸は地獄堕ちであることが示されていることがわかります。説法が巧みな僧や案内者が、この変相を説明する際、経典の筋に細かい描写や逸話を付け加えて語れば、孝を説いた新たな説話、新たな経典が生まれるでしょう。

実際、『大方便仏報恩経』の文句は、宝頂山の石窟に刻まれたテキストでは変えられています。『大方便仏報恩経』では、如来は、「一切衆生はかつて私の父母であった。私もかつて一切衆生の父母であった」という風に言っているのですが、これは無限の輪廻を前提としているインドの経典の言い回しが残ったものです。ただ、中国では、これを言うと非常にまずいんです。中国で成立した大乗戒の経典『梵網経』は、すべての動物は自分の過去世の父母であったのだから食べてはならないと命じていますが、無限の輪廻を考えるなら、その動物は自分の子であったかもしれないし、動物であった自分を殺した猟師だったかもしれません。動物ばかりか、現在の父母にしても、前世では自分の子だったかもしれない。しかし、こうしたことを言いだしたら、「孝」は成り立ちません。これは君臣の場合も同様です。たとえば皇帝と対面した際、「陛下は過去世には自分の臣下だったかもしれません」と言えばどうなるか。

そこで、第十七窟に刻まれた経では、互いに父母であったという箇所は残してあるのですが、それに続く部分では、「一切父母の為」に菩薩が難行苦行することが強調されるのみで、この問題への深入りを避けています。そして、父母に孝養を尽くしたからこそ無上の菩提が得られたと述べ、『大方便仏報恩経』では、「孝の徳に由るなり」と結論づけていますが、『大方便仏報恩経』では、菩提を完成させて仏の恩に報うべきことを強調しているものの、孝によって無上菩提を得るといった記述はありません。つまり、この刻経文は、『大方便仏報恩経』に基づきつつ、孝を強調した異本、つまりは新しい擬経に近いものなのです。

これまで見てきたことから、最初に述べたように、インドの経典に基づいて中国風・韓国風・日本風にわかりやすく説いたものが説話文学だという図式は成り立たないこと、そして擬経がきわめて重要であることがおわかりいただけたことと思います。

3 唐宋代の往生伝の編纂と伝承――遼非濁撰『新編随願往生集』研究序説

李 銘敬（り・めいけい）

所属：中国人民大学教授、同大学日本人文社会科学研究センター長

専門分野：日本中古中世説話文学と仏教文学

主要著書・論文：『日本仏教説話集の源流』研究編（勉誠出版、二〇〇七年）、『日本文学のなかの〈中国〉』（共編著、勉誠出版、二〇一六年）、『ひと・もの・知の往来―シルクロードの文化学』（共編著、勉誠出版、二〇一七年）、「『日本霊異記』の文体をめぐって」（瀬間正之編『記紀の可能性』所収、竹林舎、二〇一八年）など。

現在の研究テーマ：日本仏教文芸と唐宋代文献との交渉関係に関する研究

summary

中国では六朝以来、仏教の展開と発達に伴なって多くの仏教説話集が編纂されてきたが、仏教の衰退に従ってそのほとんどは散佚してしまった。しかし、それらは成立後、朝鮮半島や日本に伝わり、その各国の同類作品の制作に大きな刺激となる。その中で、とくに日本仏教説話集への影響は大きい。たとえば、唐・宋・遼の時代の『冥報記』『金剛般若集験記』『三宝感応要略録』『地蔵菩薩応験記』といった作品に触発され、『日本霊異記』『今昔物語集』『地蔵菩薩霊験記』など、平安時代の代表的な説話集が陸続と編纂されるようになったことは、まさにそれである。それと同様に、唐・宋・遼時代に成立した往生伝類も同類の日本の往生伝や仏教唱導文芸に大なる影響を及ぼしている。今回は遼代非濁撰『新編随願往生集』を例にして、この問題を考察した。

まず、唐宋代往生伝集の編纂と伝承を確認した。そのうえで、遼代非濁撰『新編随願往生集』について、その文献的記録、成立時間、内容・編纂・構造などを、同じく非濁撰『三宝感応要略録』、そして『新編随願往生集』の遺編とされる真福寺蔵『往生浄土伝』と金沢文庫蔵『漢家類聚往生伝』の両作と絡めて検討した。すなわち、『新編随願往生集』は遼の清寧二年（一〇五六）頃完成し、間もなく勅命で遼の大蔵経に編入され、大蔵経の高麗への贈与に伴って朝鮮半島に伝来した。日本にも伝えられ、それを利用して日本人の手で『往生浄土伝』と『漢家類聚往生伝』との両作品が再編纂された。とくに東大寺学僧宗性上人の自筆抄録で確認したところ、本書の全称とその巻第七から巻第二十までの弥勒菩薩記事の記載情報も明白だった。そして、『要略録』と『往生浄土伝』と『漢家類聚往生伝』との三書の共通した十四話の往生伝を比較検討したところ、本書は『浄土論』『瑞応伝』を除いたほかに『梁高僧伝』『唐高僧伝』『法苑珠林』『集神州三宝感通録』『大唐西域求法高僧伝』『并州記』『外国記』『外国賢聖記』などから五百余話を収録しており、しかもその「随願修行、十方往生」という趣旨で編纂したものだ、とわかった。よって、『新編随願往生集』は往生伝を収集した量的には最大の往生集だけではなく、唐宋代以来の、西方往生を主旨とした一連の往生集とも大きく相違した、特異的な往生集だと言わなければならないだろう。最後に『新編随願往生集』の編纂方法も論考した。

1　唐宋代往生伝集の編纂と伝承

【資料1】をご参照ください。

往生伝とは、仏国浄土に往生した人々の略伝、行業及び臨終時の奇瑞を記した伝記です。『高僧伝』などの高僧伝類には散見しているものの、まとまって作品集に記されるのは、唐代初期成立の迦才撰『浄土論』下巻に二十人の往生伝を収めた「往生人相貌章」が最初のもので、中唐期の文諗・少康撰、道銑が最終に整理したとされる『往生西方浄土瑞応删伝』（『瑞応伝』）は、往生伝集として独立した第一作でした。慶滋保胤はこの両作品に倣って日本の往生者の伝記を集め、漢文体で『日本往生極楽記』（九八七年頃成立）を撰述し、それ以後に編纂されてきた日本往生伝集の濫觴となり、『今昔物語集』巻十五に再録されるなど、中古・中世の説話文学に多大な影響を与えています。『三宝絵』巻下に「もろこしの往生伝をみるに」云々との文句が見られますが、それは『瑞応伝』を指したものかと考えられます。また、すでに指摘された通り、永仁五年（一二九七）良季編集の『普通唱導集』には、本書所収の四十八話の半分が抽出され、ある程度の手を加えて再収録されています。重文に指定された高野山宝寿院所蔵の康治二年（一一四三）の書写本と、長承三年（一一三四）の写本から転写した正治元年（一一九九）の書写本との古写本も現存します。本書が広く受容されたことは、すでに多言を要しないでしょう。『瑞応伝』に続きまして、宋代には遵式撰『往生西方略伝』（現佚）、遼・清寧二年頃の非濁撰『新編

資料1

迦才撰『浄土論』（下巻「往生人相貌章」）唐初期
文諗・少康撰『往生西方浄土瑞応伝』唐中期
遵式撰『往生西方略伝』天禧元年（1017）（現佚）
非濁撰『新編随願往生集』遼清寧二年（1056）頃（現佚）
戒珠撰『浄土往生伝』治平元年（1064）
王古撰『新修浄土往生伝』元豊七年（1084）
清月撰『往生浄土略伝』（現佚）
陸師寿撰『新編古今往生浄土宝珠集』紹興二十五年（1155）
海印撰『浄土往生伝』端平三年（1236）（現佚）
王日休撰『龍舒浄土文』巻第五「感応事跡三〇篇」紹興三十二年（1162）
宗暁編『楽邦文類』巻第三「伝十四人」慶元六年（1200）頃
志磐撰『仏祖統紀』巻二十六から二十八「浄土立教志」咸淳五年（1269）

随願往生集』(現佚)、戒珠撰『浄土往生伝』、王古撰『新修浄土往生伝』、清月撰『往生浄土略伝』(現佚)、陸師寿撰『新編古今往生浄土宝珠集』、海印撰『浄土往生伝』(現佚)など数多くの往生伝集が現れます。これらの往生伝集は、中国ではほとんど散佚したものとなりますが、日本に伝来後、法然とその門下によって盛んに用いられ、鎌倉期浄土教に大きな影響を与えています。たとえば『類聚浄土五祖伝』『唐朝京師善導和尚類聚伝』(一二一三年頃成立)などにはそれらの引用が多く見えています。それだけではなくて、『浄土五祖絵伝』(光明寺蔵、国重文、鎌倉国宝館に寄託)という、中国浄土宗の祖師五人(曇鸞・道綽・善導・懐感・少康)の伝歴を描いた絵巻までも制作されました。そうした中で、非濁撰『新編随願往生集』は平安時代末期から鎌倉時代にかけて最も流行していたものとなっています。

　非濁の作品といえば、よく知られているのは『三宝感応要略録』(『要略録』)でしょう。本書は日本説話文学に巨大な影響を与えていることがすでに確認されますが、『新編随願往生集』もそれと同じぐらい日本仏教文芸において広く受容されています。本書は成立後間もなく遼の大蔵経に編入され、しかも遼大蔵経の贈与に伴って高麗へ伝来、後には北宋、または日本にも伝えられました。現在、名古屋市の真福寺(大須観音寺)と長福寺(七寺)に現存する十二世紀の写本『往生浄土伝』(三巻)と、金沢文庫所蔵の『漢家類聚往生伝』(巻中のみ)との両作品は、先学の研究においてすでに指摘されたように、『新編随願往生集』二十巻をもとにして日本人の手によって再編纂されたものと推断されています。前者は宋代の戒珠撰『浄土往生伝』(三巻)の権威に仮託して偽撰された書とされ、原典の五百余話から百数話を収め、『覚禅鈔』(文治五年～建久九年〈一一八九～一一九八〉)、『言泉集』(建久年間〈一一九〇～一一九八〉成立)、『宝物集』、『発心集』、『閑居友』、『私聚百因縁集』、『三国伝記』、『金言類聚抄』(一二七八年以前)、『讃仏乗抄』、『念仏得益験記』(一三〇〇年本奥あり)、『春華秋月抄草』(宝治二年〈一二四八〉)など仏教説話集や類書、唱導資料において幅広く引用されています。また貞応三年(一二二四)慈円によって再建された四天王寺絵堂壁画には本書から数話を採録して絵画化し、詩歌と和歌までも詠まれています。

　上述したことで、いくつかのことが明確にできました。一つは、唐宋代以来、往生伝集が多く編纂され、後はそれらはほとんど散佚しましたが、日本に伝来して大いに伝承され、しかもその多くは古写本も現存しています。

もうひとつ、【資料1】で示すような数多くの唐宋代の往生伝集において、遼僧非濁撰『新編随願往生集』は格別な存在でした。この往生集が成立する前に出た『瑞応伝』と『往生西方略伝』はともに五十話も足りない小型なもので、それ以後に編纂された北宋の戒珠や王古などのものもせいぜい百数話の中型の伝集ですが、『新編随願往生集』はなんと二十巻で六百話ほどの大型の往生伝集でした。それだけではなくて、西方浄土のみを目指して編纂した唐宋の往生伝集に対して、遼のこの大作は「随願往生」(「随心所願、十方往生」)を趣旨としたかなり異色的な内容を持つ往生伝集ではないかと思われます。また遼より高麗へ、そして北宋と日本へも伝来され、国際的な影響も大きい作品でした。

2 『新編随願往生集』に関しての記録

【資料2】をご参照ください。

『新編随願往生集』についての最古の記録は、弟子の真延が撰した非濁の一生を略記した行実記の碑文です。清代初期朱彝尊撰『日下旧聞』がそれを収めており、「撰往生集二十巻進呈、上嘉賛久之、親為帙引、尋命龕次入蔵」とあります。非濁が『往生集』二十巻を撰述して当時の遼道宗皇帝に進呈し、皇帝から大いに賞賛され、自らその序を制作され、遼の大蔵経に入らしめたというのです。

資料2

(1) 師捜訪闕章、聿修睿典、撰往生集二十巻進呈、上嘉賛久之、親為帙引、尋命龕次入蔵。(真延撰『佛頂尊勝陁羅尼幢記』)

(2) 新編随願往生集、二十巻 、沙門非濁集、上一集二十巻、二帙、禅主二号(元代『至元法宝勘同総録』巻第十「弘法入蔵録所記東土聖賢集」)

(3) 随願往生集二十巻、非濁集(義天撰『新編諸宗教蔵総録』巻第三)

(4) 此間亦有新行随願往生集一部二十巻、又有大無量寿、小弥陁、十六観、称賛浄土等経新旧章疏一十余家、続当附上。(義天『大覚国師文集』巻第十一「答大宋元炤律師書」)

(5) 第六葉に新編随願往生集七・八、第七葉には九・十、第八葉に十七・十八・十九・二十、第二一葉には新編随願往生集十一・十二・十三・十四、第二二葉には新編随願往生伝十五・十六(東大寺図書館所蔵の宗性自筆『弥勒如来感応指示抄』第三に『新編随願往生集』各巻にみた弥勒菩薩関係説話を抄録した記事)

そして、元の至元二十二年（一二八五）夏から二十四年（一二八七）にかけて編纂された『至元法宝勘同総録』巻第十「弘法入蔵録所記東土聖賢集」に「新編随願往生集二十巻」と著録してあります。それ以後、中国文献でその著録が見えなくなったのです。

本書が成立後間もなく遼の大蔵経に編入されたので、その大蔵経の高麗への贈与に伴って早く朝鮮半島に伝来しました。義天（一〇五五～〇一）撰『新編諸宗教蔵総録』（一〇九〇）巻第三に「随願往生集二十巻、非濁集」と著録しており、また同『大覚国師文集』巻第十一「答大宋元炤律師書」に「此間亦有新行随願往生集一部二十巻、又有大無量寿、小弥陁、十六観、称賛浄土等経新旧章疏一十余家、続当附上」と、律宗と浄土宗を兼修した北宋の高僧元照への手紙の中に、この間新刊の『随願往生集』一部二十巻及び『無量寿経』などについての新旧の章疏とともに、引き続きお送りするとの記事が載せてあります。

日本にも、鎌倉時代初期の宗性上人（一二〇二～九二）自筆の『弥勒如来感応指示抄』に本書を抄録した記録が残っています。そこには「新編随願往生集」という書名の全称がちゃんと出ています。特に、宗性が本書を読んでその中から弥勒如来関係の資料を抄録しようと、第七巻から第二十巻までにその関係資料の存否をメモした記事はかなり詳しくて、現在、本書を知るための最も詳細な記録となるものです。

3 『新編随願往生集』の成立時間

【資料3】をご参照ください。

非濁の著作としてよく知られているのは、『三宝感応要略録』という作品です。『新編随願往生集』はあまり研究されていません。ふたつの作品の成立時期については、塚本善隆氏の研究によれば、『三宝感応要略録』が先にできて、それにもっと説話を増やして編纂されたのが『新編随願往生集』ではないかとされますけど、わたしはむしろ、その逆ではないかと考えています。

なぜかと言いますと、わたしがそれを推論した依拠資料は、非濁の行状を記した、【資料3】に示した『幢記』です。『幢記』は非濁の一生の出来事を時間的に追記したもの。ここで注意しなければならないことは、『往生集』（『新編随願往生集』）を遼道宗皇帝へ上進するのを記した文言前後の時間についての叙述です。検校太傅太尉を加えられたのは、「属鼎駕上仙」、すなわち遼の興宗皇帝が亡くなった清寧元年の「次年」にあたる清寧二年（一〇五六）だから、『往生集』を「今上」である遼の道宗皇帝に上進するのはこの年かと思われます。遅くともそれから燕京管内懺悔主菩薩戒師を授けられる清寧六年（一〇六〇）の春までの間ということになるのでしょう。なお、一〇六三年に道宗が『契丹大蔵経』全帙を高麗に贈った史実を踏まえて考えると、一〇六三年の時点で遼の大蔵経はすでに完成したので、一〇六〇年以後の成立でしたら、大蔵経に編入される時間的余裕が持たれないのではないかと思われます。そういうことを考慮に入れれば、清寧二年（一〇五六）の時点で『新編随願往生集』ができたはずだ、と考えるべきでしょう。

　そして、『三宝感応要略録』はいつできたかと言うと、本書に見た引用文献からすると、一〇六〇年以後でなければならないとします。南宋延一が一〇六〇年に撰した『広清涼伝』という作品を引用しているからです。そうすると、『三宝感応要略録』は非濁の最晩年（一〇六三年寂）頃にできたのだとわかります。一〇六〇年に燕京管内懺悔主菩薩戒師を授けられた非濁は翌年、寺内で壇を設けて数え切れないほど多くの僧俗に授戒を行ないました、そうした場合には、説法するための例証説話集が必要となるのではないか。私見では『三宝感応要略録』はそのために編集されたものだと考えています。非濁の亡くなる直前の一、二年間のうちに説法の用に応じて急いで編纂されたものだか

資料3

　守司空豳国公中書令奉為故太尉大師特建佛頂尊勝陁羅尼幢記
講僧真延撰並書

　京師奉福寺懺悔主、崇禄大夫、検校太尉、純慧大師之息化也、附霊塔之巽位、樹佛頂尊勝陁羅尼幢、廣丈有尺。門弟子状師實行、以記為請。大師諱非濁、字貞照、俗姓張氏、其先範陽人。**重熙初**、礼故守太師兼侍中圓融国師為師。居無何、嬰脚疾、乃遯匿盤山、敷課於白繖蓋。毎宴坐誦持、常有山神敬侍、尋克痊。**八年冬**、有詔赴闕、興宗皇帝賜以紫衣。**十八年**、勅授上京管内都僧録。**秩満**、授燕京管内左街僧録。**属鼎駕上仙**、驛徵赴闕、今上以師受眷先朝、乃恩加崇禄大夫、検校太保。**次年**、加検校太傅太尉。**師捜訪闕章、聿修睿典、撰往生集二十巻進呈、上嘉賛久之、親為帙引、尋命龕次入蔵。清寧六年春**、鑾輿幸燕、回次花林、師侍坐於殿、面受燕京管内懺悔主菩薩戒師。**明年二月**、設壇于本寺、懺受之徒、不可勝紀。**九年四月**、示寂、告終于竹林寺。即以**其年五月**、移窆于昌平県。司空豳国公仰師高躅、建立寺塔、並営是幢。庶陵壑有遷而音塵不泯。

（朱彝尊著『日下旧聞』巻第二十一所収）

ら、それに関しての記事や著録が一切見当たらないのも道理でしょう。

そうしますと、両書間で重なった説話の関係は、『新編随願往生集』は『三宝感応要略録』を増広したものという塚本氏の推測とは正反対に、『要略録』は『随願往生集』から適切に抄出した上、往生談以外の内容をも補填して編纂されたものと考えられなければならないと見られます。

4 『新編随願往生集』の内容・編纂・構造

【資料4】をご参照ください。

『三宝感応要略録』は上中下三冊で、仏法僧という三宝の霊験譚を一六四話収めており、うちには往生関連の説話は五十余話含まれ、『新編随願往生集』の遺編資料とされる真福寺蔵『往生浄土伝』と金沢文庫蔵『漢家類聚往生伝』の両作に収まった説話と十四話重出していることが見出されます。これらの共通話の内容を比較検討したところ、以下のようなことがわかりました。

第一に、共通話の十四話には、『要略録』に収められた説話の題脚に「新録」とその出典を注したのは三話見えますが、これによると、「新録」いわば新しく採録された説話は『要略録』で始めたものではなくて『新編随願往生集』においてすでに収められたのであった、ということが明白でした。『要略録』では二十七話の「新録」説話が収められているので、これから推測したら、二十巻の大作『新編随願往生集』には、このような新採録の説話が大量に収められたはずでしょう。「新編」という題名には、こうした意味も込められるのではないかと思われます。

第二に、「新録」説話三話を除いた他の十一話は、『唐高僧伝』(二話)、『瑞応伝』(一話)、『并州記』(一話)、『梁高僧伝』(一話、『法苑珠林』よりの孫引き)、『感通録』(一話、『西域伝』よりの孫引き)、『外国記』(二話)、『大唐西域求法高僧伝』(一話)、『外国賢聖記』(一話)と説話の題脚に注をつけた『要略録』ですが、それらの同話として、『新編随願往生集』の両残編に見い出すことができたので、『新編随願往生集』においても、『瑞応伝』『唐高僧伝』『感通録』(『集神州三宝感通録』か)『法苑珠林』『大唐西域求法高僧伝』はもちろん、『并州記』『外国賢聖記』など新資料から説話を集めていることが見受けられます。これからしても新資料という意味が込められる「新編」命名の原理がのぞ

資料4

『三宝感応要略録』巻上
悟真寺釋恵鏡造釋迦弥陁像見浄土相感應第七　新録（『浄土伝』巻上23「釈恵鏡」『漢家』巻中5）
雞頭摩寺五通菩薩請阿弥陁佛畐寫感應第十一　出感通録引西域傳（『浄土伝』巻下36「外国鶏王」）
隋安樂寺釋恵海圖寫無量壽像感應第十二　出唐高僧傳（『浄土伝』巻上12「釈恵海」）
隋朝僧道喻三寸阿弥陁像感應第十三　出瑞應傳（『漢家』巻中3）
釋道如為救三途衆生造阿弥陁像感應十五　同記（「並洲記」）（『浄土伝』巻中7「釈道如」）
宋沙門釋僧亮造丈六无量壽像感應十六　出梁高僧傳等、珠林中取意出之（『浄土伝』巻上11「釈僧高」）
阿弥陁佛化作鸚鵡引接安息國感應十七　出外国記（『浄土伝』巻下31「安息国」）
阿弥陁佛作大魚身引接捕魚人感應十八　同記（外国記）（『浄土伝』巻下33「執獅子国」）
信婦言称阿弥陁佛名感應第十九「外国賢聖記」（『浄土伝』巻下34）
同・巻中
新羅國僧俞誦阿含經生浄土感應第九　新録（『浄土伝』巻中5「釈僧俞」）
并州比丘道如唯聞方等名字生浄土感應十六　新録（『浄土伝』巻中8「釈道妙」）
道珎禪師誦阿弥陁經生浄土感應二十四　出瑞應傳等文（『漢家』巻中29）
并州常慜禪師寫大般若經感應四十五　同文（『大唐西域求法高僧伝』）（『浄土伝』巻上10「釈常慜」、『漢家』巻中23）
同・巻下
釋道詮禪師造龙樹像生浄土感應第四十一　出浄土傳（『浄土伝』巻中6「釈道詮」）

かせられます。こうした文献資料の利用事情は、「今浄土論之外、瑞応伝之餘、或披此土典籍、或尋外国記注、或問耆旧伝説、或聞当今口語、所拾遺異相往生人五百餘輩、而於其中最異者略記一百一十六験」とある、真福寺所蔵『往生浄土伝』跋文にみる線引きの文言の謂れ（いわ）と全く一致した内容です。すなわちこの跋で言った『淨土論』と『瑞応伝』から出た説話を除いた五百余話の依拠資料は、取りも直さず『新編随願往生集』に収めた説話をさすものだと推測できましょう。

第三に、以往の往生伝集と相違したところをいえば、「随願」と付加した意味が大きいでしょう。ここでの「随願往生」には二重の意味が含まれて、一つには往生の修行という意味での「随願」、もう一つには往生の浄土という意味でのそれをさすのではないか。真福寺蔵『往生浄土伝』に収めた百余話の往生伝には雑行雑修（ぞうぎょうぞうしゅ）という多種多様の往生行業が記されています。念仏造像、橋梁造設、または僧侶のために洗濯したり、砂への仏像を書いたり、花を採って供養したりしてみんな往生できたのです。金沢文庫所蔵の『漢家類聚往生伝』は中巻しか残らなかった三十八話現存した残編ですが、それを「印仏想観」「造図仏像」「敬礼諸仏」「読書経典」「諸相観念」と往生の行業によりそれらを分類しているのが、まさに『新編随願往生集』のこの特徴をよく汲んでの分類法と言わざるをえないのでしょう。

そして、往生の浄土を言うと、『往生浄土伝』も『漢家類聚往生伝』もすでに日本人の手によって西方浄土への往生伝集と再編されたものですが、東大寺宗性上人の『弥勒如来感応指示抄』（第三）によれば、『新編随願往生集』（巻七から巻二十まで）において弥勒菩薩に関連のある往生伝を多く記録していることがわかります。しかも『弥勒如来感応抄』第五に抄出した「文備法師」と「神泰法師」との二話はまともな兜率天への往生伝でした。さらに『三宝感応要略録』にみる五十余話の往生伝にも兜率天、忉利天、花蔵界、阿閦仏歓喜国、不動国及び十方浄土など多種の浄土へ往生した話も含まれています。こうして見ると、『新編随願往生集』は雑行雑修を通して多種多様の浄土へ往生することを趣旨とした往生伝集だ、と見られてもよいのでしょう。

第四には、『要略録』と『往生浄土伝』と『漢家類聚往生伝』にみる十四話の共通した説話を三者で比較したところ、『往生浄土伝』と『漢家類聚往生伝』との重出したものは内容上、高度的に一致したことが確認できると同時に、『要略録』の方では、その二者との言語表現上の多くの相違が見出されました。それは『新編随願往生集』に収めた往生伝を利用する際に、それぞれ独自的に改変したものか、それともどちらの一方的な改変によるものか、それはすぐには言えないが、今後さらに精細に検討すべきだと痛感しました。

最後に、五、六百話ほどの往生伝を収録した唐宋代で随一の大型往生集として、『新編随願往生集』の編纂構造はどのようなものか、という問題が出ていますが、中国における往生集は、これまで見てきたのはすべて高僧、高尼から優婆塞、優婆夷、俗男女へという順序で編纂したものですし、『往生浄土伝』も『漢家類聚往生伝』の基底説話群もそうしたものなので、『新編随願往生集』も同様にそのような編纂方法を取ったものであろうかと推測します。なお、山崎誠氏は、『漢家類聚往生伝』の分類について「この分類は非濁の原著によるものか否かは判然としないが、二十巻にも及ぶものに分類がなされ無かったとは考えられない。寧ろこれらは原著の分類を反映しているのかも知れぬ」（真福寺善本叢刊第二期第六巻『伝記験記集』解題、六一六頁、臨川書院、二〇〇四年）と指摘されているが、上に述べたようにこの分類は確かに本往生集の往生行業上の「随願」という特徴を示しているけれども、「印仏想観」「造図仏像」「敬礼諸仏」「読書経典」「諸相観念」などの間に何かの整合性が見出し難いし、「印仏想観」などのような分類も珍しい（二話のみ）ので、『新編随願往生集』のような超大の往生集はこうした分類で統合するのが到底できまいかと思われます。

以上、唐宋代往生伝集の編纂と伝承を確認したうえで、遼代非濁撰『新編随願往生集』についてその文献的記録、成立時間、内容・編纂・構造などを、同じく非濁撰『三宝感応要略録』、そして『新編随願往生集』の遺編とされる真福寺蔵『往生浄土伝』と金沢文庫蔵『漢家類聚往生伝』の両作と絡めて考察してみました。すなわち、『新編随願往生集』は遼の清寧二年（一〇五六）頃完成し、間もなく勅命で遼の大蔵経に編入され、大蔵経の高麗への贈与に伴って朝鮮半島に伝来されました。日本にも伝えられ、それを利用して日本人の手で『往生浄土伝』と『漢家類聚往生伝』との両作品が再編纂されました。とくに東大寺学僧宗性上人の自筆抄録で確認したところ、本書の全称とその巻第七から巻第二十までの弥勒菩薩記事の記載情報も明白でした。そして、『要略録』と『往生浄土伝』と『漢家類聚往生伝』との三書の共通した十四話の往生伝を検討したところ、本書は『浄土論』『瑞応伝』を除いたほかに『梁高僧伝』『唐高僧伝』『法苑珠林』『集神州三宝感通録』『大唐西域求法高僧伝』『并州記』『外国記』『外国賢聖記』などから五百余話を収録しており、しかもその「随願修行、十方往生」という趣旨で編纂したものだ、とわかりました。よって、『新編随願往生集』は、往生伝を収集した量的には最大の往生集だけではなく、唐宋代以来の、西方往生を主旨とした往生集とも大きく相違した特異的な往生集だと言わざるを得ないのでしょう。

（本成果受到中国人民大学二〇二〇年度「中央高校建设世界一流大学（学科）和特色发展引导专项资金」支持）

比較文学の立場からの論述

シンポジウム「中国仏教と説話文学」

［司会］

荒木 浩（あらき・ひろし）●所属：国際日本文化研究センター教授●専門分野：古代・中世文学●主要著書・論文：『説話集の構想と意匠―今昔物語集の成立と前後』（勉誠出版、二〇一二年）、『かくして「源氏物語」が誕生する―物語が流動する現場にどう立ち会うか』（笠間書院、二〇一四年）、『徒然草への途―中世びとの心とことば』（勉誠出版、二〇一六年）など。●現在の研究テーマ：古代・中世文学の読解と分析を軸としながら、近年は、対外観という視点から、説話文学研究の可能性を追求し、また「投企する古典性」という共同研究を進めている。

山口眞琴（やまぐち・まこと）●所属：兵庫教育大学教授●専門分野：中世説話文学●主要著書・論文：『西行説話文学論』（笠間書院、二〇〇九年）、「能〈江口〉とプレテクストをめぐって」（『日本文学』六十七―七、二〇一八年七月）など。●現在の研究テーマ：中世説話のほか諸宗論テクスト・虎狩伝承などの考察。

1　上代文学の文体と漢訳仏典の比較研究――時間表現を中心に

馬　駿（ば・しゅん）
所属：北京第二外国語大学教授
専門分野：上代文学、比較文学
主要著書・論文：『〈万葉集〉和習問題研究』（知識産権出版社、二〇〇四年）、『日本上代文学〈和習〉問題研究』（北京大学出版社、二〇一二年）、『漢訳仏典文体の影響下の日本上代文学』（三巻、中国科学文献出版社、二〇一九年）など。
現在の研究テーマ：上代文学作品の古写本における変体漢字の書写体系を東アジア漢字文化圏の立場から捉え、近く研究編と資料編の二作にまとめる予定である。

summary

時間表現とは神話・伝説と歴史を語る上で欠かせない要素の一つであると同時に、現に上代文学では頻度が頗る高いものでもある。また、時間表現は時間軸を中心に具体的な時間を示す「点」と、連続的な時間を表わす「線」を合わせ持っており、時間の「点」と「線」が連結した完全な時間のチェーンにおいて人類の喜怒哀楽の歴史が演じられるのである。従来、上代文学における時間表現をめぐって、主として国語学や国文学の視点からの研究が積み重ねられている。一方、少数ながらも比較文学の立場からの論述も見られる。但し、従来の研究は全体として上代文学の時間表現と漢訳仏典のそれとは一体如何なる関わりを持つかというトータルな視点が欠如しているのが現状のようである。そこで、本発表は上代文学の作品全体を対象に、出典論の立場から中土文献と漢訳仏典の二種類の文献資料を駆使して、三音節語による仏典の時間表現、四音節語による仏典の時間表現、上代文学としての時間表現の三つに分けて漢訳仏典の時間表現が上代文学の時間表現に及ぼした影響は如何に大きいかを明らかにしたいと思う。

1　問題提起

北京第二外国語大学の馬駿です。どうぞよろしくお願いします。わたしの発表のテーマは「上代文学の文体と漢訳仏典の比較研究」、サブタイトルは「時間表現を中心に」となっております。内容の構成は、問題提起、先行諸説、独自の見解、今後の課題といたします。さっそく始めたいと思います。

時間表現とは、神話、伝説、歴史を語る上で欠かせない要素の一つであると同時に、現に上代文学では頻度がすこぶる高いものでもあります。また、時間表現は時間軸を中心に具体的な時間を示す点と、連続的な時間を表す線をあわせ持っており、時間の点と線が連結した完全な時間のチェーンにおいて、人類の喜怒哀楽の歴史が演じられているものであります。

2　先行諸説

先行諸説についてですが、従来、上代文学における時間表現をめぐって、主として国語学や国文学の視点からの研究が積み重ねられております。一方少数ながら、比較文学の立場からも論述も見られます。ご承知かと思いますが、森博達（ひろみち）は『日本書紀』の巻々の漢文の特徴およびその述作者に基づいてα群とβ群と巻三十という区画論を唱えております。太田善麿（よしまろ）は、初めてβ群に漢字漢文に特有の語句が用いられていることを指摘しました。

①の「未経幾日／イマダイクカヲヘズシテ」、②の「未経幾時／イマダイクバクモヘネバ」、③の「未経幾年／イマダイクダノトシモヘヌルニ」がその例にあたります。

① **【未経幾日／イマダイクカヲヘズシテ】**

『日本書紀』[*1]巻二十八〈天武紀上（てんむき）〉元年七月条に「又村屋神着祝曰、『今自吾社中道、軍衆将至。故宜塞社中道。』故未経幾日、廬井造鯨軍、自中道至。時人曰、『即神所教之辞是也。』」（P.3-340）

東晋瞿曇僧伽提婆（くどんそうぎやだいば）訳『増一阿含経（ぞういつあごんきよう）』[*2]巻十三〈23地主品〉に「未経幾日、身便懐妊。」

② **【未経幾時／イマダイクバクモヘネバ】**

『古事記』中巻〈崇神記（すじんき）〉に「故相感、共婚供住之間、未経幾時、其美人妊身。」（P.142）また中巻〈景行記（けいこうき）〉に「天

皇既所以思吾死乎、何撃遣西方之悪人等而返参上来之間、未経幾時、不賜軍衆、今更平遣東方十二道之悪人等。因此思惟、猶所思看吾既死焉。」(P.222)

『日本書紀』巻七〈景行紀〉五十一年八月条に「時倭姫命曰、『是蝦夷等、不可近於神宮。』則進上於朝庭、仍令安置御諸山傍。未経幾時、悉伐神山樹、叫呼隣里而脅人民。」(P.1-388) また巻十一〈仁徳紀〉十年十月条に「十年冬十月、甫科課役、以構造宮室。於是、百姓之不領而扶老携幼、運材負簣、不問日夜、竭力競作。是以未経幾時而宮室悉成。故於今称聖帝也。」(P.2-35～36) また巻十三〈允恭紀〉三年正月条に「三年春正月辛酉朔、遣使、求良医於新羅。秋八月、医至自新羅、則令治天皇病、未経幾時病已差也。天皇歓之、厚賞医以帰於国。」(P.2-108)

『万葉集』巻二・一二三～一二五番歌の題詞に「三方沙弥娶園臣生羽之女、未経幾時、臥病作歌三首。」また巻十六・三八〇四～三八〇五番歌の題詞に「昔者有壮士、新成婚礼也。未経幾時、忽為駅使、被遣遠境。」

呉支謙訳『撰集百縁経』巻三〈3授記辟支仏品〉に「作是誓已、未経幾時、果如其願、安隠帰家、甚懐歓喜、即造金銀瓔珞環釧、将諸侍従往詣天祠。」

③【未経幾年／イマダイクダノトシモヘヌルニ】

『古事記』〈序〉に「於是、天皇詔之、朕聞、諸家之所賷帝紀及本辞、既違正実、多加虚偽。当今之時不改其失、未経幾年其旨欲滅。斯乃邦家之経緯、王化之鴻基焉。」(P.20)

『日本書紀』巻七〈景行紀〉四十年七月条に「於是日本武尊雄誥之曰、『熊襲既平、未経幾年、今更東夷叛之。何日逮於太平矣。』」(P.1-370)

元魏慧覚等訳『賢愚経』巻十二〈50波婆離品〉に「未経幾年、家物耗尽、窮罄無計。」

太田善麿氏は『古代日本文学思潮論Ⅲ』では、ここの「未経幾○／イマダイクバクノ○ヲヘズシテ」という語句は、『日本書紀』の巻二十八と巻十三に用いられているという点に着目しながら、太安万侶が『日本書紀』の述作に参与したという仮説を立てました。

瀬間正之氏は師匠の仮説を受け継いで、「未経幾○／イマダイクバクノ○ヲヘズシテ」の出典を調べました。その結果、この語句は中土文献に出典を求めることは困難でありますが、『経律異相』などの漢訳文献には多く見られる常套句であることを指摘しました。瀬間氏によりますと、「未経幾〇／イマダイクバクノ〇ヲヘズシテ」は、記紀以外の上代文献では、『続日本紀』に一例、『万葉集』に二例（②）用いられていただけだ、といいます。

森博達氏の区画論の新展開ですが、『万葉集』巻二の一二三番歌の題詞に「三方沙弥娶園臣生羽之女、未経幾時、臥病作歌三首」（三方沙弥、園臣生羽が女を娶りて、未だ幾の時も経ねば、病に臥して作る歌三首）とあります。森博達氏はこの題詞について「沙弥」は少年僧を指し、三方沙弥は若くして還俗し、妻帯したのだろうと解釈し、三方沙弥は、山田史三方（御方）のことだと推測します。森博達氏によりますと、三方は七世紀の末、新羅留学から帰国後に還俗し、八世紀初頭に大学頭などを務めました。このような履歴を持つ三方はβ群の述作者とみなしています。その場合、β群と仏典との関係はその傍証ともなる、といいます。

以上、主として上代文学の時間表現をめぐる比較文学的研究を概観してみました。再考すべきところがないとは言い切れませんが、確実な文献資料をよりどころとしながら、時間表現の特異性を『日本書紀』の史実の観照や編纂論などと結びつけてとらえる方法は確かに目を見張るものがあります。

ただし、残念なことに、従来の研究は全体として上代文学の時間表現と漢訳仏典のそれとは一体いかなる関わりを持つかという、トータルな視点が欠如しているのが現状のようです。そこで、本発表は上代文学の作品全体を対象に、出典論の立場から中土文献と漢訳仏典の二種類の文献資料を駆使して、三音節語による仏典の時間表現、四音節語による仏典の時間表現、上代文学としての時間表現の三つに分けて、漢訳仏典の時間表現が上代文学の時間表現に及ぼした影響はいかに大きいかを明らかにしたいと思います。

3　独自展開――三音節語による仏典の時間表現

まず、三音節語による仏典の時間表現ですが、ここでは具体的に仏典の時間表現の過去・現在・未来の三つに分けて、それぞれの表現の意味と類型的な特徴を分析することにいたします。

3・1　過去の時間表現

まず、過去の時間表現についてですが、上代文学にみえる過去の時間表現を示す例は、④から⑬までです。考察の便宜のため、内容的に次の三つのグループに分けてみます。

④【〜未経時／イマダトキモヘザルニ】

『日本書紀』巻十九〈欽明紀〉二十三年六月条に「死未経時、急災於殿。」(P.2-446)(1)、姚秦竺仏念訳『出曜経』巻十〈誹謗品〉に「天即帰宮。去未経時、釈提桓因復従後至。」(2)、『全唐文』巻六百三十五　李翺〈勧裴相不自出征書〉に「自秉大政、兵誅蔡州、久而不克、奉命宣慰、未経時而呉元済生擒矣。」(P.6413)

⑤【未幾時／イマダイクバクモアラズシテ】

『日本書紀』巻五〈崇神紀〉十年九月条に「於是更留諸将軍而議之。未幾時、武埴安彦与妻吾田媛謀反逆、興師忽至、各分道而夫従山背、婦従大坂、共入欲襲帝京。」(P.1-278〜280)(1)、後秦釈僧肇撰『注維摩詰経』巻八に「什曰、『如仏泥洹後六百年有一人、年六十出家。未幾時、頌三蔵都尽、次作三蔵論議。』」(2)、『宋書』巻二十一〈楽3〉に「為楽未幾時、遭世険巇、逢此百離。」(P.620)

⑥【居未幾／ヲルコトイクバクナラズシテ】

『続日本紀』巻三十三〈光仁紀〉宝亀六年五月条に「大浦者世習陰陽、仲満甚信之、問以事之吉凶。大浦知其指意渉於逆謀、恐禍及己、密告其事。居未幾、仲満果反。」(P.4-450)　梁僧佑撰『弘明集』巻二に「誠自剪絶則日損所清実漸於道苦力栄観傾資夐、居未幾有之、俄然身滅名実所収不出盗跨構旅栖神象淵然幽穆。」

⑦【経（逕）七日／ナヌカヲフ】

『日本書紀』巻十三〈允恭紀〉七年十二月条に「時烏賊津使主対言、『臣既被天皇命、必召率来矣。若不将来、必罪之。故返被極刑、寧伏庭而死耳。』仍経七日伏於庭中、与飲食而不湌、密食懐中之糒。」(P.2-112)(1)、東晋竺曇無蘭訳『迦葉赴仏般涅槃経』巻一に「時仏般泥洹已経七日、諸天往赴、悉持天華天香供養仏身。此華即是。」(2)、『斉民要術』巻七〈法酒〉に「経七日、便極清澄。」(P.718)

⑧【経多年／アマタノトシヲフ】

『日本書紀』巻十〈応神紀〉二十二年三月条に「爰天皇愛兄媛篤温凊之情、則謂之曰、『尓不視二親、既経多年。帰欲定省、於理灼然。』」(P.1-488)呉支謙訳『撰集百縁経』巻三〈3授記辟支仏品〉に「漸経多年、財物蕩尽、更無所与、遮不聴宿、殷勤求請、願見一宿。」

⑨【経寒暑／トシヲフ】
『日本書紀』巻十〈応神紀〉四十年正月条に「時大鷦鷯尊預察天皇之色、以対言、『長者多経寒暑、既為成人更無悒矣。唯少子者未知其成不。是以少子甚怜之。』」『敦煌変文』〈妙法蓮華経講経文㈠〉に「一自為親、幾経寒暑、今朝忽擬生離、天地争交容許。」（P.706）

⑩【是夜半／コノヨナカニ】
『日本書紀』巻二十六〈斉明紀〉四年十一月条に「是夜半、赤兄遺物部朴井連鮪率造宮丁、囲有間皇子於市経家。」（P.3-216）元魏等訳『賢愚経』巻三〈19差摩現報品〉に「今是夜半、道路恐有猛獣悪鬼羅刹、禍難衆多、寧死於此、不能去也。」

⑪【半夜時／ヨナカノトキニ】
『日本霊異記』中巻〈弥勒菩薩銅像盗人所捕示霊表顕盗人縁23〉に「聖武天皇御世、勅信巡夜、行於京中。其半夜時、其諸楽京葛木尼寺前南慕原、有哭叫音言、『痛哉、痛哉。』」（P.208）(1)、隋闍那崛多訳『仏華厳入如来徳智不思議境界経』巻一に「譬如白助月輪於半夜時、閻浮地鞞波諸衆生各各知月輪在前、而月輪亦無分別無異分別。」(2)、『全唐文』巻七百五十三　杜牧〈太常寺奉礼郎李賀歌詩集序〉に「太和五年十月中、半夜時、舎外有疾呼伝緘書者。」（P.7806）

⑫【毎夜半／ヤハンゴトニ】
『日本霊異記』中巻〈依不布施与放生而現得善悪報縁第16〉に「主将試之、而毎夜半、窃起爨、令食於家口、猶来相之。」（P.191）唐義浄訳『香王菩薩陀羅尼呪経』巻一に「作法以後、毎夜半須起、像前常誦一千八遍。」

⑬【毎六時／ロクジゴトニ】
『日本霊異記』中巻〈生愛欲恋吉祥天女像感応示奇表縁第13〉に「和泉国泉郡血淳山寺、有吉祥天女像。聖武天皇御世、信濃国優婆塞、来住於其山寺。睇之天女像、而生愛欲、繋心恋之、毎六時願云、『如天女容好女賜我。』」（P.182）唐慧詳撰『古清涼伝』巻二に「引察従台北木瓜谷、上北台、経両宿、毎六時、嘗聞鐘声。」

3．1．1　「未経時」、「未幾時」、「居未幾

まず、グループ（1）の④「～未経時」、⑤「未幾時」、⑥「居未幾」という三つの語句は、過去のある時間に事件が起こってまもない時を表し、いずれも漢訳仏典から来るものだと指摘したい。たとえば、「未経時」は漢訳仏典と中土文献

の両方にも用例が見られますが、姚秦竺仏念訳『出曜経』巻十〈誹謗品〉に「去未経時、釈提桓因復従後至。」とあり、『全唐文』巻六百三十五　李翺〈勧裴相不自出征書〉に「未経時而呉元済生擒矣」とある。仏典の例は漢籍の『全唐文』の用例よりはるかに年代が早いです。また、用法から見れば、『出曜経』の例は「V＋未経時」の組み合わせで〈欽明紀〉と同じです。対して『全唐文』の例は接続語として使われています。よって、〈欽明紀〉の表現の出典は仏典にあることが知られます。

3.1.2　「経七日」、「経多年」、「経寒暑」

次に、グループ（2）の⑦「経七日」、⑧「経多年」、⑨「経寒暑」という三つの語句は、事件が起こって久しい時を表し、仏典の表現を下敷きにしているものだと押さえたいと思います。「七」という数字は仏教では一つのまとまった時間の区切り・節目を示します。たとえば、最も典型的な例として死後七日以内に追善の法事を営むことによって、悪人の仏が地獄道・餓鬼道・畜生道の三つの悪道に堕ちるかわりに、善処に往生するという俗信が挙げられます。それから、「経多年」と「経寒暑」は意味では同じだが、どちらかと言えば、後者のほうが文学的表現だと言えるでしょう。

3.1.3　「是夜半」、「半夜時」、「毎夜半」、「毎六時」

次に、グループ（3）の⑩「是夜半」、⑪「半夜時」、⑫「毎夜半」、⑬「毎六時」という四つの語句は、過去で夜中に事件が発生し、または昼夜を分かたず一つのことに没頭するといった時間を表し、仏典出自の言い回しだととらえたいと思います。注目すべきは三音節語の構成の特徴の一つとして、「是夜半」のような指示語「是」の働きです。「指示語（是・此・尔・其）＋時間表現」という句式は中土文献に習見する表現のパターンですが、のちに漢訳仏経に受け継がれ、さまざまな三字句または四字句が生み出されていくのであります。また、ここで強調したいのは、⑬の「毎六時」のように、仏教に特有の時間表現のことです。「六時」とは仏教で一昼夜を晨朝・日中・日没・初夜・中夜・後夜の六つに分けたものです。この時刻ごとに念仏や読経などの勤行をすると言われています。

3.2　過去の時間表現

続きまして、現在の時間表現ですが、漢訳仏典を出自とする三音節語は⑭から⑰までであります。

⑭**【従昔来／ムカシヨリコノカタ】**

『日本書紀』巻十九〈欽明紀〉十三年十月条に「是日、天皇聞已、歓喜踊躍、詔使者云、『朕従昔来未曾得聞如是微妙之法。』」(P.2-416) 唐義浄訳『金光明最勝王経』巻六〈12四天王護国品〉に「尓時四天王聞是頌已、歓喜踊躍、白仏言、『世尊、我従昔来未曾得聞如是甚深微妙之法。』」

⑮**【於今者／イマニハ】**

『古事記』上巻〈大国主神〉に「此稲羽之素菟者也。於今者謂菟神也。」(P.78)(1)、呉支謙訳『撰集百縁経』巻一〈1菩薩授記品〉に「我於今者、復不布施、於将来世、遂貧転劇。」

⑯**【今現在／イマゲンザイス・イマウツツニアリ】**

『唐大和上東征伝』に「韶州官人又迎引入法泉寺、乃是則天為慧能禅師造寺也、禅師影像今現在。」(P.74) 西晋竺法護訳『大哀経』巻八〈27嘆品〉に「世尊今現在、清浄諸衆生、以持此経典、察誼観奉行、於百千劫中、終不帰悪趣。已授於仏決、得為法王子。」

⑰**【従今始／イマヨリハジメテ】**

『日本書紀』巻二十〈欽明紀〉元年五月条に「爰有船史祖王辰尓、能奉読釈。由是天皇与大臣倶為賛美曰、『勤乎辰尓、懿哉辰尓。汝若不愛於学、誰能読解。宜従今始近侍殿中。』」(P.2-466)(1)、呉支謙訳『菩薩本縁経』巻三に「金翅鳥言、『唯願仁者為我和上、善為我説無上之法、我従今始恵施一切諸龍無畏。』」(2)、白居易『春至』に「閑拈蕉葉題詩詠、悶取藤枝引酒嘗。楽事漸無身漸老、従今始擬負風光。」

上、⑭の「従昔来／ムカシヨリコノカタ」は過去から現在に至るまでの時間のチェーンにおいて故事が語り継がれていることを意味します。また、『金光明最勝王経』と上代文学との深いつながりは当該例の出典を確実なものにします。⑮の「於今者／イマニハ」は『古事記』では過去と現在を相対の時間軸として、歴史または由縁のある人物と地名を語るのに用いられています。仏典では今生と来世との因果関係の論理から「於今者」が使われています。このことから仏典の表現を源泉としながら、意味・用法の新しさを求めようとする『古事記』撰者の姿が看取できるのではないかと思います。

3・3 未来の時間表現

続きまして、未来の時間表現についてですが、上代文学における仏典からの三音節語は⑱から㉑までです。

⑱【〜未来間／〜キタラザルアヒダニ】

『元興寺伽藍縁起 并 流記資財帳』に「時池辺天皇告宣、『将欲弘聞仏法、故欲法師等並造寺工人等。我有病、故急速宜送也。然使者未来間天皇崩已。』」元魏瞿曇般若流支訳『正法念処経』巻三十八〈観天品〉に「死未来間、勤行精進、作諸方便。（中略）大力死王未来之間、汝等畢竟莫行放逸、舎放逸故、必得安隠。」

⑲【生生世／シヤウジヤウノヨ】

『日本霊異記』中巻〈女人大蛇所婚頼薬力得全命縁第41〉に「母経三年、儵倏得病、臨命終時、撫子啜屌、而斯之言、『我生生世、常生相之。』」（P.151）隋闍那崛多訳『仏本行集経』巻三十三〈36梵天勧請品〉に「諸天及人生生世、発心欲聴密法門、彼願世尊今已成、速説莫彼等退。」

⑳【当産時／コウマムトキニ】

『日本書紀』巻二〈神代紀下〉に「先是豊玉姫謂天孫曰、『妾已有娠也。天孫之胤豈可産於海中乎。故当産時必就君処。如為我造屋於海辺以相待者、是所望也。』」（P.1-176〜178）劉宋仏陀什、竺道生等合訳『弥沙塞部和醯五分律』巻二十八に「時目連語諸比丘、『某甲居士婦当生男、彼当産時転為女。』」

㉑【臨欲死／シナントホツスルニノゾム】

『唐大和上東征伝』に「人（総）渇水、臨欲死。」（P.64〜65）失訳人名今附後漢録『分別功徳論』巻五に「王言、『今我宗家有一人、為善至純。臨欲死時、我与諸人共至其辺。語其人言、如君所行、死応生天。』」

上、⑱の「〜未来間／〜キタラザルアヒダニ」は、誰かがまだ来ていないという具体意を原義としますが、のちに時期・時間がまだ到来していないという抽象意が派生します。⑲の「生生世」は四字句の「生生世世」の意味と同じで、主に願文に登場し、未来への期待を示すのが普通です。それから、⑳の「当産時」と㉑の「臨欲死」の三字句は過去と未来の両方について使えるのが特徴となっています。動詞の「当」と「臨」はいずれもある物事がもうじき始まろうとする意味を表わす動詞ですが、神話または伝説での使用は一種の緊迫感と臨場感を持たせてくれます。

以上、上代文学における④から㉑までの時間表現は従来の研究ではほとんど取り上げられていません。見てきたように、これらの三字句の時間表現は実際、漢訳仏典と密接な関係を持っているものだと指摘しておきます。

4　独自展開——四音節による仏典・上代文学の時間表現

残り時間が少なくなってまいりましたので、四音節語による仏典の時間表現の出典指摘を割愛させていただきます。結果のみを報告しますと、次の二点です。

一点目は、㉒から㊻までの出典指摘（紙幅の都合で省略）は従来の研究ではなされていないので今後の『日本書紀』の区画論などの研究で大いに注意を喚起されるべきではないでしょうか。

二点目は、上代文学としての時間表現の吟味は㊼から⑮（ここも紙幅の都合で省略）となっています。この部分は従来疎かにされてきましたけれど、上代びとが苦心惨憺をして独自に案じた漢文の時間表現であるだけに、東アジア漢字文化圏の漢文という立場からも一層珍重されるべきではないかと思います。

5　課題展望

最後に、上代文学における時間表現の研究は文体研究の一内容にすぎないけれど、これを出発点として、上代文学の文体と漢訳仏典の比較研究という大問題を斟酌するに、従来の研究と異なった視点の獲得と資料の運用という意味で、自ずから次のような見通しが示されるのではないかと思います。

いったい、インドに発生し、中国で土着化を遂げた仏教は日本に入った時に、上代文学に如何なる影響を加えたか、史学と宗教学では多かれ少なかれこの問題に触れる可能性もあろうが、文学研究の文体論に基づく体系的な検討が少ないのが現状のようである。事実として、上代文学は伝統的な中国文学に大きく関わっているのと同じように、仏教翻訳文学とも切っても切れない関係を持っている。文体に限って言うならば、前者に比べて後者のほうは勝りこそすれ、決して劣らないと言っても過言ではあるまい。その意味では上代文学全般における文体と漢訳仏典との関連性の追求及びその文学史での新たな位置付けの試みはまさに任重くして道遠しと言えよう。[*4]

ご清聴ありがとうございました。

注

1　所用のテキストと訓は次の通り。⑴山口佳紀・神野志隆光『古事記』（新編日本古典文学全集、小学館、一九九七年）。⑵小島憲之・木下正俊・東野治之『万葉集』（小学館、一九九四〜一九九八年）。⑶小島憲之・直木孝次郎・西宮一民・蔵中進・毛利正守『日本書紀』（新編日本古典文学全集、小学館、一九九四〜一九九八年）。⑷植垣節也『風土記』（新編日本古典文学全集、小学館、一九九七年）。⑸小島憲之『懐風藻・文華秀麗集・本朝文粋』（日本古典文学大系、岩波書店、一九六四年）。⑹西宮一民『古語拾遺』（岩波文庫、一九八五年）。⑺『元興寺伽藍縁起并流記資財帳』（武内理三『寧楽遺文』東京堂出版、一九六二年）。⑻東野治之『上宮聖徳皇帝説』（岩波文庫、一九四一年）。⑼沖森卓也・佐藤信・矢島泉『藤氏家伝　鎌足貞慧武智麻呂伝注釈と研究』（吉川弘文館、一九九九年）。⑽中田祝夫『日本霊異記』（小学館、一九九五年）。⑾青木和夫・稲岡耕二・笹山晴生・白藤礼幸『続日本紀』（新日本古典文学大系、岩波書店、一九八九〜一九九五年）。⑿汪向栄『唐大和尚東征伝』（中華書局、一九七九年）。

2　仏典の引用は『CBETA』電子仏典２０１１に拠る。

3　馬駿「〈古事記〉文体特徴与漢文仏経—語体判断標準芻議」（『日語学習与研究』三、二〇一〇年六月）。同「〈古事記〉文体特徴与漢文仏経—仏典双音詞考釈」（『日語学習与研究』五、二〇一〇年十月）。同「〈古事記〉文体特徴与漢文仏経—仏典句式探源」（『日語学習与研究』六、二〇一〇年十二月）。同「〈常陸国風土記〉文体特徴与漢文仏経—語体句式考弁」（『日語学習与研究』二、二〇一一年四月）。同「『風土記』の文体と漢訳仏典の比較研究—四字語句と句式を中心に」（『仏教文学研究』駒澤大学文学研究所、二〇一五年一月）。増尾伸一郎・馬駿「法空」（小峯和明・金英順編『海東高僧伝』平凡社、二〇一六年）。馬駿「宝成本『釈氏源流』の言語指向—所引訳経を手掛りに」（小峯和明編『東アジアの仏伝文学』勉誠出版、二〇一七年）。同「『日本書紀』所引書の文体研究—〈百済三書〉を中心に—」（小峯和明監修・金英順編『【シリーズ】日本文学の展望を拓く1　東アジアの文学圏』笠間書院、二〇一七年）。

4　馬駿『日本上代文学〈和习〉問題研究』（国家哲学社会科学成果文庫２０１１、北京大学出版社、二〇一二年）。

2 『夢中問答』の説話学——東アジアにおける霊性の波動

小川豊生（おがわ・とよお）
所属：元摂南大学外国語学部教授
専門分野：古代・中世文学、中世宗教文化論
主要著書・論文：『日本古典偽書叢刊』第一巻（編著、現代思想新社、二〇〇五年）、『中世日本の神話・文字・身体』（森話社、二〇一四年）など。
現在の研究テーマ：東アジアを貫く思想の普遍性と、列島における思想の固有性との往還を、いかに明晰に描き出すかが目下の（永遠の）課題。

summary

本発表では、まず日本の十三世紀末から十四世紀前半を生きた禅僧、夢窓疎石の『夢中問答』を取り上げ、そこに孕まれた思想が中世文化、具体的には世阿弥に与えたインパクトについて指摘する。次に、この『夢中問答』につよい影響を与えた中国撰述になる『首楞厳経』を取り上げる。説話的な構想が原型となって制作された唐代の擬（偽）経だが、日本中世におけるいわゆる如来蔵思想の展開上、『円覚経』と並んできわめて重要な役割を果たした経典である。ここでは、とくにその巻第二で、この世界において「見る」とはどういうことかというテーマをめぐって、「離見」という語を用いて追究している点に注目したい。「離見」もしくは「離見の見」は、世阿弥の能楽論の極致とされる概念だが、能楽研究史上この語は彼による造語とみなされてきた。はたしてこの理解は正しいだろうか。ここでは、この「離見」の思想の源泉に唐代の説話的擬経典を位置づけつつ、大陸に生まれた如来蔵もしくは霊性論の流れがいかに列島中世へと及んだか、東アジアを席巻するその思想的波動の一端を検証してみたい。

1 『夢中問答』と世阿弥

小川でございます、よろしくお願いいたします。中世の文学や宗教文化を専門としておりますが、このところ考えてきたことは、鎌倉末から南北朝期にかけて活躍した禅僧である夢窓疎石と、能の大成者として有名な世阿弥の能楽論との関係についてです。この二人の間に影響関係があるという点については、すでにいくつかの指摘がありますが、わたしがこの二人の関係にこだわったのは、日本の中世文化を代表するに足る能と禅の大家のあいだに共有された語彙や思想から、十三世紀から十五世紀にかけて、大陸、朝鮮半島、日本列島の東アジア全体を大きく席巻する思想的な潮流の存在を炙り出したいと考えたからでもありました。その潮流とは如来蔵思想と呼ばれるものです。

如来蔵についてはたとえば『夢中問答』には【資料1のa】のように説明されています。この世界を構成する地・水・火・風・空（五大）に識大を加えたいわゆる「六大」は空海の真言密教で宇宙法界の本体として説かれましたが、夢窓はここでさらに根大（六根）を加えて「七大」を説いています。この七大は、世間一般に捉えられているような現象界の地や水等を指しているのではない。すべて「如来蔵」が備えた性徳が本体であって、それは十法界にあまねく及び、融通無碍であるといっています。如来蔵というのは、一切の存在に可能性として内蔵されている（備わっている）とされる仏性のことを指しますが、夢窓は世間一般にいう火や水等の七大と、如来蔵としての七大とを区別します。【資料1のb】にありますが、たとえば石や木は火とは無縁にみえるけれど、石を激しく打ち合わせたり棒を激しく擦り合わせれば火が生まれる。このような縁によって生まれた火や水は「縁火」「縁水」等といい、生滅を繰り返す実体のない幻にすぎない。それに対して法界にあまねく及んで燃えることも消滅することもない本源としての火や水というものがある。石や木の中にもこの不生不滅の火や水はすでに内在している。それは「性火」「性水」等といい、如来蔵の性徳をあらわしているのだといいます。世間の人は縁によって生まれた幻にすぎない火や水（縁火や縁風）は知っていても、法界にあまねく及び消滅することのない如来蔵としての火や風（性火や性風）については知ることがないのだといいます。

資料１

『夢中問答』（夢窓疎石〈1275-1351〉が足利尊氏の弟直義の質問に答えた法話集）

※引用は講談社学術文庫（川瀬一馬訳注）による。

a「しばらく首楞厳経の説相について、粗々(あらあら)申すべし。かの経の中に七大を明かせり。謂(いは)ゆる地大・水大・火大・風大・空大・**根大**・識大なり。**この七大、皆これ如来蔵の中の性徳(しょうとく)として、法界に周遍し、融通無礙なり。これを性火(しょうか)・性風(しょうふう)等と名づく**。真言教の中に、六大無礙にして、諸法の体なりと談ずるも、この意なり。ただし、真言教には根大をあかさず。根大とは、眼耳(げんに)等の六根も皆法界に周遍せる義なり。真言には六大を法界の体とす。楞厳経には、如来蔵を諸法の体とす。**七大は皆如来蔵所具の徳用なり**と明かせり。[…] 真言に六大と申すも、縁生の水火等をさすにはあらず。楞厳経に性火・性水等といへる六大なり。」（第72）

（ここでは首楞厳経の教説について大略申しましょう。かの経の中に七大を説明している。七大とは地大・水大・火大・風大・空大・根大・識大である。この七大は皆、如来蔵の中の性徳（本性のよいはたらき）として、十方法界にあまねく及んで、とどこおりなく自由に流通するのである。これを性火･性風等と名づける。真言宗の中で、六大（地水火風空識）が、法界にあまねく及んで、ありとあるものの本体だと説くのも、この意味である。[略] 楞厳経（首楞厳経のこと）では､如来蔵をありとあるものの本体とする。七大は皆、如来蔵が具えているところのよきはたらきだと説いている。[略] 真言では六大と言っても、縁によって生まれた水火等を意味するのではない。楞厳経に性火・性水等と言っている六大である。）

b「七大に皆同じく性徳と縁生との差別あり。先づ一大をよくよく心得ぬれば、諸大も亦同じかるべし。世間に木の中より鑽(き)り出だし、石の中より打ち出だせる火は、これ縁生の火なり。この火は実体なし。薪にても油にても、その縁なくしては燃ゆることなし。薪油等の縁ある時、かりにその相を現ず。故に虚妄にして実体なしと説けり。性火といへるは、法界に周遍して燃ゆることもなく、滅することもなし。凡夫はただ縁生の火をのみ見て、性火をば知らず。もし性火を知り得ぬれば、縁火とて嫌ふべきことなし。縁火はこれ性火の用(ゆう)なるが故に。この火大のごとく、余大も亦然り。」（第72、訳は省略）

詳細は省きますが、この夢窓が語った「性火」「性水」など七大をめぐる如来蔵の発想は、【資料2】の世阿弥の『拾玉得花』や『九位』などに現れる「性花」や「心性」という語彙や思想のうちに活かされていると見てよいと思います。おそらく世阿弥は自らの能楽論を深化させる過程で、『夢中問答』に見えるような如来蔵の思想に触れる機会を持って、それにヒントを得て演能の理論化に応用し、現象的で変化のうちにあるいわゆる「時分の花」を「用花」、本体となる常住不変の根源的な花を「性花」と自ら名づけたのだと思われます（「用」と「性」は現象と本体の関係になります）。諸注でも指摘されることはありませんが、「性花」という世阿弥の造った風変りな能楽用語には如来蔵の考え方が内包されているというのが拙論の要点です。詳しくは前田雅之さんが編集された『画期としての室町』（勉誠出版、二〇一八年刊）という論集に「性花という思想」と題して寄稿していますのでそちらを参照願いたいのですが、その後さらに世阿弥の能楽論と如来蔵について考えをめぐらしていますと、中国でつくられた一つの経典の存在が気になってきました。それはほかでもない『夢中問答』の如来蔵思想の根幹となり、前掲【資料1】で夢窓が原拠ともしている『首楞厳経』という経典です。この中に世阿弥の能芸論の極致ともいわれて極めて重視されてきた「離見」の語が登場するのはとても注目されます。これをきっかけに、この経典の東アジアにおける受容の実態を探求するこ

資料2

A 『拾玉得花』（正長元年 1428、金春禅竹へ相伝）

※本体となる常住不変の根源的な花→「性花」

現象的で変化の中にあるいわゆる時分の花→「用花」

「ここに、私の宛てがひあり。**性花・用花**の両条を立てたり。性花といつぱ、上三花、桜木なるべし。」（ここに、花の多様性を説明するための私独自の見解がある。性花と用花の二種に分けることである。性花というのは上三位のことで、植物でいえば桜の花に該当しよう。）

B 『九位』（応永末年の伝書）

「九位第一にも、妙花を以て**金性花**とは定位し侍れ。舞歌の曲をなし、意景感風の心耳を驚かす堺、覚えず見所の感応をなす。これ妙花なり。これ面白きなり。これ無心咸なり。この三ヶ条の感は、まさに無心の切なり。心はなくて面白きとうけがふは何物ぞ。**性**は物をうけがはず。しかれば九位**金銀性**は、見風の曲文には感ずべからず。」

※ 最高位の芸→金銀性（金性花・銀性花）→金春禅竹へ

とは、あまり深掘りされることなく見過ごされている列島の中世文化と如来蔵思想との連関を明らかにするためにとても重要なことじゃないかと強く思うようになったわけです。「離見」のことは後で触れることにして、まずあまり馴染みがないと思われる『首楞厳経』について説明しておこうと思います。

ここでお詫びですが、発表のテーマを事前に提出したとき「『夢中問答』の説話学」としましたが、説話とどこでリンクさせようかと悩んでいるうちに肝心の『夢中問答』が夢中の幻となってしまいました（笑）。じつは以下中身はほとんど「『首楞厳経』の説話学」になってしまっていることを深くお詫びしておきたいと思います。題の変更が間に合いませんでした。特にコメントを用意してくださった方には大変申し訳ないことです。なにとぞご海容ください。

2　摩登伽説話と『首楞厳経』

さて、この経は先ほどの石井さんのお話しの中で、擬（偽）経をめぐる問題が出ましたが、これもまさに唐代初期のころの擬経の一つです。『夢中問答』は同じく唐代の擬経と目されている『円覚経（えんがくきょう）』と並んで、『首楞厳経』からも強い思想的な影響をうけていますから、彼の思想にとって唐代の擬経はとても大きなウェイトを占めていたことになります。これらはとくに禅宗の重要な依拠経典とされたものですが、唐から宋にかけて大陸で生まれた新しい思潮が、朝鮮半島や日本列島にどのような思想的、文化的変容をもたらしたかについて究明する際にとても有意義な材料を提供してくれます。

『首楞厳経』、正式名は『大仏頂如来密因修証了義諸菩薩万行首楞厳経』というなんとも長いものですが、その成立を遡っていきますと、摩登伽（まとうか）経典と呼ばれる経典群の存在に行き当たります。この摩登伽経典というのは、経典とありますが原型は仏弟子アーナンダ（阿難）とチャンダーラ族の女マータンガ（摩登伽）との短い恋物語といってよいものです。だんだん後半にジャータカが加えられていって、唐代には難解な教説をまとい十巻の擬経『首楞厳経』として固定化します。初期の摩登伽説話では想像できなかったほど中国仏教史（禅宗）にとって大変重要な位置を占めるようになり、思想的にも「如来蔵思想」展開の温床となっていったという経緯があります。

摩登伽については宮坂宥勝氏に「旃陀羅の史的考察」という論文があります。それによれば、チャンダーラ族というのは旃陀羅ですね。つまり前五世紀頃、初期仏教の時代に出てくるアウトカーストの女と仏弟子阿難との恋がテーマとなっているわけです。経典にしてはめずらしくとても面白い説話が枠物語になっていてきわめて特徴的です。テキストとしては、【資料3】の①後漢安世興訳『仏説摩鄧女経』（大正大蔵経一四）が古いもので、二世紀中ごろに訳されています。ストーリーは、仏が祇園精舎に住んでおられたある日、阿難が乞食に出かけます。水辺で水を汲んでいた女（摩登女）に水を所望しますが、女は彼を一目見るや恋情をもよおし、帰って呪術師の母親に相談します。すると母親は呪術を用いて阿難を我が家に誘い寄せます。娘は大いに喜びますが、そのとき釈尊は呪力で弟子の危機を察知し、彼を救いだします。阿難が釈尊に一部始終を話すと、釈尊は女を招いて説いて聞かせ、二人は世俗の契りではなく、永遠なる解脱道にいそしむ身となる、というお話です。

この①のテキストからさらに成長したものに②の『仏説摩登女解形中六事経』というものがあります。四世紀頃のもので、「形中六事」の「六事」というのは「眼・耳・鼻・舌・身・心悪露」を指します。釈尊が摩登女に阿難のどこを愛するかと聞くと、女は眼、鼻、口、声、行歩のすべてだと答えます。それに対して釈尊は「眼中ニ有レ涙、鼻中ニ有リ二涕一、口中ニ有レ唾、耳中ニ有リレ垢、身中ニ屎尿アリ、皆臭キ処ナリ、其作バ二夫妻一者便チ有リ二悪露一」云々、つまり六事（六根）はすべて不浄であるから愛するには値しないものなのだという風に諭します。これによって摩登女は思い直して正心となって阿羅漢果（最高の悟りの境地）を得たというお話になっている。

この六根にかかわる議論、つまり人間にとって六根とは何かという議論の部分がじつは後に擬作される⑤の『首楞厳経』全体のテーマになっていく。

【資料4】は、その巻第一の最初のストーリーです。大枠は①の摩鄧女の話と同じですが、ここでは阿難への説示が柱となっています。修行の失敗の原因はどこにあるのかと問う仏に、阿難は、摩登伽に恋慕し誘惑にまけた原因は「心と目」にあるのではと答えます。仏はそのとおりだといい、愛楽に迷った原因は「心と目」にあるのだから、そ

資料3

摩登伽説話と『首楞厳経』

※摩登伽経典の原型（仏弟子アーナンダとチャンダーラ族の女性との恋物語）

→宮坂宥勝「旃陀羅の史的考察（2）」『智山学報』42、1993）参照。

〈テキスト〉

①後漢・安世興訳『仏説摩鄧女経』（大正蔵14）→2世紀中葉訳

②東晋・失訳『仏説摩登女解形中六事経』（大正蔵14）→4世紀訳

③呉・竺律炎共支謙訳『摩登伽経』（大正蔵21）

④西晋・竺法護訳『舎頭諫太子二十八宿経』（『虎耳経』とも）（大正蔵21）

〈ストーリー〉

仏が舎衛城祇園精舎に住しておられたとき、ある日、弟子阿難（アーナンダ）が行乞に出かけた。水辺に水を汲んでいた女に水を所望する。女は彼を一目見るや恋情をもよおし、帰って母に話す。母は呪術を用いて阿難をわが家に誘い寄せる。女は大いに喜ぶ。釈尊はこのとき呪力で阿難の危難を察知して彼を救う。阿難は釈尊に一部始終を話す。釈尊は女を招いて説いて聞かせる。二人は世俗の契りでなく、永遠なる解脱道にいそしむ身となる。

※②「形中六事」…「六事」は眼・耳・鼻・舌・身・心悪露で、釈尊が摩登女に阿難のどこを愛するかというのに対し、眼・鼻・口・声・行歩のすべてであるという。それに対し釈尊は、「眼中有涙、鼻中有涕、口中有唾、耳中有垢、身中屎尿、皆臭処、其作夫妻者便有悪露」（悪露＝不浄）であるから、愛するには値しないと諭す。これによって摩登女は思惟し正心となり阿羅漢果を得た。

⑤『首楞厳経』（『大仏頂如来密因修証了義諸菩薩万行首楞厳経』）

・摩登伽経典から『首楞厳経』へ（荒木見悟『仏教経典選14　中国撰述経典二　楞厳経』筑摩書房、1986参照）

全10巻→初唐（七世紀～八世紀初期）に制作された擬経と目される。

・「もっともよく中国人の宗教的資質に合致した経典であった」（荒木見悟）

・「楞厳の一経は、劇しく常住の真心を談じ、的（あきら）かに一乗の修証を示す。最後垂範の典たり」（志磐『仏祖統紀』巻10）

・「法華、華厳、唯識、密、禅、諸宗の間に、融通不離の点の存する事を発揮した」「要するに、大乗仏教の間に試みられた雄大なる統一的企画である」（常盤大定「楞厳経管見」『智山学報』1933.4）

・日本へはすでに『円覚経』とともに奈良時代には請来　→石田茂作『写経より見たる奈良朝仏教の研究』

資料4

〈巻第一冒頭部ストーリー〉
波斯匿王の斎日にあたり、仏陀は千二百五十の弟子とともに、王の招聘をうけるが、阿難ひとりは別請のために加わらず。帰途、乞食の順路に恐るべき幻術を弄する摩登伽女に誘惑され、外道の呪によってその部屋にみちびかれ、戒律を守り通した清浄な肉体を汚されそうになる。予知した仏陀はそれが婬術の手口と見ぬき、結跏趺坐して「神呪」を宣説し、文殊師利に命じて阿難のもとに行かせ、呪を以て護らせた。文殊は阿難と摩登伽を引き連れ仏のもとへ帰来。阿難は「頂礼悲泣」し、「無始より来かた、一向多聞にして、未だ道力を全うせざることを恨みて」、三昧と禅法の初歩的な手立てをお示し下さるよう懇願した。「仏、阿難に告げたまわく、「汝が所説の如し。真に愛楽する所は、心と目に因れり。若し心と目の所在を識知せずんば、則ち塵労を降伏するを得る能わじ。…汝をして流転せしむるは、心と目とが咎を為す。吾れ今汝に問わん。唯れ心と目とは、今何れの所にか在る。」

の根源を正しく究明しなければ過ちの輪廻から脱することは永遠にできないとし、「吾れ今汝に問わん、唯れ心と目とは今何れの所にか在る」、そもそもおまえの心と目はどこにあるのかと問うわけです。心と目だけではなく、経全体としては六根すべてや、「根大」「識大」を含んだ七大すべてが議論の対象となりますが、とくに人間にとって「見る」とは何かという問題がこの経の中心テーマになっているんですね。それは仏の、「阿難、汝が見源を極めよ」、見るということの本質を極めよという言葉に象徴され、非常に深いいわば仏教視覚論ともいうべき哲学的な議論が展開されていきます。あたかも、アリストテレス『霊魂論』の東洋版といった趣です。

　ところで、最初に触れましたが、能の大成者である世阿弥の能楽論のなかに、「離見」もしくは「離見の見」という言葉が登場しています。たとえば有名な『花鏡』には【資料5】のように出てきます。舞を舞っている時には、前方や左右は見ることができるけれども、後ろを見ることはできない。世阿弥はすばらしい能を演ずるには演者は自分の主観を離れて、見所つまり観客と同じ眼で己の姿の全体を完全に見通す「離見」ということが大事なんだと説く。離見によって自分自身が舞っている姿全体を把握するんだと。そうして初めて深い演能が可能となるんだ、ということなんです。自己の姿を後ろから離れて見る、肉眼ではなく超越的な眼差しで見るという、ある種、不可思議な視覚の有り方が説かれます。これはしばしば世阿弥の能芸論が到達した極点だといわれて、また、ここに見える「離見」や「離見の見」という言葉や発想は世阿弥の造語であり独創だというのが研究上の定説になってきました。でもはたしてこの理解は正しいのだろうか、というのがここでの私の問題提議の一つです。

『首楞厳経』の巻一と巻二はほとんど「見る」とはいったいどういうことかという視覚論（眼根論）ですが、その巻第二（【資料6のa】）にこの「離見」、見を離れるという言葉が出てきます。また巻第四（【資料6のb】）には『花鏡』（【資料5のa】）に出る「左右前後を見る」という記述とも重なりを見せますし、さらに【資料6のc～f】にあげた事例は、「眼まなこを見ぬ所を覚えて、左右前後を分明ぶんみように案見せよ」という同じく『花鏡』の表現とも共通します。とくに『花鏡』の「眼まなこを見ぬ所」は【資料5の※(2)】に挙げたような現在の諸注の理解ではまったく意味不明ですが、この『首楞厳経』の視覚論の議論を踏まえることで理解が可能となるように思われます。ただし内容は極めて難解ですが……。また、『夢中問答』が頻繁に引く唐代擬経に『円覚経』がありますが、この経のなかにも「譬えば眼根の自から眼を見ざるが如く」と同様の議論がみえます。詳しい議論の内容は今日は一切省略しますが、「離見」も突き詰めれば如来蔵の問題と深く関わります。『首楞厳経』も『円覚経』もいわゆる如来蔵思想を中世に深く浸透させた重要な擬経です。『花鏡』【資料5のb・c】に「そもそも、舞歌といっぱ、根本、如来蔵より出来しゆつたいせりと云々」という一節や「一心」（如来蔵と同義を内包します）の記述があるように、世阿弥も如来蔵思想について、その受容の浅深はいまは措くとして、少なくとも何等かに吸収していたことは明らかですから、この点も加えて夢窓の思想などとの関連を考えるべきでしょう。宋代には長水子璿ちようすいしせんという逸材が現われて、『楞厳経義疏注経』（二十巻）という画期的な最初の注釈書もあらわれていますが、こうした注釈書なども視野に入れるべきでしょう。世阿弥と同時代、この注釈書はさかんに読まれていますし、じつはその中にもさらに詳しく「離見」をめぐる議論が展開されているのです。

「説話と仏教」というテーマとずいぶんと離れてしまいました。ただ二世紀や四世紀に説話的な関心で生まれた短小のテキスト（経）が、唐代になって十巻の経典として擬作される経緯には興味深いものがあります。とても馴染みやすい阿難の恋物語の枠に、とても難解な如来蔵（仏教視覚論）の教理が組み込まれ、その説話的枠組みはむしろ

資料5

『花鏡』

a「また、舞に、目前心後といふことあり。「目を前に見て、心を後に置け」となり。これは、以前申しつる舞智風体の用心なり。見所より見る所の風姿は、わが**離見**なり。しかれば、わが眼の見る所は我見なり。**離見の見**にはあらず。**離見の見**にて見る所は、すなはち見所同心の見なり。その時は、わが姿を見得するなり。わが姿を見得すれば、左右前後を見るなり。しかれども、目前左右までをば見れども、後姿をばいまだ知らぬか。後姿を覚えねば、姿の俗なる所をわきまへず。さるほどに、**離見の見**にて、見所同見となりて、不及目の身所まで見智して、五体相応の幽姿をなすべし。これすなはち、「心を後に置く」にてあらずや。かへすがへす、**離見の見**をよくよく見得して、眼まなこを見ぬ所を覚えて、左右前後を分明に案見せよ。定めて花姿玉得の幽舞に至らん事、目前の証見なるべし。」

b「そもそも、**舞歌といつぱ、根本、如来蔵より出来せり**と云々。」

c「[…] 無心の位にて、我が心を我にも隠す安心にて、せぬ隙の前後を綰ぐべし。是則、**万能を一心にて綰ぐ感力**也。」

※(1)「離見の見」…「自己の肉眼を離れ、心眼で客観的に見る見方」(古典大系本頭注)、「主観を離れた客観的な見方(認識)のこと」(小学館本頭注)

☆「主観を離れて客観的に見る」?「想像力をはたらかせて見る」?←→ 主客を離れて見る

※(2)「眼、まなこを見ぬ」…「『顔子家訓』渉務「眼不レ能レ見二其睫一」などが基になって、「眼まなこを見ず」といった形の言葉が格言風に通用していたのであろう。」(古典大系本補注、思想大系本補注も同じ)

「能勢博士は当時の諺だろうとされたが、浄善の『禅林宝訓』巻二に「仏眼謂高菴曰、見秋毫之末者、不自見其睫、…」とある。「眼、睫を見ず」の方が合理的な譬えかたであるから、世阿弥は仏眼和尚の語を思い違いして引いたか、あるいはその訛った形を引いたかであろう。」(小西甚一『世阿弥能楽論集』)

難解な議論を展開するための格好の場として作り替えられる。説話的な原型をもった古い経典が、如来蔵をめぐる新たな教説の座に生まれ変わり、一気に東アジアに流伝し(韓国でも重要な受容史がある)、さらにそれが列島へともたらされて十五世紀に芸能の理論のうちへと移植される、というプロセスにはとても興味深いものがあります。日本の中世に大きな影響力をもった『瑜祇経』という経典なども同じく唐代の擬経です。これらがもつ文化史的な意味をもっと総合的に究明する必要があるように感じます。「説話」の問題として直接に結びつけることはできませんでしたが、先ほどの石井さんの擬経のお話を聞いて、最初からこの視点で考えればよかったかなと反省

資料6

a 『首楞厳経』巻第二

「阿難よ、吾れ復た汝に問わん。諸々の世間の人は、「我れ能く見る」と説くも、云何んが見と名づけ、云何んが不見なる。」

「阿難よ、若し明無き時を不見と名づけば、応に暗を見ざるべし。若し必ず暗を見ば、此れ但だ明無きなり。云何んぞ見無しとせん。……若し復し二相は自より相陵奪すれども、汝が見性は、中に於て暫くも無きにあらず。**汝復た応に知るべし、見を見するの時、見は是れ見にあらずと。見猶お見を離る、見も及ぶこと能わず**。云何んぞ復た因縁自然及び和合の相を説かん。」

(阿難よ、もし明のない時を視覚欠如と名づけるならば、(明のない) 暗を見ることはできないであろう。もし間違いなく暗を見るとするなら、これはただ明がないだけのことであって、視覚がないわけではないだろう。……明暗はもともと矛盾し合うにしても、お前の視覚の本性は、その内面にあって片時も消え去ることはない。お前はまた、真の見(見性)が妄の見を覚った時、実体としての妄はないのだから、見はもはや通常の見ではないと知るべきである。見がそれ自体、**視覚の相を離れている**のだから、視覚の作用が及ぶはずがない。どうしてこれ以上に、因縁だとか、自然だとか、衆縁和合の相状などと説く必要があろうか。)

※伝燈『楞厳経円通疏』巻二(全十巻)は、この一節を「一経の枢機」とし、「直指人心見性成仏の要門」とする。

b『首楞厳経』巻第四

「阿難よ、眼の観見するが如きは、後は暗く前は明らかなり。前方は全く明らかに、後方は全く暗し。左右の傍らを観ること三分の二なり。統べて所作を論ずるに、功徳全からず。当に知るべし、眼には唯だ八百の功徳あるのみなるを。[…] 若し能く此に於て、円通の根を悟らば、彼の無始より妄業を織れる流れに逆らって、円通に循うことを得、不円の根と日劫相倍せん。」

(阿難よ、眼がものを見る場合、後は見えないし、前ははっきり見える。前方は全くよく見えるのに、後方はさっぱり見えない。左右それぞれは三分の二しか見えない。その機能をまとめていうと、その功徳は十全ではない。だから、眼根には八百の功徳しかないことが明らかである。[…] もしここで融通の根源を悟るなら、あの無始以来虚妄な悪業を織りつづけて来た流れに逆らって、融通の道に従うことができ、融通を得ていないものとは、比較にならぬほどの成果を得るであろう。)

c『首楞厳経』巻第一

《見るというはたらきの本性(見性)は、五根としての眼のうちに潜んでいるのではない》

「仏、阿難に告げたまわく、「汝が心、若し瑠璃の合するに同じとせば、山河を見るに当たって、何ぞ眼をも見ざるや。若し眼を見るとせば、眼は即ち境に同じうして、随を成ずることを得じ。若し見る能わずとせば、云何んぞ此の了知の心、潜んで根の内に在ること、瑠璃の合するが如しと説言や。是の故に応に知るべし。汝が覚了能知の心は、根の裏に潜伏して、瑠璃の合するが如しと言うは、是の処り有ること無きを。」

(山河を見る時に、どうして眼そのものも見ないのか。もし眼を見るとするなら、眼は外境同然となって、見るがままに見分けることはできないであろう。)

d 『円覚経』清浄恵(最終章)→〈眼は眼を見ることができない〉

「善男子よ、円覚の自性は、性に非ずして性有なり。諸性に循って起って、取る無く証する無し。実相の中に於ては、実に菩薩と及び諸の衆生無し。何を以ての故ぞ。菩薩と衆生は、皆な是れ幻化なるのみ。幻化は滅するが故に取証する者無し。譬えば眼根の自から眼を見ざるが如く、性自がら平等にして、平等の者も無し。」

(円覚という如来の本性は、個別の衆生の性と同じように、それらに並んで存在する何かではなくて、本来さながらに自然に有るのである。万物の動きについて起こってくるので、これがそうだと取りだすことも、確認できるものもない。……たとえば、眼が眼を見ることはないように、それ自から一体であって、一体というものも存在しない。)

e 『仏説法句経』(大正蔵、唐初の偽経)にも、「善男子よ、**眼は自から見ず**、色は自から名のらず、心は形質無く、三事倶に無し。是の故に、**眼は自から見ずして、常に内に処る**。…善男子よ、眼の自から見ざるは、諸の因縁に属するも、縁は相を見るに非ず、眼は即ち是れ空にして…虚通して碍げ無し。」

f 『仏光国師語録』(無学祖元)にも「眼不見眼」の用例が見える。

させられました。擬経のご本が間もなく岩波新書で出版されるとのことですが、もう少し早く出してもらっていれば切り抜けられたかもとお恨み申します（笑）。

3 『首楞厳経』と列島の中世

ところで、夢窓疎石が『夢中問答』で『首楞厳経』や『円覚経』を重要な拠り所としていたことは触れましたが、夢窓以前にこのテキストはどのように受容されたのでしょうか。その重要な画期となったのは東福寺の円爾弁円でした。円爾が宋から請来したテキストのうちに『首楞厳経』も『円覚経』もその注釈も含まれています。ともに奈良時代にはすでに請来されていましたが、ほとんど深い影響を残していません。画期となるのは円爾による新たな請来です。円爾は初期の東福寺住坊を「普門院」と名づけましたが、これは『首楞厳経』にもとづくと『東福寺誌』に見えていますが、それに象徴されるように円爾はこれらに強い関心を抱いていました。

円爾の入宋以前に、すでに大陸では『首楞厳経』は最高位の経典とまで位置づけられるようになっていました。これを最高位に位置づけたのはこの経が擬作されたのと同じ唐代に活躍した圭峯宗密という学僧でした。宗密は最高に重視したもう一つの擬経『円覚経』を注釈するのに『首楞厳経』を経証として用いています。いわば二重に擬経に拠ってその思想を構築していたことになります。宗密の研究のねらいは、当時の禅学と華厳学との融合であり、「霊覚」や「霊知」、あるいは「霊性」といった新しい語彙を駆使した総合仏教の樹立でした。その流れは宋代にさらに隆盛し、たとえば永明延寿の有名な『宗鏡録』のうちには七十数か所にわたって『首楞厳経』が引かれますし、さらに前に名前をあげた長水子璿の『楞厳経義疏注経』を始めとする注釈研究によってこの経の研究に火が着いたといえます。その事情は朝鮮半島も同じで、有名な高麗の義天のいわゆる『義天録』にも『首楞厳経』の注釈書が採録されます。日本での研究も当然、この東アジアの波動のなかにあり、円爾に次いで南都の興福寺や東大寺の学僧たちの研究、たとえば良遍の『真心要決』、凝然の『華厳法界義鏡』、証定の『禅宗綱目』などに見る華厳学と『首楞厳経』『円覚経』の研鑽動向も同じ流れのなかにあります。それ以前には高山寺の明恵がおり、また円爾と同時代の無住の名も落とせません。『沙石集』など、説話集における受容をどう位置づけるべきか、大切な課題かと思われます。

『首楞厳経』はまだまだ研究も進んでいるとはいえないし、とくに文学方面ではほとんど注目される機会はありませんが、端倪すべからざるものがあること、その一端をここでは『夢中問答』そして世阿弥の能楽論との連なりの中で確かめてみました。

最後に付け加えれば、世阿弥と同時代において『首楞厳経』がとても重視されていたことは【資料7】にあげた事実でわかります。夢窓疎石の門弟であった義堂周信の日記『空華日用工夫略集』から、この経が講義された年次をピックアップしたものですが、それを見ますと義堂は将軍義満に繰り返しこの経を講義をしていたことが確認できます。また、先にみた「離見」が出てくる巻第二は独立で講義も行っていますし、長水の注釈書も扱っている（『楞厳経疏』がそれ）。とにかく好んで講義をしていて、要するに義満やかなりのレベルの人たちは『首楞厳経』というテキストを教養ベースに組み込んでいたということが推測できるわけです。だとすれば、たとえば「離見」という言葉が、世阿弥の禅的教養の一部になっていた可能性は十分にありえることでしょう。

唐代に生み出された擬経のいくつかが東アジアの宗教文化にいかに大きな影響を及ぼし、そこからいかに独自の宗教文化を創造していったか、より広い究明がもとめられるものと思います。ありがとうございました。

資料７

○『空華日用工夫略集』より（義堂周信による『首楞厳経』及び『楞厳経疏注経』の講義を摘記）

1369年５月→巻第二講義（上杉朝房）、1372年５月（対談）、1376年７月→講義（東江）、1382年６月→経疏序講義、同６月→講義（足利義満）、同７月（五日間）→講義（義満）、1382年８月４・14日→講義（義満）、同９月→講義（義満）、1383年４月→巻五末講義（義満）、７月→観音章講義（義満）、９月→講義（室町殿にて）、1385年５月→『楞厳経疏』講義（義満）、６月→講義（義満）、1386年３月→第七巻講義（義満、鹿苑院にて）、1387年10月→『首楞厳経疏』第七巻下講義（義満、斯波義将・義種）

（原田正俊「日本中世における禅僧の講義と室町文化」『東アジア文化交渉研究』2、2009.2参照）

3

説話の創造——淵源としての東アジア、東大寺草創「四聖」観の生成過程

小島裕子（こじま・やすこ）

所属：鶴見大学仏教文化研究所・特任研究員

専門分野：仏教文献資料学（仏教文化・法会儀礼）

主要著書・論文：「五台山憧憬—追想、入宋僧奝然の聖地化構想—」（『仏教と人間社会の研究』朝枝善照博士還暦記念論文集、永田文昌堂、二〇〇四年）、『金剛寺蔵宝篋印陀羅尼経』資料篇・論攷篇（日本古写経研究所善本叢刊第六輯、国際仏教学大学院大学日本古写経研究所発行、二〇一三年）、「仏伝の軌跡—釈迦の「檀特山修行」という訛伝に刻まれた真実—」（『東アジアの仏伝文学』小峯和明編、勉誠出版、二〇一七年）など。

現在の研究テーマ：東アジアで構築された漢訳経典・経釈・儀軌などにみられる思想・文化の反映とその展開を、日本における諸々の表現世界に見定め、読み解くことをすすめている。

summary

南アジアはインドに発祥した仏教が、東アジアへと伝播し、展開してゆく仏法東漸の道には、それぞれの地でさまざまに紡ぎだされた文化の結晶がある。中国山西省に所在する「聖地五台山」は華厳の聖地として、また文殊菩薩の聖地として、同国内はもとより、インド、朝鮮半島、日本など、アジア諸国から広く憧憬を集めたことで知られる。本報告では、五台山で育まれた仏教思想が日本説話の中で醸成されてゆく様相の一端を、東大寺の『四聖御影』という祖師絵像を切り口として考える。

東大寺大仏造立の本願聖武天皇の御遠忌に臨み、建長八年（一二五六）に制作された『四聖御影』には、聖武天皇（観音菩薩）、良弁僧正（弥勒菩薩）、行基（文殊菩薩）、菩提僊那（普賢菩薩）の四者の聖人を掲げ、この四菩薩の化身である「四聖」の「同心」によって同寺の草創が果たされたことが讃えられている。ここに配される四菩薩は、毘盧遮那を主尊に文殊・普賢の二菩薩を配する「華厳三聖」の思想を発端とし、これに観音・弥勒の二菩薩が加えられて構成されている。その造像の背景には、五台山の地で李通玄が見いだした三聖円融思想の影響があり、それを受けて発展させた澄観の『三聖円融観門』、そして日本は高山寺の明恵上人がその双方の影響を受けて独自に結実した「五聖円融思想」が見てとれる。この四聖観が東大寺の縁起絵巻の世界などにも明らかに反映されているものと考えられるのであるが、注目されるのは、この御影の制作を相前後して段階を経て形成されたと思しき数多くの説話のなかに、新たな説話が形成されてゆくのも認め得ることである。

五台山に発した思想が、諸々の仏教文化圏において受容されゆくなかで、いかに切り結び、独自の文化として創造され、再構築されていったのか。「四聖」については、いくつかの研究が存するなか、かつて東大寺奝然の入宋・五台山巡礼を考える小稿で僅かにふれたことがあるが、本報告では、華厳教学の思想的展開という経緯を辿ることをさらに深めつつ、東大寺「四聖」の構築に結実した五台山の仏教文化と、それにまつわる説話のはたらきについて見つめてみたい。

1 はじめに

印度に発祥した仏教が、東アジアへと伝播し、展開してゆく東漸の道には、それぞれの地でさまざまに紡ぎだされた文化の結晶がある。

中国山西省に所在する「聖地五台山」は華厳の聖地として、また文殊菩薩の聖地として、同国内はもとより、印度、西域諸国、朝鮮半島、日本など、アジア諸国から広く憧憬を集めたことで知られる。その五台山に「文殊なし」とする、菩薩顕現の意義を問う深い宗教思想を前提に、文殊菩薩は海を渡り、日本国の行基として教化を行っているという伝承が、現存する日本最古の仏教説話集『日本霊異記』の中に記し留められた▼1。あまた語り継がれる行基の活動のうちの一つ、東大寺の大仏造立の勧進を仏教公伝にあたる聖徳太子の時代から予言的に示唆するかたちで語る説話である。行基は大仏の開眼供養が執り行われた天平勝宝四年（七五二）をさかのぼる三年前に世を去っていたため、法会の場にその姿はなかったが、後に勧進の功により東大寺の草創を支えた「四聖」の一人に数えられて崇敬された。

「四聖」とは、大仏造立の詔を発した本願聖武帝を観音菩薩、東大寺の開山良弁僧正を弥勒菩薩、大仏開眼の導師となった天竺からの渡来僧菩提僧正（菩提僊那、婆羅門僧正とも）を普賢菩薩、そして行基を文殊菩薩の化身として讃えることにより、華厳の教主盧舎那仏（大仏）を世に語り伝える呼称である。この「四聖」のはじまりは、つとに先の『日本霊異記』に認められる行基の五台山文殊菩薩化身説に端を発すると考えられるが、その思想の醸成の担い手として菩提僧正とともに来朝し、大仏開眼供養で呪願師を勤めた中国僧道璿とその周辺に注目して、小稿「五台山仏教文化の波濤」を記してみた▼2。

四者がそれぞれ菩薩の化身として「四菩薩」となり、やがて総じて「四聖」という語をもって称されるに至る前段としては、まず『東大寺要録』に収集されたような、それぞれの菩薩にまつわる個々の説話の存在があり、次第にそれらが文殊（行基）・普賢（菩提僧正）の二菩薩と、観音（聖武）・弥勒（良弁）の二菩薩という二組の説話に集約されていく過程がみてとれる。そしてその先にこれらの「四菩薩」を前提とする『四聖御影』という具体的な信仰の対象となる造形が、建長八年（一二五六）、同寺真言院の聖守によって製作され、これを本尊とする四聖講と称する論義法会の施行を経て、やがて『東大寺縁起絵詞』や『大仏縁起絵巻』などの東大寺史を繙く縁起の序段に、「四聖」という枢要なる位置を占めて語られるに至ったものと考えられる。

　こうした四聖説話については久野修義氏の「「四聖」の登場」や藤巻和宏氏の「東大寺四聖本地の成立」など、先行する研究による示唆がなされたが、[3]「四聖」の誕生に至る説話形成の契機とその背景を、広く東アジアを視座に入れて関連諸伝を微細に見つめることで、その思想構築の基を捉え、歴史的経緯の襞を埋めておくべき余地が残されているものと思われる。すなわち、一つは二菩薩・二組の説話に対する基礎的な読みであり、いま一つは二菩薩・二組による「四菩薩」を一つの世界観に統合する「四聖同心」ということばの背景に華厳思想の注入を明らめることである。[4]

　本稿はそのうちの前者に考察の重点を置き、前稿を承けて、五台山の文殊の化身として認識された行基より派生したと考えられる文殊・普賢の二菩薩説話の展開を中心に、これに合流する観音・弥勒の二菩薩説話を入れて、「四聖」以前における「四菩薩」成立の流れを可能なかぎり跡づけてみたい。

2　「四菩薩」の萌芽

　行基が文殊菩薩の化身であることを前提に語りだされたとみられる説話として、天竺からの渡来僧菩提僧正を難波の浦に迎えた行基が、同僧との間に交わした和歌贈答の説話がある。『三宝絵』の行基菩薩の段に編纂されたのがその現存最古の伝であるが、そのもとには『三宝絵』の末尾に記される、小野仲広撰「日本国名僧伝」という佚書となった先行書籍に引かれた言説があったものと推定される。[5]

> 菩薩ハ南天竺ヨリ、東大寺供養ノ日ニアハムトテ、南海ヨリ来レリ。舟ヨリ浜ニヨセテヲリテ、タガヒニ手ヲトリ、喜ビヱメリ。行基菩薩先読歌曰、
>
> 　霊山ノ尺迦ノミマヘニ契テシ真如クチセズアヒミツルカナ
>
> 婆羅門僧正返歌曰、
>
> 　迦毘羅衛ニトモニ契シカヒアリテ文殊ノ御皃アヒミツルカナ
>
> トイヒテ、トモニ宮コニノボリ給ヌ。爰ニ知ヌ、行基ハ是文殊ナリケリト。天平勝宝元年二月二日ヲハリヌ。

時ニ八十也。居士小野仲広撰日本国名僧伝、并僧景誡造霊異記ニ見タリ。

この和歌の贈答は、かつて霊鷲山（霊山）の釈尊説法の場における再会の契りが現世に叶ったことを喜ぶ行基の詠歌に対し、菩提僧正が迦毘羅衛という釈尊生誕の地であるもう一つの前世の契りの場を挙げて、その誓いにより文殊菩薩（行基）を再拝できた喜びを返歌したものである。当該説話は、両詠が勅撰和歌集である『拾遺和歌集』の哀傷の部に入集したこともあって、寺史類にとどまらず、享受の場の枠を越えて、説話集や物語、歌学書などに広く引用され流布したと言える。[6] それは後の「四聖」のうちの「二聖」を構成する上で一つの核となる説話であるが、この霊鷲山における前生の縁を語る行基詠には、『三宝絵』に先行する「日本国名僧伝」をもさらにさかのぼる思想的典拠があった。

天台宗の教学として、その経釈に説かれる「霊山聴法華」の逸話である。天台三大部の一つ智顗の『摩訶止観』の注釈である湛然（七一一〜七八二年）の『止観輔行伝口訣』には、『摩訶止観』の「行法華経懺、発陀羅尼」の箇所に、次のような注釈が施されている。[7]

聞テ光州大蘇生ノ慧思禅師ヲ遥ニ飡フ風徳ヲ如シ飢渇セルカ矣。其ノ地既ニ是レ陳斉ノ邊境ニ兵戈ノ所レ衝ク。重ンシ法ヲ軽ンシ生ヲ渉険シテ而去ル。思初メテ見テ笑曰ハク、昔シ共ニ霊山ニシテ聴クニ法華経ヲ。宿縁ノ所レ追フ今復タ来レリ矣ト。即チ示シテ普賢道場ヲ行セム法華三昧ヲ。

右は『摩訶止観』に説かれる四種三昧の一つ「法華三昧」に関する注釈であるが、天台宗の宗祖大師智顗が師の南岳慧思禅師に師事した時（五六〇年）、慧思が微笑してかつてともに霊鷲山で釈迦の講じる『法華経』を聴いたことを智顗に告げ、普賢の道場を示して「法華三昧」の行法を修したとする伝である。いわゆるそれは智顗が『法華三昧懺儀』に説く『法華経』の真髄を体得する三昧の前方便（空観）を大蘇山の慧思のもとで得たという、「大蘇開悟」として著名な故事であり、文殊・普賢二菩薩の贈答和歌の生成の基底には、そうした釈尊説法ゆかりの地である霊鷲山を入れた経釈の世界観があったことが指摘できる。

さらに、この「霊山聴法華」の故事は、伝教大師最澄も請来したとされる法蔵（六四三〜七一二年）の『華厳五教章』に、

思禅師、智者禪師ノ如キハ、神異感通シテ迹ハ登位ニ

参ジ、霊山ニ法ヲ聴キテ今ニ憶在ス。〔原漢文〕

と記されるのが見いだされ、[8]湛然の法華釈をさかのぼる『華厳経』の注釈の中にも認め得ることが指摘できる。行基詠にまつわる説話には、こうした教学に付随する故事を念頭に置いた生成と享受の奥行き、すなわち説話の重層を踏まえた趣深い世界があったものと思われる。たとえばその受容は、東大寺の凝然（ぎょうねん）が『八宗綱要（はっしゅうこうよう）』の天台宗章の宗史を示す記述の中に、次のように引いていることなどにもみてとれる。[9]

慧思禅師ハ霊山ニ法華ヲ聴キ、当時ニアルヲ憶シ、法華三昧ヲ行ジテ、位六根浄ニ登ル（中略）遂ニ法ヲ天台ノ智者大師ニ授ク。智者大師モマタ、昔、霊山ニ於テ同ジク法華ヲ聴ク。南岳大師ニ謁スルノ時、妙ニ憶識ヲ得タリ。法華三昧ヲ修シテ、位五品ニ居ス。一家ノ大宗ヲ建テ、身ニ十徳ヲ具セリ。〔原漢文〕

このように、行基が菩提僧正に贈った当該の霊山値遇の和歌説話は、本来はそうした宗教的な教学に重ねて想起され得るものであったことが知られるのであり、少なくとも同説話を引用する寺史類においては、そのことを心に留めて読み解くべきであろう。

加えてその一方で、この行基と菩提僧正の和歌贈答説話が、五台山の文殊信仰のもとに、さらなる物語化（創造）を遂げ、二者の「二菩薩」化の道を盤石なものにする基を築いていったことも看過することはできない。『東大寺要録』に引かれた「大安寺菩提伝来記」などに見られる菩提僧正の来朝説話で、僧正止住の大安寺に伝来したとされる記録である。[10]

夫レ天平五年〈歳時／癸酉〉四月三日、遣唐大使丹治比真人広成、副使大中臣朝臣名代等、并ビニ留学僧玄昉、唐国ヲ経歴スルコト三箇歳ナリ。即ハチ同八年〈歳次／丙子〉七月廿日、聖崖ニ還帰ス。忽チ件ノ船ニ乗ル、南天竺婆羅門僧菩提、大唐僧道璿、瞻波国僧此レ林邑北天竺国ト云フ仏哲等ナリ。但シ菩提ハ迦毘羅衛城ノ人、遊化慮ルコト在リ。物ヲ導キ心ヲ為スニ妙ナルコト総持ニ入り、志スコト弘法存リ。此ノ沙門天竺ニ於テ文殊ニ値遇セムコトヲ祈願ス。忽然トシテ化人有リ。告ゲテ曰ハク、此ノ菩薩震旦ノ五台山ニ居住ス。即ハチ彼ノ山ヲ尋ネ詣ムト欲スルノ比、北天竺仏哲、忽チニ生ジ到来スルナリ。此ノ僧少シテ仏教ヲ学ビ、妙ナルコト呪術ヲ閑ニシ、神理標異ナルコト方機ヲ頒悟ス。

如意珠ヲ求メムガ為ニ、船大海ニ浮カベ、以テ龍王ヲ呪ス。龍王呪力ニ降伏シ、件ノ玉ヲ持チ出ダシ告ゲテ曰ハク、汝手印ヲ放チ此ノ玉ヲ授与セム。即ハチ龍言ニ順ガヒテ手印ヲ顛放ス。大風忽チニ発リ、南天竺ニ吹キ寄スルヲ見ル。便チ婆羅門ヲ以テ吾師ト為シ、共ニ流沙ヲ渉リ、遥カニ嶮路ヲ踏ム。大唐ニ向カヒ五台山ニ到ル。至心慇懃ニシテ聖王ニ遇フコトヲ祈リ、顧ミルニ化人有リ。夢中ニ教ヘテ曰ハク、今回耶婆提ニ在リ〈此レ日本ノ／旧名ナリ〉。即ハチ夢ノ教ヘヲ聞キテ、甚ダ以テ歎息シ、頭ヲ扣キテ徘徊スルノ際、此ノ国ノ使者来タリテ唐国ニ到ル。爰ニ菩提愁眉ヲ開キ、使者ノ其ノ詞ニ随順シテ、此ノ船ニ同乗シ、倶ニ到来ス。唐沙門道璿、善ク三蔵ニ達シ、偏ヘニ律部ニ精シ。内外ニ博ク通ジ、人ヲ導キ倦マズ。共ニ遊化ノ志有リ。聖崖ニ来タリ着ク。即ハチ菩提等、此ノ山河清潔ナルコトヲ看視シ、甚ダ以テ歎悦ス。爰ニ行基菩薩、新客忽チニ摂津国ニ着クヲ聞キ、香印卌口ヲ造リ、花ヲ盛リ以テ難波ノ海ニ浮カベル。此ノ香印彼ノ船ヲ囲遶シ、自然ニ迎ヘ来ル。是ノ時、難波津ヲ荘厳シ、百ノ衆僧ヲ引率シ、以テ件ノ客ヲ迎ヘシム。爰ニ菩提忽チニ船ヨリ下リ、行基菩薩ヲ尋ネ覓ムル。下劣ニ顧ミテ起立、衆中ヲ排シ覓メ、自然ニ手ヲ携ヘテ即ハチ歌ヒテ云ハク、

　迦毘羅衛ニ聞キテ我来シ日ノ本ノ文殊ノ御顔今見ツル鴨。

菩提答ヘテ云ハク、

　霊山ノ釈迦ノ御前ニ結ビテシ真如朽チセズ相見ツル鴨

種々ノ語言、諸人知ラズ。（下略）

遥か天竺から流沙(りゅうさ)を越え、文殊菩薩の聖地である震旦(しんたん)の五台山を来訪した菩提僧正が、文殊は不在で日本国（耶婆提(やばだい)）に居るとの夢告を得、五台山経由で来朝するという説話であるが、この説話は北印度罽賓(けいひん)国の僧仏陀波利三蔵(ぶつだはりさんぞう)が唐土へ伝来したとされる『仏頂尊勝陀羅尼経(ぶっちょうそんしょうだらにきょう)』[11]に関する伝承が下敷きとなっている。すなわち、儀鳳元年（六七六）、文殊拝謁を懇願して五台山を詣でた仏陀波利は、山中から現れた老人に同経の請来無きことを諭されて天竺へと引き返し、梵本(ぼんぽん)を携えて五台山を再来し、勅命を受けて同経の翻訳、流伝を果たしたという伝承である。当該伝承は志静によって仏陀波利訳『仏頂尊勝陀羅尼経』の経序に記され[12]、これを承けて智昇(ちしょう)撰『続古今訳経図紀(ぞくここんやっきょうずき)』・『開元釈教録(かいげんしゃっきょうろく)』

（七三〇年）や、賛寧撰『宋高僧伝』（九八八年）に相次いで撰述された。また、五台山真容院の妙済大師延一が山中の勝蹟や霊異を記した『広清涼伝』にも撰述され、経録の域を越えて五台山説話として流布するに至っている。[13]本朝に目を転じれば、寛治八年（一〇九四）、興福寺永超の『東域伝灯目録』に記載される「新清涼山伝三巻〈近年渡云〉」は、入宋僧成尋が延一から直接五台山で寄贈された本が後に本朝に請来されたものと推定される。また、逸文ではあるが尊勝陀羅尼の唐朝と本朝における流伝を記したと思しい『尊勝陀羅尼流布縁起』（内題「尊勝真言異本勘定特功能唐朝日域興隆流布縁起」）に「現清涼文殊老翁儀」とあり、仏陀波利の前に忽然と現われては消えた老人が五台山の文殊であるとの踏み込んだ記述に及ぶ本朝成立の縁起も見いだされる。[14]同伝承は本朝における同経の奈良時代からの盛行や、円仁・奝然・成尋といった入唐・入宋の入山僧たちがもたらした五台山仏教文化の受容とともに広く知られるところとなったと言える。それは「五台山文殊」と称する五尊形文殊像のうちの二尊にあたる仏陀波利と大聖老人（文殊化身）という造形にも象徴的に表されており、文字のみならず仏画や仏像としてのイメージを容易に付随し得る伝承でもあった。[15]

そうした文殊を訪ねて五台山を訪れたという仏陀波利に、同じく天竺僧とされる菩提僧正が重ねられ、これに聖地五台山を共通項に行基五台山文殊説が合流することで、天竺から五台山、五台山から本朝（日本）へと仏法東漸の道が通じ、霊山値遇の説話を淵源に生成された行基・菩提僧正の和歌贈答説話が、物語としての厚みを増してさらなる展開を遂げてゆく軌跡をとらえることができる。

そもそもさかのぼって五台山が文殊の聖地とされるようになったのも、『華厳経』菩薩住処品（仏陀跋陀羅訳、東晋四一八〜四二〇年）に、

東北ノ方ニ菩薩ノ住処アリ。清涼山ト名ヅク。（中略）彼ニ現ニ菩薩アリ。文殊師利ト名ヅク。〔原漢文〕

と示された聖地観が、『文殊師利宝蔵陀羅尼経』（菩提流支訳、七一〇年）における、

瞻部洲東北方ニ国アリ、大振那ト名ヅク。ソノ国中間ニ山アリ。号シテ五頂トナス。文殊師利童子遊行居住ス。〔原漢文〕

との経説によって具象化されたという地点から見渡せば、後の「四聖」のうちの核となる「二聖」が、右に指摘した

漢訳仏典の経説や経録、訳経と共なる僧伝を介し、本朝に五台山の仏教文化が段階的に注入されるなか、次第に輪郭を成しつつ一つの説話として形成されていった様相がみてとれるのである。

3 「四菩薩」の輪郭

ところで、この二首の贈答歌のうち、菩提僧正詠に行基を「文殊」と表する語が読み込まれているのに対し、行基詠に菩提僧正を「普賢」とする語は見られない。しかし、たとえば後の『宝物集（ほうぶつしゅう）』巻第五の東大寺建立を語る段には、明らかに菩提僧正詠の後に、普賢の来訪とその供養が説かれている。▼16

> 行基菩薩を知識の聖人として、あまねく五畿七道をすゝめ給ふ。供養の日、婆羅門僧正よばざるに来たりて、供養を遂げ給ふ。婆羅門、行基をみて、「文殊の御顔いま見つるかな」と云ふ歌をよみ給ふ。また、この寺を、普賢来たりて供養し給ふべしと、人の夢にみゆ。また、聖武天皇は救世観音の化身なり。知んぬ、この寺を観音・弥勒・普賢・文珠分力して建立し給ふといふ事を。

ここに「普賢来たりて供養」とあるのは、大仏開眼における菩提僧正（表記は婆羅門僧正）の開眼を示すもので、先にみた『東大寺要録』所引の「大安寺菩提伝来記」に見られる夢告伝承を踏まえ、そこに菩提僧正を普賢の化身とする認識の反映がみてとれる。そうした明らかな文殊・普賢の対の意識に加えて聖武帝が救世観音の化身であるとの説が提示され、「四菩薩」による建立の寺であることがあらためて語られている。右は、鎌倉初期の仏教説話集に当該の和歌贈答説話を核に後の「四聖」が揃って確認される点で、その醸成過程を辿り得る事例であるが、このような菩提僧正を普賢の化身とすることで確定する「四菩薩」がしかと定着するまでには、しばしの曲折があったようである。以下に、そうした「四菩薩」の萌芽を追ってみたい。

まず、東大寺と四者との関係は、嘉承元年（一一〇六）に編纂された『東大寺要録』の中に散見する説話をもって拾うことができる。『東大寺要録』巻第一、本願章第一「孝謙天皇〈諱阿倍　高野姫天皇〉」条に、「行基文殊化身」の説が次のごとくある。

> 僧正行基生馬山ニ於テ入滅ス。生年八十。（中略）是

レ文殊ノ化身ナリ。南天竺婆羅門僧正文殊ヲ礼サンガ為ニ、天竺ヨリ五台山ニ到ル。老翁道ニ逢ヒテ告ゲテ曰ハク、文殊利生ノ為ニ日本国ニ託生ス。行基是レナリト〈云々〉。〔原漢文、同書以下同〕

同じ本願章第一には、「根本僧正〈諱ハ良弁〉」条に、「良弁弥勒化身」の説が「八嶋寺記」と称する記録を典拠に見いだされる。

僧正ハ相模国人漆部氏。持統天皇治三年己丑誕生、義淵僧正ノ弟子、金鷲菩薩是ナリ。天平五年金鐘寺ヲ建ツ（中略）又、相伝ヘテ云ハク、良弁僧正弥勒菩薩ノ化身ト云々。八嶋寺記ニ見ユト云々。

一方、縁起章第二には、『聖徳太子伝暦』などに認められる聖武帝聖徳太子後身伝承に基づく「聖武観音化身」の説が次のごとく見いだされる。

聖徳伝ニ云ハク、推古天皇十二年秋八月、其ノ夕、泉河北頭ニ宿リ、左右ニ語リテ曰ハク、吾死スルノ後、〈二百五十年一釈氏有リ〉。修行スルコト道ヲ崇メ、此ノ地ニ建寺ス。此ノ釈氏他ニ非ズ是レ吾ガ後身ノ一体ナリ。（中略）私ニ云ハク、彼ノ聖徳太子ハ救世観音ノ変身、思禅師念比丘ノ後身ナリ。聖武天皇ハ聖徳太子ノ後身、救世観音ノ垂跡ナリ。

この縁起章第二には、「霊異記上巻ニ云ハク」として先述の行基の五台山文殊説話も引かれるほか、「開眼師伝来ノ事」として菩提僧正に関する説話が「元興寺小塔院師資相承記」や先引の「大安寺菩提伝来記」という記録の中に認められる。この元興寺や大安寺由来の記録は、いずれも『三宝絵』に見られる和歌贈答説話を骨子とするもので、とくに菩提僧正止住の大安寺の伝来記は僧正の来朝の経緯についての記述に厚みはあるが、いずれの記録中にも菩提僧正を普賢の化身とする表記は見られない。

同様のことは、同じ『東大寺要録』内に「古老相伝」のこととして引かれ、良弁僧正が初めて聖武帝に拝謁して述べたとされる次のごとき表記にも表われていよう。

此ノ地、仏法住持ノ勝地ナリ。即チ是レ観音、文殊、弥勒、三大師相トスルノ地ナリ。

すなわち、「観音・文殊・弥勒」の三大師にあたる「聖武・行基・良弁」という日本国の「三菩薩」なる意識であり、『東大寺要録』編纂の時点における菩提僧正の菩薩説の有無は未詳とせざるを得ない。

『東大寺要録』撰述の経緯について論じる横内裕人氏に

よれば、十二世紀初頭の段階で「東大寺流記」は亡失されており、同寺の寺僧は寺家草創以来の歴史を公的文書によって確かめることができなかったとされ、同書は衰退した同寺再建に臨んで記録や説話、寺僧の口伝など多種多様な史料の類聚により編纂されたという。[17]そうした状況のもと本来ならば、天平勝宝八年（七五六）の「東大寺縁起并流記資財帳」など、八世紀に作成されたとされる東大寺の縁起流記が散佚し、『東大寺要録』にも確認し得ない菩提僧正の菩薩説ということになるのであるが、幸いなことにそれを示す極めて興味深い記述を、鎌倉時代初頭の成立とされる『諸寺建立次第』の行基・菩提僊那和歌贈答説話（後段）に引かれた「東大寺流記」の逸文をもって拾うことができる。[18]

開眼導師〈天竺菩提僧正／化人ナリ〉
供養導師〈隆尊律師／化人ナリ、読師、延福禅師〉
呪願〈大唐道璿律師〉
聖武天皇ハ救世観音〈先生ニハ流沙船師ナリ〉、良弁僧正弥勒菩薩
金龍〈良弁僧正〉〈又曰ハク金鐘行者〉近江国粟津ノ人ナリ、本尊ハ執金剛神ナリ、〈世間ニ云ハク、真如付〔朽、脱カ〕ノ故ナリ〉
行基菩薩ハ文殊ナリ、婆羅門僧正普賢ナリ〈或人云観音ナリ、故東大寺流記―〔云〕、行基菩薩菩提僧ヲ礼スト云フ、南无阿毘魯奇躰トイヘリ、コレヲ観自在ト云フナリ〉

右の大仏開眼の法会の場における主たる諸役が列挙されるなかに、行基に対して婆羅門僧正、すなわち菩提僧正を普賢とするも、「或人云」として観音とする説を割注に記す事例が見いだせる。加えて同じ割注に「東大寺流記云」として、「南无阿毘魯奇躰（ナム アバロキタ s:namo avalokita）」とサンスクリット Avalokiteśvara の音写の称名を示し、さらにその漢訳である「観自在」の語を明記して、観音説の異伝が併記されているのがみてとれる。[19]

同様の事例は、僧伝や寺院縁起などを多く抄録する『扶桑略記』聖武天皇下にも、「或記ニ云ハク」として「南天竺ヨリ観自在菩薩来タルベシ」[20]と記され、『諸寺建立次第』所引の「東大寺流記」のごとき寺院古記録の一部に菩提僧正の菩薩説に関する異伝があったことが知られる。その異伝である菩提僧正の観音化身説は、弟子修栄が遺した『南天竺婆羅門僧正碑 并序』（神護景雲四年、七七〇）に伝

えられるように、僧正自身の観音に対する信仰に起因するものと考えられ、[21]「菩提僧正普賢化身」の説が確固たるものになる以前の跡を留める事例として注目されるのである。おそらくそれは聖武帝が救世観音の化身とされた聖徳太子の生まれ変わりであるとする思想により、観音の化身は本願聖武帝へと集約されていったという背景と表裏一体であったと言えよう。

　以上のごとく、『東大寺要録』の中に四者それぞれの説話や異伝を個別に拾うことができるが、その編纂段階においては、いまだ後の「四聖」に至る「四菩薩」が確定するに至っていなかったとみられる状況がここに浮き彫りとなる。但し、「聖武（観音）・行基（文殊）・良弁（弥勒）」を三大師とする「三菩薩」の思想に、「行基文殊化身」の説を仲立ちにして、「行基・菩提僧正」の「二菩薩」を交差させる先に「四菩薩」が浮上する、といった道筋も透過されよう。また、同じ『東大寺要録』内、末寺章第九の石山寺の項には、

　石山寺。右寺ハ聖武天皇、良弁・行基・婆羅門僧正（菩提僧正）等ヲ遣ハシ創建セラレル所ナリ。近江国志賀郡ニ在リ。

とあり（「等」の語が付されるので四者以外の関係者も含む）、末寺の創建に関する記述ではあるが、四者の名が揃って表記される事例も見いだされる。このように『東大寺要録』の編纂時点においては、後の「四聖」となる「聖武・良弁・行基・菩提」が、「観音・弥勒・文殊・普賢」の「四菩薩」の化身へと集約されてゆくのが目前のことでありつつも、なお揺れのある未成の段階であったことがうかがい知られるのである。では、そうした四者各々の化身説を伴う「四菩薩」化はいかなることを契機に誕生し、定着するに至ったのか。

4　「四菩薩」の誕生、普賢菩薩の化身となった菩提僧正

　先に引いた『宝物集』は、「四聖」という総称が見いだされる以前の「四菩薩」による寺院建立を表わす事例として注目されるが、おそらくこの「四菩薩」の確定は、寿永二年（一一八三）五月十日の聖武天皇の忌日に臨んで、東大寺尊勝院の弁暁が天皇陵を拝し、法華八講の導師を勤仕して表明した『聖武天皇御山陵御八講』（尊勝院七十帖の内）の表白のことばが嚆矢であった可能性が高い。[22]

敬白
今南瞻部州大日本国我寺、満寺ノ諸大法主并大願主聖人共ニ、定恵慈悲ノ掌ヲ合セテ、等シク三業六情ノ誠ヲ専ラニシ、吉曜良辰ノ今、本願聖霊廟壇ノ麓ニ群参シテ、大仏舎那ノ万ダラヲ奉迎シ、一乗八座ノ講席ヲ展カル善願アリ。（中略）而ルニ、我□伽藍ハ、弥勒・観音草創ノ庭、普賢・文殊冥感ノ砌ナリ。濁世ノ凶徒ヲ□導シ、遺法ノ我等ヲ助ケシメムガ為、□□不可説ノ化儀ヲ廻ラスベシ。以テ未曾有ノ仏像ヲ鋳奉リ、十力無畏ノ相好ヲ成シ、慈悲喜□荘厳ヲ顕ハス。（中略）聖人此ノ事ヲ悲シミ、傾□異朝ノ巧匠ヲ語ラヒ、即チ行基菩薩ノ昔ノ跡ヲ尋ヌ。〔原漢文〕

弁暁は尊勝院院主として華厳の再興を掲げ、治承四年（一一八〇）の平重衡の南都焼き討ちによって焼失した大仏の復興に尽力し、文治元年（一一八五、元暦二）の大仏開眼供養で開眼導師の座を当時別当であった定遍に譲り、権少僧都昇進を果たした人として知られる。寿永二年は、前年の養和元年（一一八一）に俊乗房重源によって計られた大仏の修理と大仏殿の再建を受け、二月より宋人鋳物師陳和卿と日本の鋳物師が合力して大仏の御手と御頭の鋳造を始めた時にあたる。その五月の本願聖武帝の忌日に天皇陵で再興を誓う弁暁の表白において、東大寺の伽藍が「弥勒・観音草創の庭」、「普賢・文殊冥感の砌」という二菩薩・二組の意識で構成される「四菩薩」によって語られていることは意義深い。

この法華八講から八年余り後の建久二年（一一九一）、皇后位の出家者が十四社寺を巡礼した折の記録とされる『建久御巡礼記』の東大寺の項には、行基と菩提僧正の和歌贈答説話の結びに「四菩薩」に関する記載が認められ、興福寺大乗院実叡が先の寿永二年の弁暁草に表わされた思想を反映して記したと思しい表記が見受けられる。[23]

大施主ノ聖武天皇ハ救世観音、良弁僧正ハ弥勒ナリ、婆羅門僧正ハ普賢、行基菩薩ハ文殊ナリ、カヤウノ権者共ノ寄リ集マリテ、供養作サレシナリ。開眼導師ハ〈天竺菩提〉、講師ハ延福禅師ナリ、呪願大唐ノ道璿律師。

このように後白河院による大仏開眼供養から、建久六年（一一九五）の源頼朝による大仏殿落慶供養に至る十二世紀末における一連の同寺復興の気運の中で、「四菩薩」に対する認識が確固たるものとなって表記されるようになったことは、ほかにも源顕兼の編纂になる『古事談』（建暦二年

〈一二一二〉から建保三年〈一二一五〉に収録された東大寺関連の説話にも認められる[24]。

此の時に行基菩薩云はく、「異国の聖人は、是れ南天竺の波羅門僧正なり。名は菩提」と云々。開眼導師は波羅門僧正、供養導師は隆尊律師。聖武天皇は救世観音、良弁僧正は弥勒、波羅門僧正は普賢、行基菩薩は文殊なり。

久野修義氏は、東大寺が古代官寺から中世寺院への再生の過程で変化した聖武天皇像を追われるなかで、「本願聖武」を強調することを基調に編纂された『東大寺要録』以後に、本願聖武天皇を単独でなく他の三人の聖僧とともに位置づける権者（後の「四聖」）の登場に注目され、それを東大寺の再建事業の時期にあたる「一二世紀最末期」とする卓見を提示された[25]。小稿では、「四菩薩」に至る四者にまつわる諸々の説話を辿るなかで、『東大寺要録』以後、「四菩薩」確定に至る残された空白の位置に菩提僧正と普賢菩薩が当てはめられた時こそが、東大寺における「四聖」信仰確立の画期とみて、先の弁暁の表白のことばがそれに当たるのではないかと注視してみるところである。以下に、「菩提僧正普賢化身」の説の誕生を視座に、ことばが紡ぎ出されてゆく実情に照らし、その実態を少しく跡づけてみたい。

そもそも菩提僧正自身の観音信仰から同菩薩の化身であるとする異伝が存在する一方で、僧正が普賢菩薩の化身に定着することは、先の行基・菩提の和歌贈答説話によって約されていたといっても過言ではない。釈迦説法の聖地である霊鷲山を舞台に前生の因縁を詠む歌の中で、行基が文殊菩薩であるならば、菩提僧正は釈尊の一生補処の脇侍として釈迦三尊を構成する普賢菩薩と見なされるのは至極当然のことであった。

しかしながら二節に述べたように、当該の和歌贈答説話に淵源としての霊山値遇の故事を想起し得る見地に立てば、さらにそこに一段深い普賢菩薩観を介した菩提僧正の化身説が自ずと備ることに気づかされる。すなわち、「霊山聴法華」の故事において慧思が智顗に法華三昧を修する場として示したのが、まさしく「普賢の道場」であった。道場に『法華経』を安置し、六根から生じる罪障を懺悔するために端坐して実相を念ずる修行者のもとに、白象に乗った普賢が来至し守護するという、かの『摩訶止観』の法華三昧の教説を前提に、具体的な菩提僧正を普賢の化身とする思想が導かれたことが考えられるのである。そのことは菩提僧正が大仏開眼の供養譚とともに語られゆく事例に照らすことで、より明確となる。

『東大寺要録』の開眼供養会の段（供養章第三）に、聖武上皇が菩提僧正を開眼師に請うことばが次のように示されている。

皇帝敬請　菩提僧正。四月八日ヲ以テ、東大寺ヲ設斎シ、盧舎那仏ヲ供養ス。敬ヒテ無辺ノ眼ヲ開カムト欲ス。朕身疲弱ニシテ、起居便ナラズ。ソレ朕ニ代リテ筆ヲ執ルベキハ、和上一人ノミ。仍テ開眼師ニ請フ。乞フ接受シテ辞スコト勿レ。敬白。

右の『東大寺要録』の記録以後、大仏造立時の天平の開眼供養について、聖武帝は本来自ら執るはずの開眼の筆を行基に委ねたが、行基は天竺から来朝する僧の存在を予言してこれに託したとする説話が語られるようになる。すなわち、大仏開眼という復興の文脈において、行基と菩提僧正とは聖武帝を介して大仏開眼の筆を託し、託される関係でもあった。同段における菩提僧正の登場は、

次、開眼師。僧正菩提法師。輿ニ乗リ、白盖ヲ捧ゲ、東ヨリ入ル。〔原漢文〕

と記されているが、後の『東大寺縁起絵詞』（第五巻第三十三段）では、東方の浄妙国土から六牙の白象に乗ってこの世に現れ法華行者を守護する『観普賢菩薩行法経』（『法華経』の結経）の普賢菩薩像が菩提僧正に附与されるかたちで描かれている。▼26

菩提僧正白衣ヲ着シ、六牙ノ象ニ乗テ、大会ノ庭ニ来ルト見ル人多カリケリ。普賢大士ノ化現疑ナシ。〔原漢文〕

この同じ場面を描く二つの説話を比較することにより、『東大寺要録』成立の平安時代後期以降、『東大寺縁起絵詞』が成立する鎌倉時代末頃の間に、菩提僧正に普賢の化身としてのイメージが備わったことが指摘できるのであり、その具体的契機となったのが大仏再建時の文治の開眼供養（第三期）であったと考えられる。この時、大仏造立時の天平の開眼供養（第一期）で天竺僧菩提僧正が用いたとされる筆を、後白河法皇が開眼師として執る開眼の作法が行われている（玉葉・山槐記・東大寺続要録）。行基から菩提僧正へと継投された開眼の筆を、時の法皇である後白河院が勅封倉の正倉院を開封して取り出し自ら手にすることは、まさに聖武帝の本願を今に翻すことであり、同時に天平の菩提僧正にあらためて光が当てられた瞬間でもあった。それ

は再興成った東大寺大仏のもと、仏教発祥の地、天竺から来朝した僧の手にした筆を法皇が手ずから執ることにより、仏法伝通の証を広く表明する法会の場としての意味をもつ。そうした後白河院による文治の開眼供養の場は、経説の重層化のもとに構築された「菩提僧正普賢化身」の説を揺るぎないものとする歴史的契機となったにちがいない。院自身に厚い法華信仰に基づく普賢菩薩に対する深い造詣があったこともどこかで通じていようか。当該の筆に今なお刻される「文治元年八月廿八日開眼 法皇用之 天平筆」の墨書に、その往時が偲ばれる。[27]

先述したように、東大寺の再興を象徴する文治の開眼供養会で、当初の開眼導師として法会次第の編纂に当たったのは弁暁であった。華厳を奉じる尊勝院の院主であった弁暁にとって、再興に臨んで新たに見いだす普賢菩薩像には、『東大寺尊勝院院主次第』に「華厳ハ大日如来ノ肝心、普賢薩埵ノ行願ヲ聚ムナリ。円融ノ理、甚深ナルコト測リ難シ」とあるごとく、[28]その念頭に四十巻華厳の「入不思議解脱境界普賢行願品」に説示される「普賢の十大願」に通じる格別な位置付けがあったことはいうまでもない。また表白の「普賢・文殊冥感の砌」という表現には、先の霊山値遇を踏まえた行基・菩提和歌贈答説話のみならず、文殊の指南によって旅に出た善財童子がその旅の最後に普賢から教えを受けて行を完成するという、『華厳経』「入法界品」における文殊・普賢の二尊の意義も交錯しよう。そしてさらに看過し得ないのは、尊勝院に毘盧遮那・釈迦如来に並んで仏頂尊勝如来が安置され、同陀羅尼の信仰があった事実であり、そのことに寄せても、『仏頂尊勝陀羅尼経』にまつわる伝承を入れた「五台山経由で来朝する菩提僧正伝」が弁暁にとって親しく享受し得る説話であった点である。[29]何よりも尊勝院に僧正の御衣と硯が伝えられていたことが、室町幕府第六代将軍足利義教の宝物御覧を通して知られ、同院が東大寺内において僧正伝を伝世する塔頭であったことを如実に物語るところでもある。[30]

南都三会で講師を勤め、法華講会をはじめとする多くの法会への出仕が知られ、能説として名高い弁暁は、『東大寺要録』の四者に関する記録を対象化し、周辺説話や諸々の経説を踏まえた上で、表白のことばに普賢菩薩を組み入れた「四菩薩」観を新たにうち立て得るに十分な存在であった。東大寺の外においても、後白河院を施主とする法会で弁暁がしばしば表白を草しているその関係を思えば、当初の開眼導師として実質的に当該供養を取り仕切る立場から、院が自ら開眼の筆を執る意義を、天竺観を入れた仏法東漸の日域の王として表し、語る場があったであろうことは想像に難くない。[31]そうした説話による物語世界が法会に反映し、法会を介して再び説話が成長するといった創造の断面に、「四聖」の前身、「四菩薩」の誕生を捉えることができるのである。

5　むすびにかえて――「四聖」の縁は「西域」より起こる

東大寺という寺院の草創を表象する「四聖」観がいかなる思想のもとに構築されていったのか、ということを説話、縁起、信仰の表出の一端として、それぞれに記録されたテキストの記述に即して見つめてみた。あくまで現存し披見し得る資料を見渡す限りにおける大筋の見通しで、諸々の説話が一様に成立したわけではないので相互に齟齬が生じることがあっても不思議はない。しかしながら、思いのほかにおおむねの整合性をそこに認め得るのは、それらがよりどころとする確かな所説を踏まえて構築され、展開を遂げていったことを暗に示してもいよう。あるいは別の言い方をすれば、ある思想的な方向性が徐々に見いだされてゆくなかで、披見し得る現存の説話が、それにそぐうかたちで自ずと遺った跡とも言えようか。

各節において指摘したように、後の「四聖」に至る説話形成の個々の段階において、教学的な思考、すなわち漢訳仏典と経疏における言説の関与と摂取の実態があった。そのことは、弁暁が法会の場で説くために草した表白の「弥勒・観音草創の庭」、「普賢・文殊冥感の砌」という象徴的な対をなす表現に顕著である。この二菩薩・二組の意識から構成される「四菩薩」は、やがてその先に東大寺草創の四者を「四聖」と尊崇する信仰の基となっていった。そこに東アジアで構築された思想の片鱗が、総称としての「四聖」という語に結実する過程が浮かび上がる。

主として小稿では、いわゆる弁暁の表白に象徴されるところの「普賢・文殊冥感の砌」に至る説話の構築を、震旦の五台山を介し天竺にさかのぼって跡づけてみたことになるわけであるが、一方に「観音・弥勒草創の庭」に至る説話の構築もある。その二菩薩についての詳しい考察は今措くが、それは前世に天竺をめざした求法僧（ぐほうそう）（後の良弁）が、その旅難を救う渡守（後の聖武）に絲綢之路（シルクロード）の「流沙」（タクラマカン沙漠）で遭遇するといった興味深い説話であり、これもまた遥か「西域」へと視点を導く壮大な世界観をもつ。そうした二菩薩・二組の思想と表現が、後に鎌倉末期に起きた東大寺と醍醐寺の本末相論の中で、仏法の聖地観を容れて次のように語られてゆくのであった。

四聖ノ本縁ハ、月支ヨリ起コリ、迦毘羅・霊山ノ仏会三尊ノ真容テヘリ。日域ノ伊勢太神宮ノ内証ヲ顕ハシ、補処ノ弥勒・無畏ノ観音、師檀ノ因縁ニ旧物ヲ思フ。巧智ノ文殊・真理ノ普賢、和語ノ贈答、往時発願ヲ西天ニ指ス。四聖同心奇特奇麗ノ精舎ナリ。緈、月支西天ヨリ四行薩埵ノ三摩地門、功終リテ日域ノ東ニ四聖権謀ノ一大伽藍ヲ垂レル。『東大寺具書』より▼32（原漢文）

ここに、寺の淵源を「月支」「西天」の「西域」に求め、仏法東漸の途上にある東アジア地域を介してあらためて自らの寺史を語り、本末の優劣を論争する相論に、二菩薩・二組の説話が取り込まれてゆく次なる展開がみてとれる。東大寺草創の「四聖」観の生成過程を概観し、「四聖」以前の地点までようやく漕ぎつけた小稿であるが、その先に「四聖同心」ということばを掲げて宣揚する、さらなる思想の構築が想定されるのである。法会に伴う『四聖御影』の造像、また『東大寺縁起絵詞』や『大仏縁起絵巻』などの縁起の序段や当該説話に関連する諸段には、そうした説話形成の史的展開の中に位置づけて読むべき事象が湛えられていると言える。

さまざまな関連説話が出合い、練磨される中で、それがある出来事を契機として核となる説話へと集約されてゆく。寺史にまつわる説話の創造は、教学的な思想の構築と歴史的な事象の展開の皮膜の中で反芻され、時を経て私たちに語りかけているのであり、そのことを深く認識する先に、透徹した「読み」の世界が豊かな広がりを見せてくれるものであると思われる。

注

1 『日本霊異記』上巻第五「三宝を信敬し、現報を得る縁」。引用は岩波新日本古典文学大系本による。

2 拙稿「五台山文化の波濤―文殊菩薩の行方、東大寺草創「四聖」の萌芽にみる東アジアの痕跡―」（原題）、改題「五台山の仏教文化　東アジアが育んだ歴史」（染谷智幸編『東アジア文化講座』第一巻　東アジアの文学と異文化交流、文学通信、二〇二〇年）。

3 久野修義氏「中世東大寺と聖武天皇」（『日本中世の寺院と社会』塙書房、一九九九年、初出は一九九一年）。藤巻和宏氏「東大寺四聖本地の成立」（『伝承文学研究』五十四、二〇〇四年）、

藤巻和宏氏「東大寺縁起と『三宝絵』―「東大寺四聖」成立前史―」（『三宝絵を読む』吉川弘文館、二〇〇八年）。谷口耕生氏「四聖御影（永和本）」（堀池春峰編『霊山寺と菩提僧正記念論集』霊山寺、一九八八年）に、胎蔵曼荼羅の中台八葉院における大日如来を取り囲む四菩薩の垂迹神と見なすことによる制作との言及がつとになされている。

4　かつて、拙稿「五台山憧憬―追想、入宋僧奝然の聖地化構想―」（『仏教と人間社会の研究』朝枝善照博士還暦記念論文集、永田文昌堂、二〇〇四年）の中で、東大寺草創が「四聖同心」ということばによって表現されるに至る背景に、五台山において華厳研究を行なった李通玄の「三聖円融思想」とそれを受けて澄観が表した『三聖円融観門』があったことを指摘したが、信仰的崇拝の対象としての『四聖御影』造像への展開には、さらに明恵の「厳密」の思想を入れ、丹念にその過程を埋めねばならないと考えている。これについては稿を改めるが、その前段としての本稿と位置づけておきたい。

5　『三宝絵』巻中―三「行基菩薩」。引用は岩波新日本古典文学大系の底本現東京国立博物館蔵（東寺観智院旧蔵）本による。同本では「居士小野仲広ガ撰日本国ノ名僧伝」と記される「小野仲広」については、前田本「野中広」、東大寺「野中廉」、袖中抄「野仲廉」と表記に揺れが認められ、伝未詳とされる。大江親通『七大寺巡礼私記』は「野中廉」と記す。

6　管見に入る事例を挙げれば、『今昔物語集』十一、『古事談』三、『私聚百因縁集』七、『沙石集』五、『源平盛衰記』二十四、『太平記』二十四、『日本往生極楽記』二（二二）、『大日本国法華験記』上―二、『俊頼髄脳』、『袋草紙』、『古来風体抄』、『為兼和歌抄』ほか、後述の東大寺に関する縁起類など。その一々を引いて具に論じることはできないが、先行して詠歌したのが行基か菩提僧正かという和歌贈答の先後によって系統が分かれることと、和歌表記に小異が見られる場合があること以外に然したる差異はない。菩提僧正を主体とする記録は同詠が先となる。なお、迦毘羅衛の詠歌は、「迦夷衛ハ三千ノ日月、万二千ノ天地ノ中央ナリ。過去来今ノ諸仏ハ皆此ノ地ニ生ル」（『修行本起経』）とされ、迦毘羅衛が釈尊誕生の地であり、菩提僊那が「南天竺、迦毘羅衛ノ人」（『東大寺要録』「大安寺菩提伝来記云」、『僧綱補任抄出』、『今昔物語集』巻十一―七）であるとする伝承があることにより、もう一つの前生譚を担う詠歌の対象となったとみられる。迦毘羅衛を「北天竺」とする場合もあるが、当該伝来記は仏哲の出身である林邑を「北天竺」としているのに対する。また菩提僧正を「西天竺国人」とする記事もあり（『僧綱補任』）、出身説には揺れがある。「南天竺」出身の由来については、拙稿「大仏を開眼した菩提僊那（ボーディセーナ）―日本文化の中に構築された「印度」―」（『鶴見大学仏教文化研究所紀要』第二十四号、二〇一九年）。

7　『大正新脩大蔵経』第四十六巻、№一九一二所収。同じく湛然の『摩訶止観輔行捜要記』にも引かれる。

8　『大正新脩大蔵経』第四十五巻、№一八六六所収『華厳一乗教義分斉章』。同様に慧思禅師にさかのぼる思考として知られるのが聖徳太子の慧思後身説があり、聖徳太子の後身と説かれる聖武天皇までつながる。王勇氏の『聖徳太子時空超越　歴史を動かした慧思後身説』（大修館、一九九四年）に慧思禅師の日本天生のことが論じられている。

9　平川彰氏『八宗綱要』下（仏典講座三九下、大蔵出版、一九八〇年）。龍樹—慧文—慧思—智顗…湛然—道邃—最澄の師資相承血脈。

10　筒井英俊氏編纂兼校訂『東大寺要録』（国書刊行会、一九四四年初版）による。五台山を経由して本朝へ渡り、行基と値遇を遂げたとする伝は、『今昔物語集』「婆羅門僧正、行基ニ値ハムガ為ニ天竺ヨリ来タレル語」（巻第十一～第七）や『扶桑略記抄』に見られる。

11　『大正新脩大蔵経』第十九巻、密教部二、№九六七所収。

12　『大正新脩大蔵経』第五十一巻、史伝部三、№二〇九九所収。巻中「仏陀波利入金剛窟十二」。

13　『大正新脩大蔵経』第五十六巻、続経疏部一、№二一八三所収。

14　『大日本仏教全書』第六十八巻、史伝部七—六八、五一二所収。高山寺本を底本とする。長承二年（一一三三）書写の東寺写本の諸本が存する。

15　拙稿「五台山文殊を謡う歌—『梁塵秘抄』より、嵯峨清涼寺奝然の五尊文殊請来説を問う—」（『仏教美術と歴史文化』真鍋俊照博士還暦記念論集、二〇〇五年）。五尊のうちのいま一方の二尊は善財童子と騎士文殊の手綱を引く御者。

16　『宝物集』巻第五。引用は岩波新日本古典文学大系本による。

17　嘉承元年（一一〇六）編集、元永元年頃成稿、長承三年（一一三四）観厳増補・再編、保延四年（一一三八）以降、鎌倉時代に至るまで重ねて追補されたとされる。安藤更生氏「東大寺要録撰述年代の研究」（『奈良美術研究』校倉書房、一九六二年、初出一九六一年）、堀池春峰氏「東大寺要録編纂について」（『南都仏教史の研究』上〈東大寺篇〉、法蔵館、一九八〇年）、横内裕人氏「東大寺の記録類と『東大寺要録』」（『東大寺の新研究2　歴史のなかの東大寺』法蔵館、二〇一七年）。

18　建久六年（一一九五）～建保四年（一二一六）の成立とされる。

19　観音の原名は、s:avalokiteśvara（古くはs:avalokirasvara）、「阿縛盧枳低湿伐羅」などと音写する。玄奘は原語を「観（s:avalokita）」と「自在（s:iśvara）」とに分解、観自在と漢訳した。菩薩化身の伝は『東大寺縁起絵詞』の開眼供養段の講師隆尊律師の注に観音、呪願師道璿の注に普賢とする記載から、重複する菩薩説の存在があり、そうした混沌とした諸伝承の中から「四聖」に至る四菩薩説が撰述されたことが知られ、興味深い。

20　引用は国史大系本により、私に訓読した。皇円（～一一六九）著とされるが未詳。平田俊春氏「扶桑略記の研究」（『立正大学文学部論叢』五号、一九五六年）。

21　日印の仏教文化交流の場で求められる菩提僊那像については、日本の中で歴史的にあたためられてきた物語があることを注6に挙げた拙稿に記した。

22　「尊勝院七十内」三三六函一号、外題右肩に「御遠忌／〃表白」、外題左脇に「如来滅後之悲歎事／可崇仏像事／東大寺並大仏安事／勧進奉可事」四行の標目がある。粘葉装、四紙四折。書誌一覧に大破とある。『称名寺聖教尊勝院弁暁草　翻刻と解題』（金沢県立金沢文庫編、勉誠出版、二〇一三年）所収。弁暁草が翻刻紹介されたことで、平安末から鎌倉初期にかけての文化・思想の考察に有益な手がかりが与えられた。同書内解題、西岡芳文氏「弁暁および弁暁説草について」、小峯和明氏「弁暁草の特色と意義」内「東大寺再建」、阿部泰郎氏「『弁暁草』解題」（『真福寺善本叢刊』第四巻、臨川書店、二〇〇八年）。

23　『校刊美術史料』寺院篇下巻（中央公論美術出版、一九七六年）所収。〔　〕は校注者補。
24　『古事談』巻第三―三。岩波新日本古典文学大系本による。大仏開眼東大寺三と校注の標題が付される。
25　前掲注3久野修義氏「中世東大寺と聖武天皇」内「三「四聖」の登場」。
26　小山正文・小島恵昭・渡邊信和氏「共同研究―『東大寺縁起絵詞』の研究」（『同朋学園仏教文化研究所紀要』第九号）所収、同小山氏「『東大寺縁起絵詞』の成立と諸本」。南北朝建武四年（一三三七）十二月十七日書写識語。内部徴証は弘安九年（一二八六）を下限とする。堀池春峰氏による鎌倉時代末期成立説がある。
27　尊勝院については『東大寺続要録』諸院編に詳しい。追塩千尋氏「弁暁と東大寺再興」（『中世南都仏教の展開』吉川弘文館、二〇一一年）に尊勝陀羅尼の転念修法が行われていたこと（「弁暁法印夢想記」）に関する指摘がある。
28　『大日本仏教全書』第六十五巻、史伝部四―六五、四九三所収。
29　『満済准后日記』永享元年（一四二九）。前掲注6拙稿「大仏を開眼した菩提僊那」。
30　当該の開眼筆に関する記録が元禄の開眼供養時の法会次第類内にも残る。拙稿「大仏開眼供養復原（二）勧修寺所蔵の法会記録　翻刻および解題」（『勧修寺論輯』第三・四合併号、二〇〇七年）に解題を付し翻刻紹介した。
31　拙稿「嵯峨清涼寺供養と後白河院の晩年―『転法輪鈔』より、東アジアを見据えた「王」の意識―」（『金沢文庫研究』三百四十、二〇一八年）に、後白河院を施主とする嵯峨清涼寺御八講における弁暁の表白「後白川院〈嵯峨尺迦堂八万部御経供養〉」についてふれた。大般若転読会、御逆修、菩提を弔う供養などにも出仕、しばしば安居院の澄憲と院の会座を共にした。
32　「一　東大寺殊為真言宗本所事」（『続群書類従』第二十七輯下所収）。『東大寺本末相論史料』（真福寺善本叢刊、二〇〇八年）、同書解題、稲葉伸道氏「『東大寺本末相論史料―古文書集二―』解題」、永村真氏「「真言宗」と東大寺―鎌倉末期の本末相論を通して―」、（『中世寺院史の研究』下、寺院史論叢一、一九八八年）、牧野淳司氏「東大寺縁起の諸相―寺院間の相論あるいは唱導と『平家物語』」（『文学』第四巻第六号、岩波書店、二〇〇三年）。

＊本稿は、シンポジウム「中国仏教と説話文学」での報告、「中国仏教文化からの創造―日本説話の中の五台山―」をもとに成稿したものである。引用資料、内容においては報告に従うが、その一部を別稿「五台山仏教文化の波濤」として成稿した関係で、本稿の題目を改めた。なお、口頭の報告時に用いた原稿の文体を、論集の文章化にあたり改めたことをお断りする。

中国人民大學
外国语学院
SCHOOL OF FOREIGN LANGUAGE

4 李白作「誌公画讃」成立時期の検討
――南京・霊谷寺「三絶碑」成立説話を手掛かりに

野村卓美（のむら・たくみ）
専門分野：中世仏教文学
主要著書・論文：『明恵上人の研究』（和泉書院、二〇〇二年）、『中世佛説話論考』（和泉書院、二〇〇五年）、「南京霊谷寺三絶碑完成期考略」（『佛教文化』二〇一八年第二期〈総第一五四期、二〇一八年〉）など。
現在の研究テーマ：我が国における宝誌説話の変容、明恵上人の説話受容

1 はじめに――「三絶碑」成立説話

南京市鐘山（紫金山とも）には、古都南京の歴史の長さを示すごとく、さまざまな時代の人物の墓所が残されております。現在、それらの中で、南麓西側にある洪武帝朱元璋（在位一三六八～九八年）の陵墓で二〇〇三年に世界遺産に登録された明孝陵と、その東側にある初代中華民国臨時大統領に就任した孫文（一八六六～一九二五年）の陵墓で、一九二九年に完成した中山陵は特に著名で、連日訪れる多くの人々で溢れています。その中山陵の東側に霊谷寺がございます。現在、「霊谷寺公園区」として開放されているが、訪れる人は、それらの陵墓と比すと幾分少ないようです。この公園区には、霊谷寺・志公殿・志公塔等、以下検討する宝誌（四一八～五一四年。保誌・宝志・宝公・志公等、さまざまな表記・呼称が存するが、本発表では引用以外では「宝誌」を用いる）と関わる遺跡が数多く残されており、それらは霊谷寺の創建と深く関わっております。

梁武帝蕭衍（在位五〇二～五四九年）は長年仏教保護政策を施行したことで著名です。その武帝が信奉した僧侶の一人が宝誌でした。武帝は宝誌没後ただちに和尚の望みのごとく、「鐘山独龍之阜」（鐘山南麓西側）に葬り、その地に寺院を創建し、開善精舎と命名しました（『高僧伝』〈『正蔵』五十・三九四下〉）。以後、同寺は時代の変遷に伴い、宝志院・太平興国禅寺等と改められ、明代当初は蒋山寺と称されていました（後述）。明朝を建国した洪武帝朱元璋は、その地に自らの陵墓の造営を思い立ちました。その事業は洪武十四年（一三八一）に始まり、蒋山寺の建造物は鐘山南麓東側の現在の霊谷寺の地に移築されました。ゆえに、霊谷寺は宝誌を祀る寺院であり、宝誌に関する遺跡が数多く残されているのです。現在、宝誌と霊谷寺の緊密な関係を語るものとして、先述した、霊谷寺・志公殿・志公塔という建造物と、そこに存する「三絶碑」を挙げることができます。「三絶」とは「三つのすぐれた技芸」の意で、三者の優れた作品が一つの石碑に刻まれているがゆえに「三絶碑」と称されております。この碑には以下のごとき成立説話があります。

与宝志同時代的大画家張僧繇還特地為其画了一幅全身像。到了唐代，先是画聖呉道子根据張僧繇的画摹絵了一幅宝公像，刻于宝志墓前石碑。（略）不久詩仙李白游金陵見着此画，頓発思古幽情，信筆写下了40字的画賛一篇。又過数年，大書法家顔真卿任昇州（南京）刺史見李白画賛連連称妙，于是以顔体正楷重謄，并刻在碑中宝公像的上方。
（李冀「金陵『三絶碑』伝奇」『南京日報』二〇〇九年三月二日）

「拙訳」：宝誌と同時代の大画家張僧繇が全身像を描いた。唐代になり、まず、画聖呉道子が張僧繇の描いた宝公像を模写し、宝誌の墓前の石碑に刻んだ。（略）直後に、詩仙李白が金陵に遊び、この絵を見、懐古の情を催し、筆に任せて40字の画讃を創った。また、数年後、大書法家顔真卿が昇州（南京）の刺史に任ぜられ、李白の素晴らしい画讃を見、楷書で写し、碑の宝公像の上に刻んだ。

この説話によると、同時代の画家張僧繇（四八〇?～五四九年以降）[1]が宝誌の全身像を描き、後に呉道玄（字は道子。活躍時期は則天武后時代〈六九〇～七〇四年〉～『五聖図』作成〈七四九年〉の頃まで）[2]が模写し、墓前に刻まれたのが「宝公像」であり、李白（七〇一～七六二年）がそれを見、四十字の「李太白賛」（同詩は李白詩集には「誌公画讃」と題して載録されており、本発表もその称を用いる）を創作し、後に大書法家顔真卿（七〇九～七八五年）が楷書で書写し、それが碑に加えられたとあります。以後、長い間、「呉画李讃顔書」という唐代を代表する三大芸術家の作品がまとめられた石碑として珍重されております。この「三絶碑」は、万暦十一年（一五八三）に摹刻されたものが揚州善智寺に現存し[3]、「霊谷寺公園区」では、志公殿内・霊谷寺青林堂内・志公塔の壁面の三処に見ることができます。

2 「三絶碑」成立説話の疑義

前述した四基に共通する「三絶」部は、「誌公画讃」中に数か所異文が存する（後述）以外は同一であります。しかし、それぞれの碑の形、大きさ等が相違しているのと同様に、碑に刻まれた「宝公像」の線や「誌公画讃」の字体は微妙に異なっております。このことは、王琦（一六九六～一七七四年）輯註『李太白全集』（中国古典文学基本叢書、中華書局、一九七七年）に楊士奇（一三六六～一四四四年）がすでに「今霊谷寺有石刻『誌公像賛』，呉道子画，李白賛，顔真卿書，世称三絶。旧刻已壊，此重刻者，不復見書法之妙矣。」（一三三三頁）と述べたとあり、先の石碑が老朽化し再建されると、刻まれる線や字体に変化が生じることが明代初期から指摘されていたことがわかります。

　また、王伯敬は「関于「三絶碑」，当是后来好事者所為。如果李贄的誌公画像，果是呉道子手筆，李白爲何不書一字，足見画者并非当時的大名家。[4]」（「拙訳」：「三絶碑」は、後の好事家の所為。李贄の誌公画像〈「宝公像」〉が、本当に呉道子の筆であれば、なぜ、李白が一言も言及していないのか、それが、画家は当時の大家でなかったことを証明している）と指摘しています。また、郁賢皓も「今南京霊谷寺西側有石刻『誌公像讃』，称呉道子画，李白讃，顔真卿書，世称三絶。乃後人所為。[5]」（「拙訳」：現在、南京霊谷寺西側に石に刻まれた『誌公像讃』〈「誌公画讃」〉があり、呉道子画、李白讃、顔真卿書で世に三絶と称せられている。後人の所為である）と主張しています。

　しかし、王伯敬・郁賢皓は共にその主張の根拠を明示しておりません。石碑が古くなり、再建された時、刻む人物が変われば、当然、画風や字体にも変化が見られるはずです。「三絶」部分で創建当時から改変されなかったのは、「宝公像」の構図と漢詩「誌公画讃」ではないでしょうか。以下、その二点を手掛かりに検討してみます。

3　「三絶碑」の「宝公像」と「誌公画讃」

　前述した「三絶碑」成立伝承とは順序が逆になるが、先に「誌公画讃」、次に「宝公像」を紹介します。現在、志公殿内の「三絶碑」が最も容易に見ることができるゆえ、それを中心に記述します。「誌公画讃」（前述したごとく、碑には「李太白賛」とある）には、

　水中之月　了不可取。霊空㋐其心①　寥廓無主。錦幪鳥爪
　独行②絶侶。刀齊尺梁㋑　扇迷陳語。丹青聖容　何住③何所。
　＊㋐禅智寺「虚」。㋑志公塔・青林堂「量」。
　＊①（一作「身」）。②（一作「遊」）。③（一作「何住」、一作「去往」）。

とある。㋐・㋑は「三絶碑」相互の、①から③は『李太白全集』が付す注記です。異文の多い作品であることは留意すべきです。

　次に、呉道子が張僧繇の画を模写、もしくは、新たに描き改めたとされる「宝公像」を検討します【図1】。この画像は宝誌の左前方からの視点で描かれています。頭部と両耳を覆う帽子を被るが、これが「誌公画讃」の言う

「錦幪」です。裳裾を靡かせ左足の踵を挙げ、右前方に目を送り歩む姿です。両足には足の甲を覆う「靴」（以下、足全体を覆う履物を「靴」と記す）を履いております。靴先は幾分尖っているように描かれております。右手は右肩に担った錫杖を握り、左手は胸の前で上向きに開いているが、左右の手の指爪は異様に長く描かれております。これが「誌公画讃」に言う「鳥爪」です。また、錫杖には剪（刀）・尺・扇が吊るされ、これも「誌公画讃」に詠まれているとおりです（「剪」と「刀」の関係については後述）。

また、一人、前方を見つめ歩く姿は「誌公画讃」の「独行（遊）絶侶」という表現とも合致します。先の「三絶碑」成立説話のように、李白がこの「宝公像」を目にし、この「誌公画讃」を創作したと断じても矛盾しないでしょう。しかし、歴史資料を参照し宝誌伝記の変遷を勘案すると、この説話自体が多くの齟齬を含んでいることが明確になります。

図１　霊谷寺案内板の宝誌像（南京博物院所蔵拓本）

現在の宝誌伝記研究としては、まず、牧田諦亮「宝誌和尚伝記攷」[6]を挙げるべきでしょう。同論稿に触発され、以後、多くの調査・研究[7]がなされており、それらを参照し宝誌伝記を三期に分け、その変遷を検討してみます。まず、宝誌と同時代の資料から、伝記作者が直接見聞した時代の宝誌の姿を、次に、伝承では「三絶」成立時とされる盛唐期の宝誌像を、最後に、宝誌が再評価された晩唐・宋代以降の宝誌像を概観してみます。宋代以降の宝誌像については、特に、「誌公画讃」の「鳥爪」と「扇」という語に着目し、「鳥爪」説話の発生と「扇」が錫杖の品物として固定された時期について、少し詳しく述べてみようと思います。

4　同時代の文献から見た宝誌像——張僧繇の描いた宝誌像

宝誌伝記で最も信頼できる文献は、宝誌と同時代の陸倕（四七〇～五二六年）撰『誌法師墓誌銘』（『芸文類聚』巻七十七〈上海古籍出版社〉）で、これが宝誌墓に納められたことは『高僧伝』にも「勅陸倕製銘辞於塚内。」（三九四頁下）とあることで確認できます。「宝公像」・「誌公画讃」と関わる記述を中心に、以下、少し検討してみます。まず、『誌法師墓誌銘』には、

法師自説姓朱。名保誌。其生縁桑梓。莫能知之。（略）齊宋之交。稍顕霊迹。被髪徒跣。負杖挾鏡。或徴索酒肴。或数日不食。豫言未兆。懸識他心。（一三一～二頁）

と刻まれております。姓は朱、名は保誌で、出自は不詳、宋国（四二〇～四七九年）と齊国（四七九～五〇二年）が入れ替わる頃から、予言や人心を読み解くという霊異を示すようになったとあります。外見は「被髪徒跣」と記されております。「被髪」は辞書には「謂髪不束而披散。」（『漢語大詞典』〈漢語大詞典出版社〉）とあります。また、「徒跣」については、辞書類（『康熙字典』〈評点整理本。漢語大詞典出版社〉・『漢語大詞典』・『大漢和辞典』〈大修館書店〉）は、「徒跣」、もしくは、「跣」の説明としてすべて『礼記・問喪』の「親始死、雞斯徒跣。」を引用しています。「雞」は「『説文』：籀文作鶏。」（『康熙字典』）で、鶏のごとき裸足の様を示しています。宝誌伝記文献は後世まで足の様に関しては「徒跣」との表現を用い続けます。前述したごとく、呉道子作とされる「宝公像」は「靴」を履いており、裸足では描かれておりません。後述するごとく、石像・画像も、履物に関しては微妙な相違を見せています。「徒跣」は「裸足」の他に、「すあし」（素足）の意もあります。『大漢和辞典　索引』（大修館書店）に「すあし」の訓は記載されていない（『広漢和辞典　索引』〈大修館書店〉には「跣」に「すあし」の訓あり）が、『日本国語大辞典』（小学館）は「すあし」に「素足・跣」の字をあて、「むき出しの足。足袋、くつ下などをはいていない足。」と説明しています。すなわち、四季を通して宝誌は足袋類を身に着けず、「むき出しの足」の状態でいたことを表しているとも解せます。とすると、「むき出しの足」で足の甲を覆わない履物、すなわち「鞋」（『大漢和辞典』には「くつ。わらぢ。」の訓がある。以下、足の甲が表れている履物は「鞋」と記述する）を常用していたとも推察できます。この点に関しては、後に石像・画像の履物について論じる際に、再度検討します。最後に、杖（錫杖）に吊るした品物を確認しておきます。「鏡」のみが記されており、「鏡は未来をうつすものであり、予言者の象徴として欠くことのできぬもの」（牧田、注6）でありました。

次に参照すべきは、慧皎（四九七～五五四年）撰『高僧伝』

巻十・神異「梁京師釈保誌伝」です。その成立は天監一八年（五一九）をあまり経ない時とされ、これも宝誌と同時代の慧皎が記録した伝記であります。それには、

本姓朱。金城人。（略）髪長数寸。常跣行街巷。執一錫杖。杖頭掛剪刀及鏡。或掛一両匹帛。（略）与人言語（イナシ）始若難暁。後皆効験。時或賦詩言如讖記。京土士庶皆共（イ敬）事之。（三九四頁上）

とあります。慧皎も「髪長数寸。常跣行街巷。」と記しており、長髪と「跣」は宝誌を象徴する姿でした。宝誌の外見で陸倕の記述と異なるのは錫杖に吊るした品物です。「鏡」の他に「剪刀」と「一両匹帛」が加わっております。慧皎は宝誌を「神異」の僧に分類し、「与人言語始若難暁。後皆効験。時或賦詩言如讖記。」という事例を数多く蒐集しております。これは宝誌の神格化が始まったことの反映でしょう。

張僧繇の生存期間（四八〇?～五四九年以降）を考慮すると、彼が見聞した宝誌の姿は両伝記とあまり異ならなかったはずです。先に概観した「三絶碑」の「宝公像」と比較すると、帽子・履物・手指の爪・錫杖の品物が全く異なっております。ゆえに、「宝公像」を同時代の画家張僧繇作と断ずることはできません。

5 盛唐期、李白・呉道子の時代の宝誌像

唐代初期の伝記としては、道宣（どうせん）撰『集神州三宝感通録（じゅうじんしゅうさんぽうかんつうろく）』（麟徳元年〈六六四〉成立）巻下「宋末沙門宝誌」に「後於市中巷内見誌徒行。」「形如耆老被髪擎杖。懸鏡剪刀無所定泊。」（『正蔵』五十二・四三四頁中）、道世撰『法苑珠林』（総章元年〈六六八〉成立）巻第三十一「梁京師有釈保誌」に「本姓朱。金城人。」「髪長数寸。常跣行街巷執一錫杖。杖頭掛剪刀及鏡。或掛一両匹帛。」（『正蔵』五十三・五一九頁中）とあり、『誌法師墓誌銘』・『高僧伝』の内容を逸脱してはいません。しかし、李延寿編『南史（なんし）』（高宗在位期〈六四九～六八三年〉成立。中華書局）から宝誌伝記の「変貌」（牧田、注6）が始まります。列伝第六十六・隠逸には、「時有沙門釋宝誌者、不知何許人」とその姓・出自が消され、「恒以銅鏡剪刀鑷屬挂杖負之而趍。」と錫杖の品物も変化するが、「被髪徒跣」という外見は伝承されています。本稿と最も深く関わるのは、

帝乃迎入華林園。少時忽重著三布帽、亦不知於何得之。俄而武帝崩、文恵太子・豫章文献王相継薨、齊亦於此

季矣。

との記述です。齊国武帝（在位四八二～四九三年）と華林園で会った際に、「少時」身に着けた「三布帽（さんぶぼう）」（志公帽子）が武帝と二太子の死、すなわち、齊国滅亡の予言と解されました。また、宝誌の頭髪・帽子については「雖剃鬚髪而常冠帽」（以上、一九〇〇～一頁）との記述もあり、一部記述内容に揺れが見られるが、着帽姿の宝誌が初めて紹介されたことは、「宝公像」・「誌公画讃」の成立を考える際には留意しなければなりません。

次に、盛唐期（七一二～七六五年）制作の石像を見てゆきます。丁明夷（ていめいい）は四川省広元（こうげん）観音崖北段高処にある龕（がん）には、「平頭着袈裟，右肩斜執錫杖，杖頭挂鏡、剪及折尺，応為宝志像。」「則宝志像応鑿于盛唐，為現知最早一例。」[8]（「拙訳」：角刈りで袈裟を着け、右肩に錫杖を斜めに掛け、杖頭に鏡・剪・折尺を吊るす、宝誌像である。〈略〉盛唐に作成された、現在知られている最も早い例）という「宝志像」があることを紹介しています。これまで「被髪」とされてきた頭髪が、本像では「平頭」（角刈り）とあり、『南史』の「常冠帽」とも異なっており、盛唐期[9]にはまだ宝誌の頭部の造形は固定していなかったと推察されます。他に、この像で留意すべきは「折尺」の出現です。宝誌の錫杖に吊るされる品物は典籍・石像・画像により相違が見られたが、これ以後、尺は必ず登場するようになります。宝誌と尺の関係は、呉承洛（ごしょうらく）著『中国度量衡史』（中国文化叢書、商務印書館、一九三七年）が『隋書（ずいしょ）』巻十六に「或伝梁時有誌公道人作此尺」（中華書局、四〇五頁）とあることを指摘しているが、その歴史的背景には全く触れておりません。また、丁明夷・北進一論文は共に「宝志像」の手足の状態には言及しておりません。

次に、皎然（こうぜん）（七二〇～八〇〇年頃）の『皎然集』巻八・「志公讃」（『四部叢刊初編』一四七）を検討します。皎然は「玄宗天宝三載（七四四）前后出家」し、諸宗を兼修したが晩年は「南宗禅」（『唐詩大辞典』〈鳳凰出版社〉）に傾倒しております。その「志公讃」には、

大動之地　我安其中。高景無氛　霊鶴在空。出生死泥　随物有終。𠢕形駭俗　借繢開蒙。常攜刀尺　精意誰通。

（五五頁下）

とあります。「借繢開蒙」とあり、これも「画讃」で「𠢕形駭俗」とあることより、宝誌が額を切り裂き十一面観音[10]の姿を顕した画であり、ゆえに、帽子は身に着けていなかったと推察されます。また、「常攜刀尺」とあり錫杖を

持し、それには「刀・尺」が吊るされていたことがわかります。辞書類には「刀」には「剪」の意は指摘されていないが、徐陵（じょりょう）（五〇七～五八三年）撰『玉台新詠』巻一「古詩無名人為焦仲卿妻作　并序」に「左手持刀尺　右手執綾羅。」（『文淵閣四庫全書』一三三一・六四三頁上）、杜甫（とほ）（七一二～七七〇年）作「秋興八首」に「寒衣処処催刀尺　白帝城高急暮砧」（『続国訳漢文大成』日本図書センター、一九七八年、六二六頁）、張籍（ちょうせき）（七六六～八三〇年頃）作「白紵歌」に「裁縫長短不能定　自持刀尺向姑前」（『全唐詩』巻三百八十二）との使用例を見いだすことができ、「刀尺」と記す場合、「刀」は布を裁つ「剪」の意で用いられていることがわかります。ゆえに、皎然が見た宝誌像も錫杖に剪と尺を吊るしていたと推察されます。[11] しかし、皎然は手足の爪の異様さ、履物については言及しておりません。

以上が、目にすることができた李白在世時頃までの宝誌伝記に関する資料類です。「誌公画讃」の成立時期については、詹鍈（せんえい）が上元二年（七六一）、すなわち、李白没前年とするが、その根拠を「太白寓金陵時作，不知確在何時，姑繋於此。[12]」（「拙訳」：太白〈李白〉が金陵に住んでいた時の作で、いつかは不明だが、とりあえず、この年とする）と述べております。すなわち、制作時の特定が困難との結論です。ゆえに、「宝公像」・「誌公画讃」の創作時期を盛唐期までとして検討してみます。呉道子作とされる画は、張僧繇作とは幾分異なっていたとも推察されるが、[13] 当然その時代の制約を受けていたはずです。それを目にし創作したとされる李白の讃も同様であるはずです。

以下、「宝公像」・「誌公画讃」と前述した盛唐期の文献・石像とを具体的に比較してみます。まず、頭部から検討します。文献の多くは「被髪」とあり、皎然は額を「剺（さ）」くとし、石像は「平頭」とあります。これらはすべて無帽の状態であることを示しています。しかし、『南史』には「常冠帽」とあり、「宝公像」の着帽、「誌公画讃」の「錦幪」はこの記述に従ったとも推察され、この時期に着帽姿の宝誌像が描かれた可能性は否定できません。次に、「宝公像」の長く伸びた両手の指爪、「誌公画讃」の「鳥爪」との表現は極めて特徴的であるが、この時代までそれに触れたものは見いだせません。また、錫杖の品物は「宝公像」・「誌公画讃」共に刀（剪）・尺・扇であるが、この時代までの文献・石像では、鏡・帛（きぬ）・剪（はさみ）・鑷（けぬき）・尺に限られております。すなわち、扇はまだ見いだせず、後述するごとく、扇を挙げる例は極めて稀です。加えて、履物に関しては、「誌公画讃」は言及しないが、「宝公像」は「靴」を履いております。履物は、後世に至るまで、宝誌伝記文献からは「徒跣」以外の記述は見いだせません。この点も相違しております。

上述したごとく、「宝公像」・「誌公画讃」を李白・呉道子と同時代の作とすることは、文献や石像からも否定せざるをえません。では、両者はいつ頃作成されたものでしょうか、以後の宝誌伝記の変容を追跡し、その時期を検討してみます。

6 「鳥爪」説話の発生時期――「徒跣」の解釈

次に、唐代後期以降作成とされる四石像と一画像を概観しておきます。

まず、「中唐から晩唐」に作成された四川省夾江千仏石窟第九一号龕[14]の宝志像は、「左手に錫杖を持ち（右手肘先と錫杖の中央部は破損）、杖頭に鏡、剪刀、曲尺をつる」し、「頭には風帽を被り、この風帽も」「三布帽と同一視できる[15]」という姿です。また、中和元年（八八一）の題記がある四川省綿陽市魏城北山院摩崖造像第十一龕の中に「宝誌像[16]」（神野、注8）があることが報告されています。劉佳麗が「穿尖尖鞋，戴披肩帽」「左肩托猴頭拐杖，末端系弯尺、剪刀等物。[17]」（「拙訳」：先の尖った鞋を履き、披肩帽を被る。〈略〉左肩に猴飾りのある杖を担い、端には曲尺・剪刀などを掛ける）と紹介する像があります。劉論文はこの人物が何人であるかは指摘していないが、披肩帽を被り、弯尺（曲尺）や剪刀を杖（錫杖）に吊るしている姿から、神野のごとく「宝誌像」と断ずることができるでしょう。このように唐代後期も宝誌像には劇的な変化は生まれなかったようです。

宋代（九六〇年以降）になり、宝誌が再評価され始めました。その背景に王朝の政治的な意図が存していたことは、先学に詳細な指摘がございます[18]。それゆえでしょうか、宋代になり宝誌伝記は著しく変貌します。

「宝公像」・「誌公画讃」の作成時期を推察するためには、「鳥爪」説話の発生時期を特定する必要があります。「鳥爪」は「宝公像」では両手のみに見られるが、当然、足の指にも爪があり、それゆえ、履物とも深く関わっているはずです。「鳥爪」と履物の両者を検討するためには、宋代に作成された次の石像と画像を概観しておく必要があるのではないでしょうか。

まず、元豊八年（一〇八五）作成の重慶市大足県石篆山（だいそくけんせきてんざん）石窟第二号龕の「志公和尚像」▼19を検討します【図2】。極めて興味深い石像です。大柄で着帽姿の宝誌像とそれに従う小柄な少年僧侶像で、宝誌は左手に剪と尺を持ち、少年は天秤棒を担うが、それには一斗升・秤・拂子（ほっす）（箒？）が吊るされています。この石像は武帝の命を受け、宝誌が不老不死の薬を求める姿で、「道仏習合を端的に物語る作例」であり、また、「両足に靴を履」くが「左靴の先に爪が露出して」おり、それが尖った「鳥爪」（北、注15）です。調査した限りでは、最も早い宝志像での「鳥爪」の例です。北が「靴を履」くと表現しているごとく、足首を紐状のもので結び固定する形式の履物で、左右の足の甲は覆われ、左足の爪のみが露出しております。【拡大図参照】しかし、左右の手の爪と右足の爪は風化しているゆえ、「鳥爪」と判断することはできません。

図2　大足・石篆山石窟第2号龕（吉原浩人氏提供）

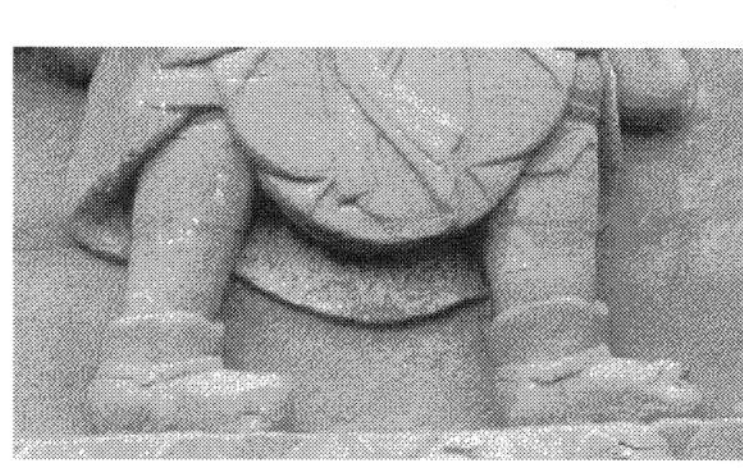
図2の拡大図

次に、重慶市大足県北山石窟第一七七号龕「志公和尚像」は靖康元年（一一二六）に作成されました【図3】。この像は着帽し椅子に座した姿で、左手に錫杖を持っています。それには剪・尺・拂子（箒？）等が吊るされています（顧、注19）。「左足の爪は鋭く尖っている」「鳥爪」であるが「右足先は破損」（北、注15）しています。椅子の前の台上に置いている両足は、足の甲が露出した素足です。同じ龕の立像の足は靴を履いたごとく丸く彫られており、それらとは明らかに異なっております。「徒跣」が素足と解されていたことを示す例

図3　大足・北山石窟第177号龕（吉原浩人氏提供）

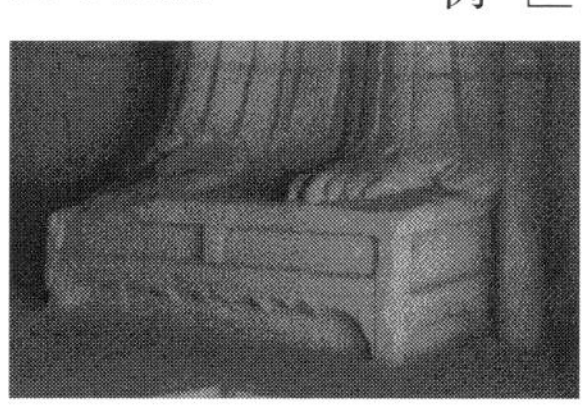
図3の拡大図

でしょうか【拡大図参照】。

最後は画像です。淳熙七年（一一八〇）以前に作成された周季常作、現ボストン美術館蔵「応身観音（宝誌和尚）」[20]は、椅子に座した宝誌が十二面観音の姿を顕した図です【図4】。錫杖は持していないが、前に出した上向きの右手の指爪、むき出しで「鞋」（「わらぢ」）を履く両足の爪は異様に鋭い「鳥爪」です。両手足の爪が「鳥爪」で描かれております【拡大図参照】。

図4　応身観音（宝誌和尚）（奈良国立博物館・東京文化財研究所編『大徳寺伝来五百羅漢図』思文閣出版社）

図4の拡大図

上述したごとく、宋代以降の石像・画像を参照して宝誌の履物を概観すると、「靴」・「素足」・「鞋」とさまざまであるが、共通することは「鳥爪」が見られることです。では、文献に「鳥爪」が登場するのはいつ頃からでしょうか。で調査した限りでは、覚範慧洪（一〇七一～一一二八年）撰『石門文字禅』巻三十「鐘山道林真覚大師伝」（『四部叢刊新編』）が最初のようです。同伝記は「宋中期における最も整った形の宝誌和尚説話の典型」（牧田、注6）で、以後の宝誌説話に多大な影響を与えています。そこには、

梁大菩薩僧宝公、以宋元嘉中生於金陵之東陽。民朱氏之婦、上巳日聞児啼鷹巣中、梯樹得之、挙以爲子。面方瑩徹如鏡、手足皆鳥爪。（略）髪而徒跣、著錦袍、（略）恒以鏡銅剪刀鑷屬挂杖、負之而趍、

（三三八頁下）

とあります。「覚範は宝誌を自らが理想とする存在」[21]で、当時流布していた伝記を精力的に蒐集しております。引用した冒頭部からもそれがうかがえます。誕生の地を金陵の東陽、朱氏の婦が上巳（陰暦の三月三日）の日に鷹巣で泣いているのを見つけ救出し養育したと新たなる情報を記すが、最も留意すべきは「手足皆鳥爪」という記述でしょう。この姿は、明代の『神僧伝』巻第四「釈宝誌伝」（伝永楽帝

〈在位一四〇二〜二四年〉御製。『正蔵』五十・九六九頁下）まで、すべての僧伝文献に継承されております。また、「鷹巣」で発見されたことは「鳥爪」であることと緊密に関連していると思われます。張敦頤撰『六朝事迹編類』巻下「蒋山太平興国禅寺」（紹興三十年〈一一六〇〉成立。『文淵閣四庫全書』五八九・二三一頁上）・大川普済編『五燈会元』巻第二「金陵宝誌禅師」（淳祐十二年〈一二五二〉成立。中国仏教典籍選刊、中華書局、一一七頁）・一山一寧『一山国師語録』巻下「宝誌和尚」（延祐四年〈一三一七〉成立。『正蔵』八十・三二八頁上）等には、「鷹巣中」、もしくは、「鷹巣」とあるが、これらも「手足皆鳥爪」との伝承を背景とした表現と思われます。

「鳥爪」伝説の成立時を特定することはできないが、前述したごとく、元豊八年作成の石像に見いだせ、覚範が伝記に明記して以後、すべての宝誌文献が言及しており、遅くとも宋代初期には成立していたと推察されます。同説話成立の背景には、梁武帝が画家張僧繇に命じて宝誌の姿を写させたが、その際、宝誌は自らの指爪で額を裂き十一面観音の姿を顕したとの伝承が投影しているのではないでしょうか。成立年は未詳であるが、たとえば、敦煌遺文「泗州僧伽大師実録」（斯一六二四号）には「和尚乃以爪劈面開示」[22]とあります。自らの額を切り裂くには鋭利な爪が必要であり、これも「鳥爪」説話を生む素地の一つとなったのではないでしょうか。

7 「扇」が固定された時期

覚範編「鐘山道林真覚大師伝」には以前の説話を一部改変したもの、もしくは新規に加えられた逸話は他にも見いだせるが、「髪而徒跣」のごとく旧来の伝承が踏襲されているものも少なくありません。錫杖に関する「恒以鏡銅剪刀鑷屬挂杖、負之而趍」という記述もその一つで、錫杖に吊るされた品物は先に指摘したものばかりです。なぜ、錫杖の品物に留意すべきかは、于君方が、

『宝志伝』的作者没有解釈他杖頭所挂的器具意義何在，這些器具或許與他預知未来的能力有関。鏡子用以駆魔、占卜未来，但這通常爲巫師・道士所用，僧人很少使用。剪刀・布帛或夹剪的含義，更令人費解。相較之下，后来出現的伝記要不是改変錫杖上的某些物品，就是対這些物品的象征意義提出新的解読。（注1、二〇七頁）

「拙訳」：『宝志伝』（『高僧伝』）の作者は錫杖の品物に

ついては意義の所在を解釈していなく、その品物が彼（宝誌）の未来を予知する能力と関わるのかは解釈していない。魔を払い、未来を占うのに鏡を用いるのは通常は巫師・道士で、僧侶はほとんど用いない。剪刀・布帛、あるいは、夾剪（鑷）の意味は解し難い。これに比して、後の伝記は錫杖の品物を改変するか、品物の象徴の新しい解釈を試みている。

と述べているごとく、特段の意味を有しなかった品物が、後には王朝の誕生を予言する品物と解されてきます（後述）。錫杖に吊るされた品物の中で、「扇」も新王朝を予告するものとしての重要な意義を担っていました。以下、扇を中心に検討してみます。

「宝公像」・「誌公画讃」が盛唐期に成立した作品とするには、多くの矛盾点が存していることは前述しました。しかし、晩唐には李白作「誌公画讃」が存していたと語る文献があります。それは、裴敬が会昌三年（八四三）に作成したとされる「翰林学士李公墓碑」（『李太白全集』所収）であります。そこには、

又嘗遊上元蒋山寺，見翰林賛誌公云：「水中之月，了不可取，刀齊尺量，扇迷陳語。」文簡事備，誠爲作者，附於此云。　（一四七三頁）

とあります。「誌公画讃」は四十字であるが、裴敬が見たのは十六字です。この十六字の漢詩が、宋代になり「鳥爪」等の説話の影響を受けて四十字に成長したのでしょうか。

この裴敬作の碑文には疑義が二点ございます。以下、指摘してみます。

まず最初に、留意すべきは石碑を見いだした場所が「蒋山寺」と明記されていることです。たとえば、『金陵梵刹志』（万暦三十五年〈一六〇七〉刊行。『四庫全書存目叢書』史二四三）巻三に「国初名蒋山寺」（七七二頁上）とあり、現在の史家の著述、楊新華・呉闐編著『南京寺廟史話』（文化南京叢書）「宝志塔」に「明初爲蒋山寺」（四〇頁）、劉維才編著『霊谷史話』（同前）「前言」にも「明初改変蒋山寺」（一頁）とあります。宝誌と関連する寺院で、「翰林」（李白）「誌公」の「讃」がある寺院が「蒋山寺」と呼ばれるのは明代初頭からと考えられ、唐代の裴敬が同寺の名を記すことはありえません。

次は、「刀齊尺量　扇迷陳語」との表現が定着した時期です。先に引用した于君方の指摘のごとく、錫杖の品物にさまざまな意味付けがなされるようになったのは、後世の

ことです。先に引用した、裴敬と同時代の皎然作「志公讃」に「常攜刀尺。精意誰通。」とあるのがそのことの始まりを示唆しているのではないでしょうか。南宋の李綱（一〇八五～一一四〇年）の『梁溪集』巻十四「登鐘山謁宝公塔」（『文淵閣四庫全書』一一二五）には、

宝公真至人、鳥爪金色身。杖攜刀尺拂、語隠斉梁陳。
我登鐘山頂、白塔高嶙峋。再拝礼双足、聊結香花因。
（六二四頁上）

とあり、刀（剪）が齊（四七五～五〇二年）・尺が梁（五〇二～五五七年）・拂が陳（五五七～五八九年）と、品物の指す「隠語」が王朝変遷の予告であったことが語られているが、「扇」は見いだせません。また、宝誌の在世期間を考えると、齊・梁は同時代であり、没後誕生した陳王朝のみを予言したことになります。このことが宝誌の秀でた予知能力を賞賛することになるのでしょうか。次に、留意すべきは志磐撰『仏祖統紀』（咸淳五年〈一二六九〉成立）巻第三十六・泰始二年（四六六）に「宝誌大士」「以剪尺鏡拂挂杖頭。負之而行。」との宝誌伝記の後に小書きで「李白讃。刀齊尺梁拂迷陳蓋是謎語」（『正蔵』四十九・三四六頁中）と記されていることです。伝記には錫杖に剪・尺・鏡・拂の四品が吊るされていたとあるが、「誌公画讃」を指すと推察される「李白讃」に鏡・扇は見いだせません。扇が登場するのは、調査した限りでは、元末期の覚岸撰『釈氏稽古略』（至正十四年〈一三五四〉成立）巻第二・泰始二年に「宝公大士」「以剪尺拂扇掛杖頭。負之行聚落。」（『正蔵』四十九・七九二頁中）との記述であるが、拂が加わっており、剪・尺・扇の三者に固定されてはおりません。また、明代の何良俊（一五〇六～七三年）著『四友齋叢説』（元明史料筆記叢刊、中華書局、一九五九年）巻之二一・釋道一に、

宝誌公毎行遊市中。其錫杖上常懸剪刀一把尺一條拂子一柄鏡一面。夫剪者。齊也。尺者。梁也。拂者。陳也。鏡者。明也。蓋言其身歴斉梁陳三朝。（一八九頁）

と、錫杖の品物の意味を詳述するが、ここにも扇は見いだせません。

剪（刀）・尺・扇の三品が齊・梁・陳の三王朝を示唆していたことを明記するのは王琦（一六九六～一七七四年）輯註『李太白全集』が最初ではないでしょうか。王琦はこの三者の関係の根拠として『神僧伝』の記事を引用しています。そこには、

神僧伝：（略）毎行遊市中，其錫杖上嘗懸剪刀一事，

尺一枝，麈尾扇一柄。剪刀者斉也，尺者量也，麈尾扇者塵也。蓋隠語歴斉、梁、陳三朝耳。　（一六三三頁）

とあり、三者の関係が『神僧伝』成立の明代初期から明記されていたと主張しています。しかし、この記述を『神僧伝』巻第四で確認すると、そこには「執一錫杖。杖頭掛剪刀及鏡。或掛一両匹帛。」（『正蔵』五十・九六九頁下）と『高僧伝』から引用されているのみであります。すなわち、王琦も「刀齊尺量　扇迷陳語。」と記された明確な根拠を見いだすことができなかったと推察されます。

以上、検討したごとく、裴敬が晩唐の会昌三年に「蒋山寺」に参詣し、「刀齊尺量　扇迷陳語。」という「翰林誌公讃」を見たとする記述はただちに首肯することはできません。刀（剪）・尺・扇を選択したのも、明代以降の好事家の所為ではないでしょうか。

8　結論

上述したごとく、「宝公像」と「誌公画讃」で共通する事柄、「錦幪」は初唐成立の『南史』に、「鳥爪」は宋代初期の石像・伝記に見いだせるが、剪（刀）・尺・扇という組み合わせが定着するのは清代を待たなければならないのではないでしょうか。勿論、「三絶碑」説話のごとく、「宝公像」を参照し「誌公画讃」が成立したと考える必要はなく、画讃に即して画が作成されたとも推察されます。「誌公画讃」を李白作と断ずることは、時代考証を参照すると矛盾します。次に、『李白集』にいつ頃から「誌公画讃」が載録されているかを検討することにより、その成立時期が推察できるのではないでしょうか。李白全集の成立過程に関しては、王永波論文が詳細であり、それを参照して記してみます。

李白は生存中から作品の編纂を意図し、知人の李陽冰（開元年間〈七一三〜七四一年〉誕生）等に依頼し、唐代に三度試みられたがそれらはすべて現存しておりません。後に、諸所に所蔵され、諸書に載せられていた李白詩文を蒐集したのは宋代の宋敏求（一〇一九〜七九年）です。王永波は「宋敏求増広的本子是李白詩文集編纂史上第一个全集本，雖間有錯訛，但仍具有里程碑式的地位与影響。」「以后各種李白集，其内容基本上不出此本範囲。[23]」（「拙訳」：宋敏求の増広本は李白詩文編纂史上最初の全集本、錯誤はあるが、記念碑的な地位と影響がある。〈略〉以後の李白詩文集は、その内容は基本的にこの本の範囲を出ない）と宋敏求の業績を要約しております。

これに従うと、遅くとも宝誌の再評価がなされた宋代に「誌公画讃」は宋敏求が編纂した全集に載せられていたことになります。宋代初期になると、王朝の成立の正統性とその繁栄を予告する宝誌の碑文がしばしば「発見」され（『六朝事迹編類』。佐藤、注18等参照）、「鳥爪」を有する石像も見いだすことができるようになり、そのような中で、李綱が「宝公真至人、鳥爪金色身。杖攜刀尺拂、語隠齊梁陳。」と記したのではないでしょうか。しかし、志磐が『仏祖統紀』に引用する「李白讃」には扇は登場していなく、漢詩の細部はまだ固定化されていない時期と推察されます。やはり、剪（刀）・尺・扇の三品と三王朝が緊密に結び付くのは王琦の時代からとすべきでしょう。ゆえに、裴敬作とされる碑文は、記述内容から推察すると、清代の人の作為とすべきではないでしょうか。

注

1 于君方著・陳懐宇等訳『観音―菩薩中国化的演変―』（商務印書館、二〇一二年、二〇〇頁）参照。

2 曾布川寛「呉道玄」『平凡社大百科事典』参照。

3 揚州禅智寺の「三絶碑」は、長島健「宝誌和尚と揚州禅智寺三絶碑」（『長島たけし文集』ワセダ・ユー・ピー、一九九二年）参照。

4 『李白杜甫論画詩散記』（西泠印社出版。一九八三年、三八頁）。

5 『李太白全集校注』（鳳凰出版社、二〇一五年、三九一〇頁）。

6 『東方学報』第二十六号（一九五六年七月）。後、『中国仏教史研究』第二（大東出版社、一九八四年）再録。

7 他に、宝誌伝記文献を精査したものとして、松本信道「宝誌像の日本請来の背景について」（『駒澤大学文学部研究紀要』第六十三号、二〇〇五年三月）「注15」がある。

8 丁「川北石窟札記―従広元到巴中―」『文物』（文物出版社、一九九〇年第六期）五二頁。この宝誌像については、北進一「四川省広元市観音崖石窟踏査記」（『和光大学表現学部紀要』第一号、二〇〇一年三月）にも詳細な報告がある。神野祐太「大安寺戒明請来の宝誌和尚像について」『組織論―制作した人々―』（津田徹英編、仏教美術論集六、竹林舎、二〇一六年）は同像が存するのは「一〇五号龕」とする。

丁論文は宝志像の頭の様を、引用したごとく「平頭」と記すが、北は「剃髪で（あるいは三布帽＝誌公帽子らしき薄い布を被っているようにも見えるが）」（一二三頁）と記している。より詳細な検討が必要である。

9 先述したごとく、丁明夷論文には「盛唐期」（七一二～七六五年）の作成とあるが、胡文和著『四川道教仏教石窟芸術』（四川人民出版社、一九九四年）には、「観音崖」の「現存的碑刻題記表明是従公元七五一年至八三三年。」（一一頁）とある。

10 観音信仰における宝誌の関りについては、何剣平「張僧繇為宝誌作画迹之考釋」（『華林』二〇〇三年第三巻）、李静「宝誌十一面観音信仰与相関故事産生時間新議」（『新国学』二〇〇六年第六巻）、于君方著『観音—菩薩中国化的演変—』（注1）が詳しい。

11　「刀尺」として使用される場合、「刀」に「剪」の意が含まれることは、陸暁霞氏から教示を得た。記してお礼申し上げる。

12　『李白詩文繋年』（作家出版社出版、一九五八年、一五〇頁）。

13　唐代における張僧繇の評価については、肥田路美「張僧繇の画業と伝説—特に唐時代における評述のあり方をめぐって—」（『初唐仏教美術の研究』中央公論美術出版、二〇一一年）が詳しい。

14　同石像に関しては、肥田路美「四川省夾江千仏岩の僧伽・宝誌・萬廻三聖龕について」（『早稲田大学大学院文学研究科紀要第三分冊』第五十八号、二〇一二年）で詳細に論じられている。他に、長岡龍作「三僧形像および脇侍像、夾江千仏崖第九一号龕」（『世界美術大全集　東洋編』第五巻「作品解説」、小学館、一九九八年）、神野（注8）がある。

15　北進一「神異なる仮面（ペルソナ）の高僧—四川省石窟宝誌和尚像報告—」（『象徴図像研究—動物と象徴—』和光大学総合文化研究所、言叢社、二〇〇六年）。

16　神野論文（注8）は次の劉佳麗論文（注17）の引用部を参照し、「宝誌像」と判断したと推察されるが、劉論文には「第十龕」・「龕右有中和元年題記一則。」（四五頁）とあり、成立年代は同じであるが龕号に相違が見られる。また、同像は神野論文が挙げる『綿陽龕窟—四川綿陽古代造像調査研究報告集—』（文物出版社、二〇一〇年）が詳細に報告する、「魏城北山院摩崖造像」「第一一龕」「5号」像が該当すると考えられるが、そこにも「宝誌像」であることを示唆、もしくは、劉論文と近似する記述は見いだせない（一一〇頁）。

17　劉「綿陽北山院摩崖造像述略」（『四川文物』二〇〇〇年第六期、二〇〇〇年一二月）四五頁。

18　佐藤成順「宋朝初期三代皇帝と釈宝誌の讖記」（『宋代仏教の研究—元照の浄土教—』山喜房仏書林、二〇〇一年）。

19　顧森「大足石篆山『志公和尚』龕辨正及其它」（『美術史論』一九八七年第一期）、陳明光「大足石篆山石窟『魯班龕』当爲『志公和尚龕』」（『文物』一九八七年第一期）。

20　井手誠之助「大徳寺伝来五百羅漢図試論」（『聖地寧波』奈良国立博物館展覧図録、二〇〇九年）、『大徳寺伝来五百羅漢図』（奈良国立博物館・東京文化財研究所編、思文閣出版社、二〇一四年）参照。

21　徳護「北宋代における宝誌伝の受容—『石門文字禅』に見る覚範恵洪撰の宝誌伝を中心として—」（『駒澤大学大学院仏教学研究会年報』第五十一号、二〇一八年五月）。

22　『敦煌宝蔵』（台北新豊出版公司）第十二冊（二八二頁下）。

23　「李白詩在宋代的編集与刊刻」（『吉林師範大学学報（人文社会科学版）』二〇一四年第二期、一八頁）。

付記

『正蔵』は「大正新修大蔵經」の略称。

＊中国語文献の翻訳は、南京大学大学院・邱心韻さんの協力を得た。記してお礼申し上げる。

コメンテーターより①

渡辺麻里子

ご発表ありがとうございました。まず初めに三名のご発表に対してコメントをし、次に、わたし自身で用意した資料について話をさせていただきます。

最初に、馬駿氏のご発表についてですが、漢訳仏典の仏教語利用は日本文学作品において幅広く行われています。「不思議」「有頂天」など、もともと仏教語であることすら忘れられ、日常的に使用されている語は多くあります。「未経幾○」や「六時」などの時間表現に仏典の影響が見られるというご指摘は、これまであまり考えたことがなく、大変勉強になりました。

お話をうかがいながら、天台談義書で用いられる語彙にも当てはまるものがありそうだと考えていました。天台談義書とは、天台の学問寺院である談義所で記された経典や宗旨についての講義録を言います。その談義書には、「近来」という語がよく用いられますが、これも漢訳仏典との関係を考えるべきかと改めて思いました。また同じく談義書、たとえば尊舜談『鷲林拾葉鈔』（一五一二年成立）では、「中古」「近代」「近年」などという語が、意識的に時間区分をしつつ用いられているようで[1]、これらの時間意識も今回のご指摘と関連があるのではないかと感じました。また日本では、「鶴林」を「鶴の林」と言い換えるなど、漢語を和語に和らげて用いることがありますが、近世の御伽草子などにも見られる「中むかしのことなるに」などという表現もまた、漢訳仏典に関連があるのか考えてみたいと思いました。

次に、小川豊生氏のご発表についてです。『円覚経』や『首楞厳経』は日本仏教で重視された経典で、ご発表では、夢窓疎石の門弟の義堂周信が足利義満に講義した話が紹介されていました。仏教を学ぶのに、講義を受けるという方法は基本であり大変重要です。現代のわたしたちにとっても、仏教の教理は本を読んでもなかなか理解しにくいですが、直接先生に話を聞くとなるほどと思えることが多くあります。講義で学ぶ、直接講師の先生の解説を聞くというのは、古来から重要な学びの形なのです。学僧の講義を多く受けている義満は、それだけ仏教の理解も深かったものと考えられます。平安貴族には、法会で聴講するだけでなく、直接個人的に高僧の講義を受けて仏教を学ぶ者もおり、そうした在俗貴族の聴講者が、宗論などの法会の場で、判定に割って入ったこともあったといいます▼2。

　小川氏のご発表では、「離眼」という考え方に注目し、その中で「仏眼」についての指摘がありました。凡夫ではなく仏から見た視点（＝仏眼）を考えること、つまり「わたしたち凡夫からみればこう見えるが、仏の視点から見ればそうではない」という考え方は仏教教学でしばしば用いられます。ご発表中で「これはまさに哲学だ」との言葉が何度かありましたが、仏教は、唯識論を代表として、まさに哲学だと思いますし、「見る」概念は極めて重要です。こうした仏教の考え方は、芸能にも応用されていきます。世阿弥や禅竹は、深い仏教理解の上にさまざまな作品を書いていて、「仏眼」の意識がさまざまに作品に反映しています。

　三番目、小島裕子氏のご発表ですが、「弥勒」にも良弁にも大変興味があり、貴重な資料を数多くご提示くださりありがとうございます。東大寺の大仏造営の時、金峯山の蔵王権現に依頼するものの、弥勒が現れるまでは渡せないと断られてしまう話は、個人的に大好きな話です。弥勒に関する説話はあまり多くないと思っていましたが、「四聖御影」の話に出てくることや、「四聖御影」の説話がこれほど多くあることを教えていただきました。本日御教示くださった膨大な資料は、後でしっかり拝見したいと思います。

　ご発表の中、「東大寺四聖」説話の紹介において、『日本霊異記』の古さについてのご指摘がありました。『日本霊異記』は、閻魔と地蔵の同体説も古い例で、経典との密接な関係が注目され、個々の経典との関係について、今後より深く検討されるべき説話集だと思います。以上が、三人のご発表についてのコメントになります。

　ここからは「中国仏教と説話文学」に関連して、わたしが事前に用意してきた話について、紹介したいと思います。中世における天台談義書の中に、『鷲林拾葉鈔』という『法華経』を講義解説した本があります。尊舜（一四五一～一五一四）は、多くの談義を行い弟子を育て、『法華経』や天台三大部の注釈書を多く著している学僧で、『鷲林拾葉鈔』は晩年に近い著作になります（一五一二年成立）。『法華経』

を解説した談義書の中にも中国仏教に関わる説話や物語が多く引用されるため、特にこの『鷲林拾葉鈔』を中心に紹介してみようと思います。[3]

日本仏教は、「仏教東漸」「粟散辺地」という語があらわすように、インドから中国を経由して日本に伝播したものです。日本仏教にとっては中国仏教は正統で重要なものであり、日本の僧侶は本場の仏教を学ぶために、海を渡って中国に学びに行きます。中国へ渡った僧の見聞記としては円仁の『入唐求法巡礼行記』が著名ですが、円仁には纐纈城から脱出する話（『宇治拾遺物語』一七〇話）も知られています。また時代は下りますが、日下部景衡の『定西法師伝』[4]では、福建に渡った定西が福建を見聞した様子が詳しく語られます。こうした見聞記が多数作られ、中国の様子やさまざまなエピソードが伝えられる訳です。

渡唐・渡宋僧の物語は、中国仏教の素晴らしさを語る一方で、日本仏教の素晴らしさを語る話になっていきます。寂昭（大江定基）の飛鉢説話（『宇治拾遺物語』一七二話）では日本の僧が中国の僧を驚かせたという話で、日本の僧や仏教を讃える話であり、小峯氏が述べる『吉備真備入唐絵巻』の外交神話の話にも通じます。[5]また『是害房絵巻』と同様の『今昔物語集』巻二十第二話は、中国の天狗が日本の仏法を滅ぼそうとすると、かえって比叡山の僧侶にやりこめられるという話ですが、これも、日本僧の活躍を記すことによって日本の仏教を本場の中国仏教より優れたものと讃える内容になっています。

さて話を『鷲林拾葉鈔』に戻しますと、『鷲林拾葉鈔』はさまざまな経典・論疏を用いながら『法華経』を注釈していくのですが、その中に「物語云」として、物語の引用をする箇所が多々あります。石井公成氏のご講演で、経典の引用についてのお話がありましたが、「物語云」として引用されるものは、経論や高僧の語った言葉から典拠不詳のものまで、対象とするものの範囲が大変広いです。また「物語云」の内容は、各地にある談義所寺院で作られた談義書に、同時的に用いられることが確認できます。たとえば常陸国千妙寺で尊舜が著した『鷲林拾葉鈔』と武蔵国仙波北院で学んだ行学院日朝（鏡澄）が著した『補施集』に、「物語云」として同じ内容が出てくることがあり、共有されている何かしらのものが想定されるのです。談義僧たちに共通する学問には、「物語」も深く関わっているように思います。

もう少し、『鷲林拾葉鈔』が引用するさまざまな物語や引用の中から、中国仏教について関わる話について、いくつかの事例を紹介したいと思います。主に、①中国の名僧を語る、②日本と中国の関係を述べる文脈の中で語る、③日本・中国・インドという三国の比較の中で語る、という三つのパターンがあります。

まず①の中国の名僧を語る例ですが、これは多くの例が挙げられます。三論教学を大成した吉蔵が旱魃の時に雨を降らせた話や（薬草喩品）[6]、唐代の僧恵命が猿を導いた話などがあります[7]。恵命が山中の庵で『法華経』を講じていると多くの獼猴が聴聞に来ました。後日、忉利天へ行けたことの御礼を述べて去り、石室の東方を見てみると五百もの死骸があったという話です（勧持品）。また法師品に「物語云」として紹介されるのは、鎌倉円覚寺の舎利の由来です。もとは唐土終南山道宣律師が所持し、仏の入滅の時に鬼が仏の牙（歯）を抜くが、韋駄天が追いかけて取り返したものでした。それが道宣から仏光禅師、さらに源頼朝に伝わり、最終的に鎌倉円覚寺に納められたそうですが、近年に紛失してしまい、円覚寺はそのために衰微したと伝えています。以下省略しますが、さまざまに中国の名僧の話が紹介されます。

②に、日本仏教の比較のために中国仏教の話題を示す場合です。薬王品では、「物語云」として、老女が若い男性に恋をした話を紹介し、その後、「日本にも伊勢物語に老女が業平に恋する事」があるとして、『伊勢物語』を紹介します。普門品では一行阿闍梨の伝を紹介した後に、同様の流され人として「本朝には菅丞相」と、菅原道真の例を紹介します。また勧発品では、一乗白象が人の前に現れた例として、中国での羅什三蔵を挙げ、それに対して日本では書写山の性空上人の例を挙げるなど、中国と並べることにより、日本の仏教を讃えています。

③に、中国の話を、日本・中国・インドの三国間の対比として挙げる場合があります。方便品の「歌唄頌仏徳事」の項では、「歌」の三国不同として、天竺では陀羅尼や密語、震旦では六義五体分、本朝では歌は神代の風俗、三十一文字は『大日経』の三十一品などに相当すると説明します。これらの説明は和歌陀羅尼観と通じるものであることがわかります。

このように天台談義書の中で、中国の仏教説話がどのように使われているかを紹介させていただきました。中国の高僧たちの伝記がさまざまなバリエーションで語られている一方で、日本の側でも、さまざまな僧侶や在家の人物が登場し（在原業平や菅原道真のような人物まで）、またその描かれ方も実にバリエーションに富み、日本仏教の素晴らしさが語られます。学僧たちの世界で、どのような経路で伝えられていたのか興味深いです。

関連して『論語』の引用も挙げておきました。『論語』は四書五経の中では『荘子』と並んでよく用いられるのですが、『論語』は聖典化していて、俗書に対するものとして『論語』が使われます。また引用される本文が、少し異なる箇所もあり、学僧の間で享受されていた『論語』が何を用いていたのかということも課題です。

以上、談義書の世界における中国仏教と説話についてコメントを加えました。三名のご発表は、学僧の間で宗旨や経典の内容がどのように伝えられていたのか、談義の世界を解き明かすための示唆に富んだ内容で大変勉強になりました。学僧の世界においてどのように講義が行われ、説話がどのように関わっているのか、今後さらに検討していきたいと思っています。ありがとうございました。

注

1　拙稿「『鷲林拾葉鈔』所引連歌考―天台僧尊舜の文学的環境と連歌師の交渉―」（『感性文化研究所紀要』三、二〇〇七年四月）に詳しい。

2　拙稿「法華経の講会・論義・談義書」（『法華経と日蓮』、シリーズ日蓮　第一巻、二〇一四年、春秋社）参照。

3　拙稿「談義書（直談抄）の位相―『鷲林拾葉鈔』・『法華経直談抄』の物語をめぐって―」（『中世文学』四十七、二〇〇二年六月）、同「『鷲林拾葉鈔』と『轍塵抄』―関東天台の学僧における学問の形成―」（『印度学仏教学研究』五十二・二、二〇〇四年三月）など。

4　正徳二年（一七一二）、日下部景衡（一六六〇～？）の書写奥書がある。『定西法師伝』については、拙稿「『定西法師伝』について―日下部景衡本の出現―」（『国文学解釈と鑑賞』七十一・十、二〇〇六年十月）、同「『定西法師伝』の研究」（池宮正治・小峯和明編『古琉球をめぐる文学言説と資料学―東アジアからのまなざし』三弥井書店、二〇一〇年）を参照。

5　小峯和明『遣唐使と外交神話―『吉備大臣入唐絵巻』を読む―』（シリーズ〈本と日本史〉2、集英社新書、二〇一八年）に詳しい。

6　『鷲林拾葉鈔』薬草喩品に、「物語云、昔唐代天下旱魃五穀不レ熟也。此時帝王ヨリ三論祖師嘉祥殊寺吉蔵法師ヲ召、令レ修二請雨法一。応二勅命一講二薬草喩一時、至二恵雲含潤ノ文一、大雨如二車軸一下五穀豊饒也。是当品ノ奇特也。又光宅寺恵雲法師云ハ依二請雨ノ奇特一得二此名一。是ハ梁ノ武帝ノ代ノ人也。」とある。この話の後には、嵯峨天皇の御宇のこと、東寺と西寺があり、西寺には守敏、東寺には空海がいた。空海を重く用いることに怒った守敏が日本国中の大小の諸龍を水瓶に閉じ込めると、天下が旱魃になる。そこで、空海に請雨の修法をさせた、という話が続く。吉蔵（五四九～六二三）は、三論教学の大成者で、幼い時に真諦三蔵に閲し、吉蔵と名付けられた。『三論玄義』『中観論疏』『法華玄論』など著書が多い。『続高僧伝』十一に伝がある。

7　『鷲林拾葉鈔』勧持品に、『法華感応伝』からの引用として載る。

渡辺麻里子（わたなべ・まりこ）●所属：大正大学教授●専門分野：中世説話文学・仏教文学●主要著書・論文：「天台談義所をめぐる学問の交流」（『中世文学と寺院資料・聖教』竹林舎、二〇一〇年）、「唱導と説法」（『説話文学研究』五十、二〇一五年）、「談義所における聖教と談義書の形成」（『学芸と文芸』竹林舎、二〇一六年）など。●現在の研究テーマ：中世の学僧たちの学問について、特に天台僧の談義に注目し、その方法や内容、学僧の学問形成や交流などを研究。

渡辺麻里子氏

陸晩霞氏

コメンテーターより②

陸晩霞

上海外国語大学の陸晩霞と申します。今日はどうぞよろしくお願いします。諸先生の提出された要旨などを見て若干は考えてきましたけれども、実際にこの場でお話を聞いたら、要旨と少し違うところもありましたので、ますます不安が強まっているところです。なので、今日のお話にもとづいてコメントするというよりは、思い切って自分の考えを話して、皆さんにご教示を乞うというかたちで進めさせていただきます。

まずは、馬駿先生の上代文学の話です。漢訳仏典の文章は四字一句とか、形式的に非常に整っている印象を受けますが、今日のお話の中で、三音節の時間表現とか、四音節の時間表現など取り上げられています。これも決まった形式のある表現ですね。それから、お話をうかがいますと先生が資料としてあげられた上代文学というものは、だいたい漢文体で書かれたものが中心だというのも気になりまして、もし上代文学全体を視野に入れて漢訳仏典との比較をするとき、文体の問題はどうなのか、限定しておくべきかと思うのですが、ひとつうかがいたいところです。

漢訳仏典の文章や用語はよく和文などにも取り入れられます。たとえば『今昔物語集』の場合、「瀉瓶(しゃびょう)」、つまり水瓶をかたむけて中の水を別に移すという表現もありますけれど、それは師匠から弟子に仏法の教えがごっそり伝えられるという喩えで、仏典から『今昔物語集』に入った例です。『今昔』でも仏典語がさかんに使われているということを頭に入れて考えると、上代文学の場合はいったいどうなっているのでしょうか。知りたいです。

それから、もうひとつは、お話の中に「中土文献」と「漢訳仏典」をペアにして取り上げていらっしゃいまして、ここで言われる中土文献は外典(げてん)のことと考えてよろしいのか、あるいは漢訳仏典は直接、内典(ないてん)と考えてよろしいでしょうか。ぜひ教えていただきたいと思います。

それから小川先生のご発表についてです。最初に要旨を拝見しましたら、中国仏教における心の探究という話題が出ていまして、それはわたしもかねて関心を持っている話で、大変興味深いと思います。「如来蔵」という言葉がありまして、しかも、今回はその如来蔵にかかわる「霊性論」、「一心論」に焦点を絞っているようでいらっしゃいました。この話題に関連して、わたしが関心を持っているのは、仏教では心のことを果たしてどう見ているのかということです。以前『発心集』について調べたときは、仏教の言葉として心猿意馬というのがあることに注目してみました。つまり仏教では心を猿に、意識を馬にたとえて、心のコントロールがいかに難しいことか、という課題があるんです。

とくに『方丈記』や『発心集』の作者・鴨長明が、心の問題でかなり悩んでいたようにみえて、『発心集』の序文に「心の師とは成るとも、心を師とする事なかれ」とまで言っているわけです。仏教の世界では『涅槃経』でも心は調伏しがたいという言い方もあるように、心を奔走する馬や動き回る猿などのように制御しにくいものとしてとらえる見方が一方にあると思います。

ところが、明恵上人の場合はその反対の方向で「一切の諸法みな一心の変ずるところなり。心のほかに師をたづぬべからず」という文言を『華厳縁起絵巻』の詞書きに書いていて、『発心集』などの観点とは正反対となっています。仏教の中で果たして心をプラスにとらえるのか、マイナスにとらえるのか、個人差があるというか、あるいは宗派などによって見方が一様ではないと考えたほうがいいのでしょうか。これがひとつ教えていただきたいことです。

それから、小島先生のお話を聞いて、ひとつは四聖という言葉にひかれました。つまり、聖武天皇を観音菩薩の化身とし、良弁僧正を弥勒菩薩の化身として、行基は文殊菩薩、菩提僊那は普賢菩薩というふうに、四人をそれぞれ四菩薩の化身として掲げて四聖と呼んでいますね。

ここでちょっと話が飛びますが、先ほど石井先生のお話に「擬経」という言葉がありました。実は『清浄法行経』という擬経の中に「三聖派遣説」がみえて、釈尊が仏教を広めるためにインドから迦葉菩薩、儒童菩薩、光浄菩薩を中国に派遣して、中国の老子、孔子、孔子の弟子の顔回がそれぞれ三菩薩の化身である、という説がたてられています。

もちろん三聖、四聖をたてる理由は違うようですけれど、仏教の世界では在俗の人間、あるいは高僧を菩薩の化身とみなして尊崇することが、偶然個別の例ではないことがわかったと思います。実はこの『清浄法行経』の話について、こちらの野村先生のほうがより深く研究していらっしゃいますので、機会があればお話をうかがえたらと思います。

また、小島先生の発表は主に五台山をめぐるお話でしたが、コメンテーターのわたしが用意してきた資料は補陀落山についてのものでした。これは五台山についてのご発表を聞いて、補陀落山で対抗するのかというと、そうじゃないですけれども。本当のことは、今回五台山のお話をうかがえたことを契機として、中国の仏教名山が日本の説話文学ないし日本文学におけるイメージを考えるという視点にもっていきたいと思うのです。このような視点はいま小峯先生が唱えていらっしゃる〈環境文学〉にも合致しているようですから。

　中国では仏教的背景を持つ山なら、今日のお話に出た文殊菩薩の五台山のほかに、観音菩薩の道場である普陀山、普賢菩薩の道場である峨眉山、それから地蔵菩薩の道場の九華山がよく知られています。それぞれの山に仏教文化があって、日本文化においてどのような影響をおよぼし、いかに新しいイメージに作り替えられたかを考える必要があるのではないかと思います。

　今回は中世の説話によく出てくる補陀落渡海の話に絡んでみます。今までの研究では、はやくは益田勝美氏の名論「フダラク渡りの人々」（『日本文学古典新論』河出書房新社、一九六二年初版。『火山列島の思想』講談社学術文庫、二〇一五年再録）があって、近年も続々と新しい研究が現れています。根井浄氏の『補陀落渡海史』（法蔵館）は二〇〇一年に刊行されています。これらの研究は、宗教・歴史・文学などの諸分野にわたっていますが、わたしはすべてに目を通したわけではないのですが、管見に入ったものを見たら、観音信仰をめぐってなされたことが多いです。ただ、中国の浙江省寧波市の普陀山の投影が、中世当時の補陀落渡海にあるのかどうかは、まだ言及されていないような気がします。

　ところが現在は遣唐使、入宋僧、日宋貿易、中国仏教交流史などにおける、寧波の位置づけなどの研究が一層進んできました。新しくわかったことも増えていますので、中世の補陀落渡海について、考え直す必要があるのではないかと思います。

　『釈氏源流』の読書会の慣例にならって、今回は資料を持ってきましたので、ご覧いただきたい。【資料1】は『大唐西域記校注』です。インドにある補陀落山を知る資

資料1　季羡林等校注『大唐西域記校注下』（中華書局、2009 年）

二、布呾落迦山

秣剌耶山東有①布呾落迦山，山徑危險，巖谷敧傾。山頂有池，其水澄鏡，派出大河，周流繞山二十帀，人南海。池側有石天宮，觀自在菩薩往來遊舍。其有願見菩薩者，不顧身命，厲水登山，忘其艱險，能達之者，蓋亦寡矣。而山下居人，祈心請見，或作自在天形，或爲塗灰外道，慰喻其人，果遂其願。

注釋：

①布呾落迦山：布呾落迦，梵文 Potalaka 音譯，又譯作補怛洛迦、補陀落迦、普陀落；意譯作光明山、海島山、小花樹山。慧苑《新翻華嚴經音義》卷下："此翻爲小花樹山，謂此山中多有小白花樹，其花甚香；香氣遠及也。"此山被比定爲現今西高止山南段，秣剌耶山以東的巴波那桑（Pāpanāsam）山，位於提訥弗利 (Tinnevelly) 縣境，北緯 8 度 43 分，東經 77 度 22 分地方。此山是佛典中的名山，《華嚴經》對此山的描繪與《西域記》頗爲相似。多羅那他《印度佛教史》記載，優婆塞寂鎧（Sāntivarman）和月官（Candragomin）也曾到此山巡禮。我國的普陀山與拉薩的布達拉均由此而得名。

資料2『仏祖統紀』第 42 巻（大正新脩大蔵経 第 49 冊 388 頁中段 16 行〜 388 頁下段 5 行）

(唐大中) 十二年。勅天下諸寺修治諸祖師塔。日本國沙門慧鍔。禮五臺山得觀音像。道四明將歸國。舟過補陀山附著石上不得進。衆疑懼禱之日。若尊像於海東機縁未熟。請留此山。舟即浮動。鍔哀慕不能去。乃結盧海上以奉之(今山側有新羅將) 鄞人聞之。請其像歸安開元寺（今人或稱五臺寺。又稱不肯去觀音）其後有異僧。持嘉木至寺。倣其製刻之。扃戸施功彌月成像。忽失僧所在。乃迎至補陀山。山在大海中。去鄞城東南水道六百里。即華嚴所謂南海岸孤絶處。有山名補怛落迦。觀音菩薩住其中也。即大悲經所謂補陀落迦山觀世音宮殿。是爲對釋迦佛説大悲心印之所。其山有潮音洞。海潮呑吐晝夜砰訇。洞前石橋。瞻禮者至此懇禱。或見大士宴坐。或見善財俯仰將迎。或但見碧玉淨瓶。或唯見頻伽飛舞。去洞六七里有大蘭若。是爲海東諸國朝覲商賈往來。致敬投誠莫不獲濟（草菴録）。

料です。秣剌耶山の東に布呾落迦山がある。これを読む限りでは、布呾落迦山は海の中にあるというよりは、その深山幽谷の地形が印象づけられます。山の中にあって、山頂には池がありまして、そこから流れ出る水が南海に入ると書かれています。観自在菩薩は池のほとりに住んでいて、菩薩に会いたい人は不惜身命して山に登り水を渡って行きます。でも、会える人が少ないという。

　ここの紹介から、わたしは南海観音のイメージがあまり湧いてこないのです。むしろ山中の観音ということ。ですから、船に乗って航海し補陀落へ行くということを想像するのは、少し難しいと思うんです。

　一方、『仏祖統紀』にはこんな記事がありました【資料2】。この『仏祖統紀』には、日本の沙門慧鍔（蕚とも）が中国浙江省の舟山群島の島に、つまり寧波市の近くの海面上に不肯去観音院というお寺を建立したという話が記録されています。この記事からも、いまの中国の普陀山が五台山と、また日本とのかかわりが示唆されています。この慧鍔が五台山巡礼した際、観音像を奉請した。四明（寧波の域内にある四明山）、つまり寧波を経由して日本へ持って帰ろうとしたら、普陀山あたりで座礁した。結局この観音像が日本へ渡る機縁がまだ熟していないと慧鍔が判断して、島に観音像を残して「不肯去観音院」、行かず観音という意味でお寺を建てたというのです。

　言ってみると、この不肯去観音院の縁起は、あるいは普陀山が観音霊場となった縁起でもあるのです。『仏祖統紀』の記事は、わりと今日の普陀山の様子を如実に伝えている気がします。寺院の位置情報とか、ここに出ている潮音洞という観音菩薩示現処というのもあるんですけども、昔そこで観音菩薩がたびたび姿を現す伝説が有名でした。わたしも小さい頃、母方の祖父から潮音洞で観音の化身を拝んだという話を聞いたことがあります。

　最後は、今回補陀落渡海と普陀山の関係を問い直すヒントを与えてくれた一本の論文を紹介したいと思います。陳狆氏の「中国の観音霊場「普陀山」と日本僧慧蕚」（東アジア地域間交流研究会編『から船往来―日本を育てたひと・ふね・まち・こころ』中国書店、二〇〇九年）です。この論文によると、この観音像は本当に奇瑞を現出させて日本へ行きたくないという意志を示したというより、これらの展開はすべて日本の僧侶慧鍔の画策によるものだという。慧鍔ははじめから中国で日本の寺院を建てる計画を持っていた。

その目的は表向きには「日本国の芳名を遠く中国にも伝える」ことだが、実際は日本人が入唐するための便宜」（外交・通商など、とくに五台山巡礼の通関文書の取得）をはかる施設の設置だったと指摘されているのです。

わたしは今まで、普陀山信仰の歴史が新しいと何となく思っていたんですけれど、もしや唐代までさかのぼることができるのではと思うようになりました。そうすると、時間的には、中世の補陀落渡海説話に素材を提供したという可能性が出てきます。まだ仮説の域を出ない意見ですけど、もう少し追ってみたいと思います。以上です。

陸晩霞（りく・ばんか）●所属：上海外国語大学教授●専門分野：日本古典文学・和漢比較文学●主要著書・論文：『日本遁世文学的研究』（人民文学出版社、二〇一三年）、論文「智覚禅師永明延寿与日本文学」（『呉越佛教』第八巻、九州出版社、二〇一三年）、「樹上法師の系譜―鳥窠禅師から徒然草へ」（『アジア遊学』百九十七、勉誠社、二〇一六年）など。●現在の研究テーマ：日本古代文学史の叙述、仏教と文学の交渉論に関心を持っている。とくに仏教説話と僧伝との関わりや禅宗の文芸に与える影響について中世の時代を中心に考えている。

吉原浩人氏

コメンテーターより③

吉原浩人

吉原です。今年度一年間中国に滞在していますので、中国との関係も含めて何かお話しせよということだと思います。わたしは大学院に入学して今年で四十年になります。小峯・石井・野村各先生や、ここにご出席の多くの先生方とお会いして長い時間が経っておりますが、今回の学会のご講演やシンポジウムのお話をお聞きして、ある共有を進めるための会なのだと理解して、意義深く思っています。いまは、パラダイムシフト、パラダイムチェンジの時代なのだと、強く感じております。お三方のご講演は、擬経や偽撰の問題が共通しますが、要は仏教学者がこれまで相手にしてこなかったものを対象にしておられます。しかし、それこそが仏教、それが中国仏教であり、日本仏教の本質なのだと考えています。

馬先生からは、時間軸のことでお話をいただきました。わたくしどもは出典の検討をしていますので、大変ありがたいお話でした。『日本書紀』の文体の研究は進んでいますが、『日本霊異記』の四字句の問題は、いろいろな問題に発展していくと思います。

小川先生は、「離見相」、すなわち「見の相を離れる」が、『首楞厳経』や『楞伽経』に多く見られるということへの新見、あるいは摩登伽説話をご指摘いただきました。それは心の問題で、まさに先ほどの陸先生のお話と共通いたします。小川先生は時間の関係からかあまり触れられませんでしたが、資料の最初にある「心仏衆生、三無差別」という思想は、さかのぼれば、湛然の『法華文句記』『法華玄義釈籤』から出て、延寿の『宗鏡録』などで取り上げられ、それが平安中後期の日本に入って影響を与えます。そういう、心の問題が非常に大きいんだろうと考えました。

それから、小島先生のご発表でも、東大寺四聖伝説をもとに、中国仏教と日本仏教が片道ではなく往返して、いろいろなところに結びつくというご指摘をいただきました。出会いというか、前世の契りの問題です。婆羅門僧正と行基の霊鷲山の契りや、聖徳太子が転生して聖武天皇となったという伝承は、かなり早い時期に成立しています。インドや中国における前世の契り、例えば南岳慧思と天台智顗の、霊鷲山法華経説法の場での出会いと再会、そして聖徳太子信仰などと、すべてつながっているわけです。

以下にお話する内容は、二〇一七年六月の説話文学会大会で発表させていただいた趣旨を、少し発展させたものです。『心性罪福因縁集』は、今年（二〇一八年）三月、『中世禅籍叢刊』第十二巻（臨川書店）に、院政期の真福寺本断簡と元禄版本を影印公刊したので、ご存じの方も多いかと存じます。ここでは、「説話集としての『心性罪福因縁集』」ということで少し見ていきたいと思います。本書は、『宗鏡録』『万善同帰集』を撰述した永明延寿に仮託された作品ですが、わたしは『中世禅籍叢刊』の解題で、日本で偽撰されたと断定しました。ということは、日本撰述の説話集、要するにわたしたち説話文学会の研究対象となるわけです。インドとその周辺諸国、あるいは中国を舞台とする説話集で、遊行僧の見聞を記した話が多いのですが、出典がよくわかりません。『心性罪福因縁集』の末尾のほとんどは、「是故応レ知、心仏衆生三無二差別一。応レ観、法性寂静真如、一切法不思議故」と収められます。あたかも、『今昔物語集』話末の「トナム語リ伝ヘタルトヤ」のような形で、ほぼすべてがこのような形になっています。また文体は、四字句を基本としつつも、駢儷文風の文体もあるので、もしかしたら複数の出典があったのかもしれません。

本書には、呉越とか北宋の禅思想の影響が、色濃くみられます。平安時代、特に摂関期における禅思想の伝播は、ほとんど研究されておらず、空白部分になっていますが、その解明に資することができると思います。当然それは、天台本覚思想につながるわけです。いま大学院生と一緒に本書に註釈をつけており、もう半分以上読み進んでいますが、一字一句について出典や類例を調べると、『法華験記』と語彙が共通することがわかりました。そうなると『心性罪福因縁集』は、日本天台宗において、院政期以前に撰述されたものと考えられます。また『菩提集』のような本覚思想文献との関連も検討しなければなりません。

なお、野村先生ご発表の宝誌は、中国の諸書や、『宇治拾遺物語』『打聞集』などでは、予言（讖言）をして未来を見通し、布衣で巷を歩き奇矯な行動をとり、皮膚を裂いて十一面観音像を見せるといった破天荒なエピソードに満ちています。しかし『心性罪福因縁集』の宝志（法志・宝誌）は、比丘と対話し、過去の諸国での経験を交えながら、真の仏道を説く真摯な僧侶として描かれています。

世親造・鳩摩羅什訳と伝えられる『天竺往生験記』についても一言申し上げます。どなたも研究なさらないのですが、これも日本偽撰の説話集です。摂関期後半から院政期にかけて作られた偽書撰述の流れの中で、ともに把握していかなければならないと考えています。

なお付け加えれば、『心性罪福因縁集』には念仏思想が、法然や親鸞の思想とまったく異なるかたちで出ています。ここでは念仏、すなわち仏名を称念する行為を、唯心思想によって説明しています。唯心思想は、もちろん『宗鏡録』などに顕著なのですが、直接的には、比叡山の源信と交流があった、杭州の山外派の奉先源清の影響が大きいと考えています。源清は、『法華十妙不二門示珠指』など新著五部を天台座主に送り、批評を依頼します。その巻上に、「心・仏・衆生、三無二差別一、煩悩性中、具二如来智一」（心と仏と衆生の、三つには差別がなく、煩悩性の中に、如来の智慧が含まれる）という一節があります。この思想が、天台本覚思想を加速させたという仮説をもっており、それをこれから証明していきたいと考えています。

近年真福寺宝生院大須文庫から、阿部泰郎先生が発見した『心性罪福因縁集』の写本は、二十七丁の断簡で、粘葉装による縦長の典型的な院政期写本です。さきに紹介した、『中世禅籍叢刊』に、影印・翻刻をいたしました。もう一つは元禄十三年版本で、『心性罪福因縁集』の唯一の活字本である、『卍続蔵経』の底本です。いままでどこにも紹介されていなかったのですが、龍谷大学に四部も所蔵されていました。これも『中世禅籍叢刊』に影印いたしましたので、今後はこれをご利用いただいて、研究をお進めいただければ幸いです。以上で、おわらせていただきます。

吉原浩人（よしはら・ひろと）●所属：早稲田大学文学学術院教授、浙江工商大学東亜研究院・広東外語外貿大学・南開大学客員教授●専門分野：日本宗教思想史、東アジア文化交流史●主要著書・論文：『《燈籠佛》の研究』『東洋における死の思想』『南岳衡山と聖徳太子信仰』（以上編著）など。●現在の研究テーマ：二〇一八年度は、特別研究期間で一年間中国に滞在したが、古代中世の東アジア漢字・漢文文化圏の交流史について考えている。

質疑応答

荒木浩（司会）　四人のコメンテーターの方々、どうもありがとうございました。いま、討論者から発表者に向けて意見や質問がございましたので、質問順にお答えいただいたうえで、フロアの質疑へと移りたいと思います。では、馬さんからお願いいします。

馬駿　今回の報告の目的は三つあります。一つ目は、漢訳仏典からの時間表現は『日本書紀』に均等的に分布していることを指摘することです。二つ目は、従来の説とかかわっているところですが、漢訳仏典の時間表現の影響がいかに大きいか、具体的な例を通して示すことです。これは現在の研究です。三つ目は、時間表現だけではなくて、たとえば、話し言葉とか、総括の句式とかの視点の研究も必要があるのではないかと提案することです。

続きまして、先生方のコメントにうつります。まず、渡辺さんのコメントです。後世の文献にある時間表現と、史的変遷はどうなるか、ということでしたが、時代も違いますし、今後の課題としたいと思います。その場合、方法論として、あるいは意識としては、中土文献、漢訳仏典、そして日本文学独特の表現という三点をおさえながら、調べていきたいと思います。

次に陸さんの、今回の発表で取り上げた問題は主として散文のたぐいではないかというご質問ですが、たしかに言われた通りです。これから和歌、たとえば万葉歌などに出てくる時間表現がどうなるのか、範囲を広げていきたいところです。もうひとつの問題は、外典（げてん）か内典（ないてん）かについてですが、わたしが述べている中土文献というのは、中国の経（けい）・史（し）・子（し）・集（しゅう）、の四文字語句ですね。端的に言えばそれを指します。それから内典といいますと、『経律異相（きょうりついそう）』などです。コメントありがとうございました。

荒木浩　ありがとうございました。漢訳仏典と上代文献というテーマは、近代に入ってから非常に盛んになったもので、しかもそれぞれ、検索システムのいちじるしい発展もあります。今後、豊富な研究素材を内在する対象だろうと思います。続きまして小川さん、よろしくお願いします。

小川豊生　二人の方にコメントをいただきましたが、陸さんの心の問題、わたしが予告を裏切ってしまったというのが一番の罪でありまして（笑）、これについては深くお詫びします。それから明恵の問題ですね。非常におもしろい問題なんですが、わたしがここで問題にしようとしたのは、吉原さんの聞かれた心仏衆生、是の三差別無しという有名なテーゼですね。発表では触れませんでしたが、これについては考えていることがありますので少しお話してみますと、このテーゼは東大寺の円照（中興開山として知られていますが）の書いた『無二発心成仏論』のなかにも繰り返し出てきます。伊勢に行ったときに書いたもので内宮の長老が序文を書いています。円照は禅にも深い関心をよせていて、円爾弁円から教えてもらったりするような人です。その円照が内宮に行ってさっきのテーゼに基づきながら「心はすなわち神である」という新しいテーゼを生み出している。神は衆生の心に内在するものなんだと。つまり神の捉え方に一つの転換がここで起こっている可能性があると思うんです。同じ『無二発心成仏論』のなかで「心は神なり、此の義深妙にして未だ曾てこれを聞かず」と語っています。それまで神は天上なり自然なり人の外部に外在すると考えていたものを内側にもっていったということが起こっているわけです。どうしてこんな転換が起こり得るんだろうかと考えますと、そこに円照の知的背景が関わっているだろう。円照は発表のなかでも取り上げた人物ですが、唐代の圭峯宗密に深く傾倒していました。円照の伝記に、彼は宗密の書いた『禅源諸詮集都序』をよく持ち歩いていたとあります。宗密の理論のベースには当然ながら心はすなわち仏である、心即是仏あるいは即心是仏という禅のもっとも基本的といっていいテーゼが深く据えられています。心はすなわち神だという円照の発想は、心即是仏という禅のテーゼにそのまま触発されて生み出された可能性がある。それと関連しますが、ちょうど北宋の時代において外在する天から内在する天へと、天に対する見方が変わったということを小島毅氏や土田健次郎氏が言っています。この辺の大陸における天にたいする観念の内在化という問題も視野に入れると面白い。土田さんはこの転換は禅との出会いが契機となったんだと言っていますから、大陸における儒教と禅とのつながりと、日本に起こっていることと連関しているんじゃないか。非常に構造的に類似の事態が起こっているんじゃないかと。そうすると大陸における心の把握と、列島における心の把握のあり方、そういう問題をこれまでと違う観点から連動させて見ていくことができるんじゃないかなと考えていました。ありがとうございました。

荒木浩　禅の問題と言えば、天野文雄さんが、世阿弥や能楽について、禅の影響に注目されています。天野さんのプロジェクトで、私も寄稿して『禅からみた日本中世の社会と文化』（天野監修、ぺりかん社、二〇一六年）という本を出しました。非常にホットなテーマだと思います。ありがとうございました。続きまして小島さんお願いいします。

小島裕子　渡辺さんからは弥勒のことで金峯山の話を出していただきました。東大寺を開いた良弁が弥勒の化身であるというのは、その金峯山に由来します。良弁は大仏造立の鍍金のための金を吉野の金峯大菩薩に請い願いますが、かの地の黄金は後に弥勒がこの世に下生してくるためのもので譲れないとの夢告を得る。そこで大菩薩の導きに従って志賀の地で如意輪観音を造立し祈願すると、果たして陸奥から金が出たという、良弁の東大寺と石山寺双方の建立説話に弥勒が関わります。いまひとつ、東大寺末の笠置寺もまた、この地の弥勒を良弁が見いだしたことにより堂塔が建立されたといえます。

　それから『日本霊異記』と経典の密接さについてですが、河野さんのご研究がありますように、勉強せねばならないと思っています。今回は道宣の著作として美術史など歴史学研究からも注目される『集神州三宝感通録』の方ではないもうひとつの『感通録』の問答が非常に面白くて、五台山は文殊の聖地で文殊は五台山にいると経典に書かれているのに不在なのはおかしいじゃないかという問答が収録されています。五台山についての著述も多い道宣のそうした問答の根底にある思想が、行基が五台山の文殊の化身であるとした『霊異記』の説話に投影する何らかの背景があったのではないか。臨済義玄の『臨済録』に五台山に文殊なしとする言が載るのは、『霊異記』より後のことなので、さかのぼったところで、正倉院の目録のなかにも見いだせるこのもうひとつの『感通録』の影響を追ってみたいと思っています。

　陸さんからは、「三聖」のキーワードについて『清浄法行経』の指摘をいただきました。ありがとうございます。釈迦が派遣した三菩薩が三聖人となったという説話。東大寺の「四聖」の源に中国の仏教思想や説話があるとみていますので、この偽経にみられる菩薩化身と聖人観という発想なども入れて考えるべきか、同経についてのご研究がおありの野村さんにこれからご教示をあおぎたいと思います。

小峯さんからは後半の話を聞きたかったのにと振っていただきまして、ありがたくも補足をさせていただきますと、『大仏縁起絵巻』のなかの聖武帝と良弁の流沙の契り。ふたりが前生に出遇ったタクラマカン沙漠と想定される流沙を絵師はなぜ海のように描いたのか。それはそれは青々とした波によって、ということがあります。詞書きを書いた人も目にしたことがないであろう大陸の流沙を、波と舟をもって描いたのはなぜだろうということです。それは聖武帝が、前生の良弁にあたる天竺求法の旅に向かう僧を渡す渡守であることに深く関わってくる。『華厳経』に限らずさまざまな経典のなかで、衆生を済度する仏の異名の「せんし」「ふなし」は非常に重要な存在であるわけで、そこは海のイメージで描かなくてはならなかった。この絵については駱駝でなくてはおかしいという評もあるのですが、そこはやはりしかと絵巻の説話が依拠する原典に立ち戻って考えたい。そうした観点から追っていきますと、『大慈恩寺三蔵法師伝』に玄奘が瓜州の地を越えたあたりに、「これより五十四里をすぎて、瓠蘆河といふ河あり。上は狭く下は広し。流水早くして危うきこと巫峡の如し。河の上に玉の門あり。これ国の関なり」と記されるところがあるのですが、それは今でいう疏勒河という河ではないかと。現在の玉門市からさらに西、敦煌を過ぎて玉門関の古蹟があるあたりの西域の河には、さまよえる湖として知られるロプノールのように、夏に現われては広大な河になり、季節が移ればまた沙漠になるといった高山の雪解け由来の河がある。かの『三蔵法師伝』のような具体的な記録を通してそういう場所を実際にイメージできたのではないか。ですから、そうした典拠となるものを重ねて説話を読まなくてはならないのだと思うのです。この流沙の契りの話は『扶桑略記』にみられるのが最初のようですが、その生成をあらためて考えてみたいところです。吉原さんに、中国・日本、そしてその往還ということを言っていただきました。中国に発したイメージが日本のなかであらたな説話となり展開する、それを再び現地に返して読み解くことの必要を感じます。

荒木浩　ありがとうございました。私は個人的に行基と婆羅門僧正の話に興味を持っています。あれは、転生したインド人が中国を越えて日本で再会し、「倭歌」を詠む話ですね。歌が漢字で書かれるわけですが、それがまるでインドの陀羅尼のように、中国人には逆に読めない漢字の文字列で記されている。慶滋保胤は、遣宋を目途とした改稿版『日本往生極楽記』にこの話を増補し、源信はそれを『往生要集』とともに中国へ送りました。そうした彼らの対外意識を「投企性」という語でとらえて、論文を書いたことがあります（「投企される〈和国性〉」『アジア遊学』二百八、勉誠出版、二〇一七年）。和歌陀羅尼の原点を考えるためにも、興味深い説話だと考えております。

吉原浩人　ひとつよろしいですか。小川さんがおっしゃっていた「心は神なり」ということなんですが、わたしは「神」関連の研究をして論文を書いております。要するに中国語で「神」というのは、「心」「魂」あるいは「精神」というのが、第一の意味になります。だから「心は神なり」というのは、当たり前のことで、何も言っていないのと同じことです。トートロジー、言い換えにすぎません。でも、それが中国や日本の禅宗のなかで変換されて意味を持ったということが重要だと考えます。当たり前のこととして論じなかったのですが、「神」の概念を考えだした日本人や、あるいは宋代以降の中国人の思想の問題として、ぜひお教えいただきたいと思います。

石井公成　今のお話と関わるんですが、陸さんのおたずねも仏教学の内容なので、わたしがお答えしたほうがよかったかなと思うんです。要するに、心はフラフラしているというのが原始仏教以来の基本的立場です。一方、真実の心があるという主張は途中から大乗仏教に入ってくるもので、それがとくに展開するのは中国になってから、強調されるのは『起信論』などの擬経や禅宗です。いま吉原さんがいわれた心が神だという点については、とくに大事なのは梁の武帝の『神明成仏義』です。これがまさに今回の話とつながるような形で、本覚論と関わりますので。それから小川さんがさっき言われた、心がすなわち仏だという点については、『華厳経』では「心仏及び衆生、是の三無差別」となってます。皆さん、SAT（大正新脩大蔵経テキストデータベース）やCBETA（中華電子仏典協会）のデータベースを使って検索されてるんですけど、SATを作ったひとりとして言わせてもらうと、説話文学をやる方には大蔵経の検索の仕方をもう少し工夫していただきたい。二年ぐらい前に民族大学（中国）で講義したように、大蔵経検索のコツをどこかで講習しなきゃいけないかなと思っています。「心仏衆生」で検索しようとしても、経典では「心仏及び衆生」になっていると検索できませんが、そうした形も含めて全部検索できるようなやり方を知っておく、あるいは「心仏衆生」のうちの「仏」を変えて「心如来衆生」で検索してみるなど、ちょっと変えた検索の仕方をするとかなり検索の幅がひろがります。

山口眞琴（司会）　ありがとうございます。とくに後半は実践的で貴重なお話でした。ほかにどうでしょうか。

前田雅之　大変おもしろい話を聞かせてもらいました。基本的に中国＜日本＝インド、中国より上になるというかたちもありますけど、このまえ吉川弘文館から出た日本宗教史で書かせていただいて、ずっと気になっていたのは、なぜ禅宗の渡唐天神説話になると、一切対中国コンプレックスがなくなるのか。とにかく小島さんのも含めて、どこかに優劣感がある。ところが天神さまが道服を着て梅の木を持って、今日でた縁起の先生である無準師範のところにいくという。やはり中国仏教と説話をやるなら、絶対に渡唐天神は落とせない。巨大な変化があそこで起こっている。それが一つ。あと、これは感想ですが、小島さんの今日の四聖同心で、こないだ小川剛生さんが書いた、俊成と定家と良基と頓阿の四人の像が、四聖をとってるんだということがわかりました。図に関してはわたしが編集しました。『画期としての室町』（勉誠出版、二〇一八年）の小川論文をお読みになればよろしいかと思います。以上です。

徐志紅　蘇州科技大学の徐志紅（じょしこう）と申します。さきほどのご発表、大変勉強になりました。馬先生に質問です。わたしも以前「経」＋時間表現について論文を書いたことがありまして、そのときに『日本霊異記』中の時間表現を全部調べたことがあります。十数年前のことなのではっきり覚えてないのですが、たしかに四音節語は圧倒的に多かったことを覚えています。当時は勉強不足でしたので急いで結論しました。仏典には四音節語が多かったので、『日本霊異記』も仏典の影響で四音節語が多かったです。中にはむりやり四音節にしてるものがあります。今日、馬先生があげた例のなかにも、たとえば「経」＋「之」、あるいは「於」という字とか、いわゆる虚詞（きょし）を入れることによって四音節語にするケースがかなり多かったです。馬先生の話で、四音節語だけじゃなくて、三音節語というのも出てきましたので、教えていただきたいんですが、三音節語と四音節語のちがい、また、わたしは『日本霊異記』だけでなく『日本書紀』も調べてみたのですが、それ以上の音節、五音節とか六音節があるんですが、その場合の時間表現はどのように考えていらっしゃるのか、教えていただければありがたいです。

馬駿　まず漢訳仏典めいた文章に四文字語句が多いということについてですが、中国の学会では三つの説があります。ひとつは『詩経』からの伝統だと。これは四川大学の兪理明（ゆりめい）さんの説です。二つ目は北京大学の朱慶之（しゅけいし）教授で、サンスクリット語ではそういう風になってるのだと。それで中国語に訳すときには四音節が目立つという説です。三つ目は最近の、中国社会科学院の姜南（きょうなん）さんの、原典と俗語との関わりがあるのではないかという説です。要するに、話し言葉の特徴から、それから俗語という面からとらえた場合、まさに朱慶之と相通じるものがあると見ています。それから具体的に上代文学と、とくに『日本霊異記』のなかで四字句が多いというのは、ケースバイケースですが、三音節も結構ありますし、四音節もあります。その場合、その文脈のなかで三音節は前のどのような言葉とかかわっているのか、いろいろと変わってきますので一概にはいえないところがあるかと思います。

全体的にいいますと、わたしが関心をもっているのは、中国の伝統的な文献にでてくる時間表現と漢訳仏典に出てくる時間表現だけじゃないんです。日本人が作り出している四音節『累日経月（ひをかさねてつきをふ）』の漢詩ふうのものは、今まで誰もそれが日本人、上代人が作った時間表現だと気づいていないんです。その場合はどういうシステムで四文字、三文字を作り出してるのかといいますと、助字というのは指示語などがかかわってきますので、それは別のチャンスに譲りたいと思います。以上です。

山口眞琴　時間がまいりましたので、これでシンポジウム「中国仏教と説話文学」をおわりたいと思います。一言だけ申しますと、このテーマだとどうしても中国から日本への影響・受容の考察に終始しがちですが、本来はやはり双方向であるべきだと思います。今回はそうした問題意識が十分共有されていたように感じました。ありがとうございました。

實事求是

ラウンドテーブル1「釈氏源流を読む」

［司会］

張 龍妹（ちょう・りゅうまい）●所属：北京日本学研究センター教授●専門分野：『源氏物語』を中心とした平安仮名文学●主要著書・論文：『源氏物語の救済』（風間書房、二〇〇〇年）、『日本古典文学入門』（外研社、二〇〇六年）、『日本文学　古典編』（高等教育出版社　二〇〇八年）、『今昔物語集　挿絵本』（天竺震旦部の翻訳、本朝部の校訳（共に人民文学出版社、二〇〇八～二〇一九年）など。●現在の研究テーマ：女性の日記文学で、平安・中世の日記文学および朝鮮王朝時代のハングルによる女性の伝記作品の中国語訳を近頃刊行する予定。

河野貴美子（こうの・きみこ）●所属：早稲田大学文学学術院教授●専門分野：和漢比較文学、和漢古文献研究●主要著書・論文：『日本霊異記と中国の伝承』（勉誠社、一九九六年）、『日本「文」学史　A New History of Japanese "Letterature"』第一冊～第三冊（共編著、勉誠出版、二〇一五～二〇一九年）など。●現在の研究テーマ：中国の学術・文化の日本への伝播および受容について研究を進めている。また近年は、「文」の概念に注目した東アジアの学術・文化史の構想や、近代に至る図書分類の変遷をはじめとする書物の体系の歴史についても検討を行っている。

＊本セクションでの質疑については割愛した。

1

『釈氏源流』の伝本をめぐって

小峯和明（こみね・かずあき）

所属：立教大学名誉教授、中国人民大学高端外国専家

専門分野：日本中世文学、東アジア比較説話

主要著書・論文：『説話の森』（岩波現代文庫）、『中世日本の予言書』（岩波新書）、『遣唐使と外交神話』（集英社新書）、『中世法会文芸論』（笠間書院）ほか多数。

現在の研究テーマ：前近代の東アジアの漢字漢文文化圏から中国、朝鮮半島、日本、琉球、ベトナムを対象に共同研究を展開中。環境文学もこれに該当。絵巻を主とする絵画イメージ研究も進行中。

summary

『釈氏源流』は、中国明代の一四二五年、報恩寺の僧宝成の編になる。挿絵付の刊本で一段一頁、仏伝（釈迦の伝記）二百段および天竺から中国への仏法伝来を僧伝形式で語る二百段との全四百段からなる。簡便なスタイルで同時に壮大なスケールを持つことから広く読まれ、幾度も改編され、後代に大きな影響を与え、東アジアにもひろまった（和刻本、朝鮮版、ベトナム版）。すでに述べたことがあるが（『東アジアの仏伝文学』勉誠出版、二〇一七年）、ここではあらたな知見も加えて、以下の系統の伝本について紹介しておきたい。

1．宝成本：上図下文の形式で一段ごとに四字句の表題がつき、文章は十数行で冒頭に出典が明示される。

2．憲宗本：明代の憲宗帝が一四八六年に自ら改編、上図下文を廃し、一段一丁分で表に絵、裏に文章、つまり一段二頁、絵と文章が一頁づつで一セットになる（左図右文）。絵も文章も拡大されて格段に読みやすくなる。序文に唐代の文人王勃の『釈迦如来成道記』をすえる。絵柄は宝成本を継承。

3．『釈迦如来応化事蹟』：清代の永珊親王らが一七九三年あらたに改編、挿絵も全く改訂される。仏伝のみの二百段。

4．『釈迦如来応化録』：江戸期一六四八年の和刻本。絵がなく、章段も出入りがある。仏伝のみの二百八段。この系統が祖本との説もあるが、和刻本以外に伝本なく未確認。

1 『釈氏源流』という刊本

小峯です。わたしの本来の役目はラウンドテーブルの最初の報告でしたが、急遽午前に繰り上げで『釈氏源流』の伝本について報告させていただきます。

『釈氏源流』というテキストは、現在北京を中心にした東アジア古典研究会、今日もメンバーが大勢お集まりいただいていますが、二〇一二年から読書会を継続している作品であります。まだまだ一般的な知名度は低く、研究も非常に少ないので、今後の課題が大きいですが、前近代においては東アジアにかなり広まっており、欧米にもこのテキストは多く伝わっています。

成立は明代の一四二五年、南京の大報恩寺の僧、宝成の編です。前年に有名な永楽帝が亡くなっているので、その追善の意味もあるかと思います。全段に挿絵がついている刊本で、全四百段、漢字四字句の表題がついております。

前半は仏伝、釈迦の伝記が二百段、後半の二百段は天竺から中国に仏教が伝来する過程を僧伝のスタイルで語る、壮大な説話仏教史のテキストです。簡便なスタイルでありながら大きなスケールを持っていて、非常によく読まれた。その証拠に何回も改編されていますし、日本の和刻本、朝鮮版、ベトナム版など、東アジアの〈漢字漢文文化圏〉でも刊行されています。

伝本は大きく四種類に分かれていて、大もととされる宝成本は、一頁一段で絵が上にきて文章が下にくる、いわゆる上図下文の形式、文章が十八行、本文冒頭に出典の表示があります。宝成本と呼んでいます。北京の文物局から出ている複製本を読書会の定本にしていますが、ちょっと刷りが悪いので読みにくいです【図1】。広東の潮州で出版されたもので、潮州本とも呼ばれますが、刊行は宝成の編

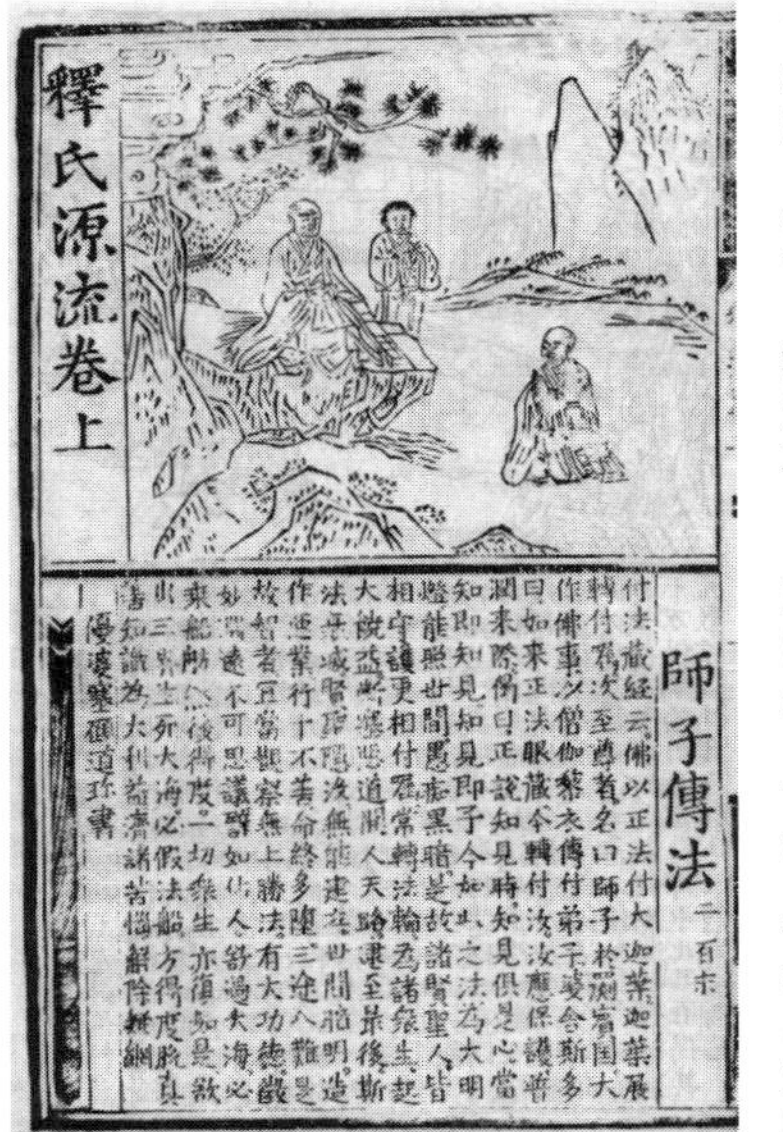
釋氏源流巻上

師子傳法

図1　宝成本　北京市文物局複製本（広東・潮州本）＝読書会の底本

纂より後の十六世紀のものです。中国の研究によると、蘇州の西園寺にある本が原本であると言われていて、根拠はわかりませんが、そう伝えられています。

その数十年後の一四八六年（成化二十二）に明代の憲宗皇帝が自ら改訂本を作る、上図下文形式をやめて、一段一丁分の表裏二面で、絵と文章を配する形です【図2】。その結果、文章が十三行になって、絵も一頁分（半丁）あるので、表現力が増して読みやすくなりました。本文は宝成本と大差ありませんが、絵画のスペースが広がることで図柄が微妙に変化し、より精細になっています。上海の古籍出版社から出た古代版画叢刊の影印版を使っています。一枚の版木で右面に絵がきて左面に文章がくる。製本するときには二つ折りにするので、絵の方が先になってしまい、見開き対称にならない。ちょっと扱いが不便ですが、その後、見開きで見られるように改版されているものもあります。アメリカのワシントン議会図書館には、これに色をつけた本があります。いつ誰がつけたのかわかりません。

もうひとつの特徴は、冒頭の序文に唐代の有名な文人王勃の『釈迦如来成道記』、これも東アジアの〈漢字漢文文化圏〉に広まり、朝鮮、日本、ベトナムでそれぞれ公刊さ

魔王得夢

本行経云。爾時菩薩従於眉間放白毫光。徧照魔王宮殿。翳彼諸魔之光。魔王波旬。於睡眠中。得三十二種悪夢。夢見宮殿震動。忽然失火。墻壁頽落。盡為瓦礫。塵土坌乱。穢悪充満。象馬倒死。鳥羽彫落。泉水枯乾。樹木摧折。身體寒熱。面貌痿黄。咽喉乾噎。喘息不停。衣裳垢膩。天冠墮落。天主號哭。魔軍憂悩。魔子大叫。魔民逃散。刀仗損失。楽器破壊。左右遠離。朋友讐怨。玉女赤露。諸女啼哭。心緒昏乱。恐怖不楽。仙言不吉。神唱不祥。諸方馳走。無處自在。魔王得是不祥之夢。内懐恐懼。心意不安。普喚至一切諸魔眷属。皆令集聚。向説夜夢。所見之事。我應不久。必失此處。恐畏更有大福徳人。来生此處。即名地居諸天諸魔兵衆諸龍夜叉。八部等衆。而教之言。今有釋迦種姓之子。欲取菩提我等相共。至於彼處。斷其如此勇猛之心。勿令取證菩提。

図2　憲宗本　右図左文形式（見開き非対照）　上海古籍出版社刊『古代版画叢刊』影印本

れた比較的短い仏伝で、後半は詩の形式なのでよく読まれたものですが、これを序文に据えて、しかも「釈迦如来応化事蹟」という名前をつけたわけです。これが以後の書名の混乱を招く結果になっていますが、絵の内容は宝成本をだいたい継承していますけれども、いろいろな変化がみられます。一番新しい話題は、一三〇三年、元の大徳七年、『神僧伝』を典拠にしたものです。この系統は憲宗本もしくは成化本と言われます。

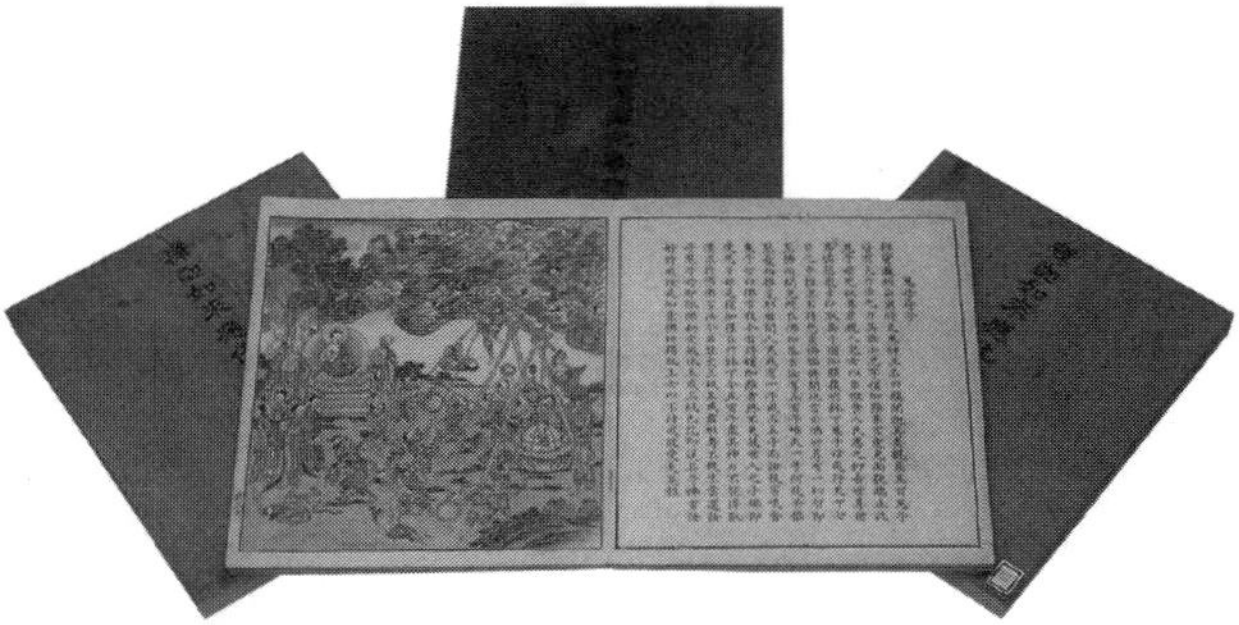

三番目は、清代の永珊親王らが改編本を制作する。これは四種類ぐらい改版されていますが、早いものは一七九三年。それまでの宝成本や憲宗本とはまったく違う形になり、書名も『釈迦如来応化事蹟』に変わります。しかも仏伝だけの二百段で、内容も宝成本の一段を二段に分けたり出入りがあり、本文も異なる段もあり、挿絵も全部大幅に変わっています。この系統には東アジア版はなく、原本そのものがアジアや欧米にもよく広まっています。

ドイツのハイデルベルグ民族博物館に、ばらになったメクリで二十二段分の彩色つきのものがあります。文章と絵はそれぞれ対応して残っています。綺麗な淡彩色で、あれこれ図版に使いたくなるようなものです。それからもう一つ、鈴木彰氏に教わったもので、一九九〇年の東京古典会に出た『応化事蹟』の彩色本があります【図3】。これがどこに行ったのかはわからず、大いに気になるところですが、以上から彩色本は三点あることが知られています。

そして四番目は、日本で正保五年（一六四八）に出版された和刻本で、いくつか版がありますけれども、『釈迦如来応化録』という書名で、仏伝だけの二百八段で宝成本と章段の出入りがかなりあり、この編集過程は複雑でまだ解明できていません。残念ながら挿絵もありません。おそらく絵がないことから、中国の説では、この『釈迦如来応化録』こそが、宝成本より前に成立した原本だとの説があり

図3　『釈迦如来応化事蹟』嘉慶13年（1808）『古典籍下見展観大入札会目録』東京古典会、1990年11月（鈴木彰・示教）

ますが、中国でこの伝本はまだ確認できていないので、佚存書の可能性があります。

2 寺院の壁画にみる『釈氏源流』

それから、中国のお寺には『釈氏源流』を元にした壁画や扁額がたくさんあります。注意して見ていけばまだ知られていないところがたくさんあると思います。一番有名なのは四川省の覚苑寺で、カラーの図版のテキストも出ております。『釈氏源流』をもとにした壁画だというのがわかります。

偶然、わたしが見つけたものもいくつかありまして、山西省大同の千仏寺は、寺の存在自体、知らなかったのですが、たまたま行き会った地元の人が鍵を管理していて案内してくれて、本尊の裏の壁画をよく見たら、なんとこれが『釈氏源流』だったわけで、ほとんど仏縁としか思えない出会いがありました。ただこの絵は新しいもので『釈氏源流』の挿絵とは異なり、四字句のタイトルが共通するので『釈氏源流』をもとにすることがわかったのです。

もう一つ、これも偶然ですが、高兵兵さん主催の西安の西北大学の学会のとき、終南山という西安南郊の道教と仏教の聖地があり、玄奘三蔵の菩提寺である興教寺に行きましたが、ここの臥仏殿の上の扁額、しかも表の新しい額の裏側にそのまま掛かっていたものに、何か字や絵が描いてあり、これがよく見ると『釈氏源流』だったのです。絵が『釈氏源流』そのものかはっきりしませんが、表題は間違いなく『釈氏源流』です。もう表側の額を外して欲しかったですね（笑）。

図４　潭柘寺の壁画『釈氏源流』（2018年６月、撮影筆者）

それから、これは今年の六月に泊まりがけで読書会をやった北京西郊の古刹の潭柘寺の堂の壁画【図４】、明後日の見学で行きますのでぜひご覧ください。非常に新しい絵ですけれど、図柄も表題も明らかに『釈氏源流』です。太子時代の釈迦が象を投げ飛ばす有名な場面がありますね（他に泉州の開元寺、厦門の南普陀寺など）。

それから、中国では『釈氏源流』が何種類も出ていますし、仏伝に関する一般向けの本にも、『釈氏源流』はそれと指示されていなくてもたくさん引用されています。読書会でよく使う注釈付きのものや、英訳本も出ています。研究に関しては、美術史系の研究が主で、一番本格的なのはドイツのハイデルベルグの仏教研究所にいる台湾人の蔡穂玲さんが博士論文をもとに英文で出した本です。この方は経典の研究者です。でも、中国と朝鮮版止まりで欧米や中国の伝本はよく見ていますが、和刻本やベトナム版などは視野に入っていませんので、まだまだこれからですね。

3　東アジアの伝本

次に東アジアを見ていくと、まず朝鮮版でとくに注目されるのが、現在天理大学図書館所蔵の『釈氏源流』【図5】です。上図下文の宝成本系ですが、これは本井牧子さんがすでに紹介していますが、見返しにいっぱい書き込みがあり、『衆経要集金蔵論』を朝鮮で抜き書きしたものです。朝鮮式の訓読記号の吏読がありますので。この本でとくに注目されることに、序文に松雲という僧が日本から持ち帰ったものだとあります。この松雲は、秀吉の朝鮮侵略に抗して義勇軍の指揮官として活躍し、戦後交渉で日本に来て徳川家康とも会見し、数千人の捕虜を奪還したという有名な僧で、滞在中に五山僧と漢詩を交わしている。おそらくそのときにこの本を手に入れて持ち帰り、朝鮮版として出版したようです。ということは、日本にすでに十六世紀には宝成本が伝わっていたことを示しているわけで、それが朝鮮に渡って朝鮮版の元になり、しかも現在は日本の天理にあるという、数奇な運命というか、書物の伝来の不思議さがあると思います。

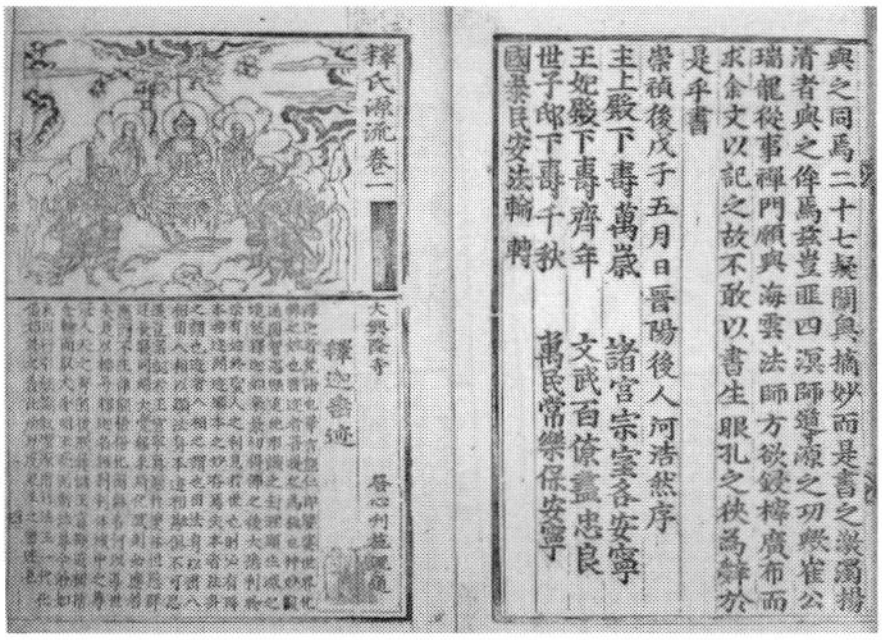

図5　天理本・朝鮮版『釈氏源流』（宝成本系）

この宝成本系の朝鮮版は他にも伝本あり、禅雲寺本と呼ばれています。

それから、ソウル市内にある有名な曹渓寺の博

図6　ソウル市・曹渓寺博物館　憲宗本系『釈氏源流』の版木

物館に、憲宗本系の『釈氏源流』の版木が展示されていて、それを元に刷ったものも展示されております【図6】。朝鮮版の憲宗本系は仏岩寺で刊行されたので仏岩寺本と呼ばれ、版木も現存しているようで、この系統の伝本は多いです。また、朝鮮時代に『釈氏源流』を七十七段ほど抜粋したハングル本の『八相録』が出ている。これはソウルにいる趙恩馤さんが研究していますが、テキストがいろいろあり、訓読の過程でどんどん変化しているようです。

そして和刻本の『釈迦如来応化録』です。『大日本続蔵経』の活字本はこれによっています。スライドは早稲田大学図書館本の見返しですが、この見返しの図が、あとで紹介するベトナム版と同じです。この共通性が面白いですね。わたしはこの四冊本の最後の一冊だけ端本を手に入れたので、ちょっと宣伝で掲げておきました。

あと、台湾の調査も樋口大祐さんたちと一緒に行い、中央図書館や故宮図書館なども案内してもらいましたが、撮影ができないところが多くて、コピーも二、三枚までと制限があり、ちょっとしか資料が集められなかったので、これはまだ未整理状態で充分報告ができません。

4　ベトナムの伝本

今回とくに新しく紹介するのは、ベトナムの『釈氏源流』です。今までふれていなかったものが二点ありまして、一つはベトナム中部の興南省のバッポン寺（BaPhong）というのでしょうか、漢字でどう書くかちょっとわからないんですが、ここに上巻だけの端本の『釈氏源流』がありました。原本は見ていませんが、去年ホーチミンでの学会に行ったときに恵光修院という漢字本をたくさん持っているお寺があって、オワインさんと佐野愛子さんと調査に行ったところ、漢字の読める若い空行という僧が本を整理していて、彼がこのデータを提供してくれました。上巻だけの残欠本で破損がありますが、まさしくこれは宝成本系の『釈氏源流』です。刊記から明らかにベトナムで出版された本であることがわかります。

もう一つはハノイの社会科学院で、ここは日本の蔵書もたくさんあって、国文学研究資料館で調査していますが、ここには『釈迦如来応化事蹟』があります。大版の刷りも保存状態も非常によい本です。文字通りの電覧でしたので、あらためて調査したいと思っています。

それから、先ほどのホーチミンの恵光修院にも『釈迦如来応化事蹟』があって、中版程度ですが、刊記からすると明らかに福建で出版されたものです【図9】。福建とベトナムとのつながりの強さをうかがわせるものです。

それからやはり恵光修院で見つけたベトナムの仏伝である『如来応現図』で興味深いのは、三点あるうちの一点に、折り目の柱（柱刻）の書名がなぜか『釈氏源流』になっているんです。中身はまったく違っていて、ベトナムで独自に作られた漢文本で挿絵付きの刊本なのに、です。なぜ、これが『釈氏源流』になっているのか、わかりません。少なくとも、『如来応現図』がかなり『釈氏源流』の影響下にあったことをうかがわせるということですね。『応現図』の本文は段ごとに行数が異なります。この『如来応現図』は、

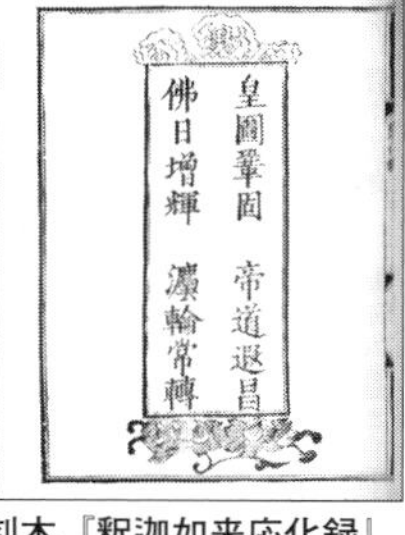
皇圖鞏固　帝道遐昌
佛日增輝　法輪常轉

釋迦如來應化錄上目錄
釋迦垂迹　最初因地
買花供佛　上託兜率
瞿曇貴姓　淨飯聖王
摩耶託夢　樹下誕生
從園還城　仙人占相
大赦修福　姨母養育
往謁天祠　園林嬉戲

図8　早稲田大学蔵・和刻本『釈迦如来応化録』

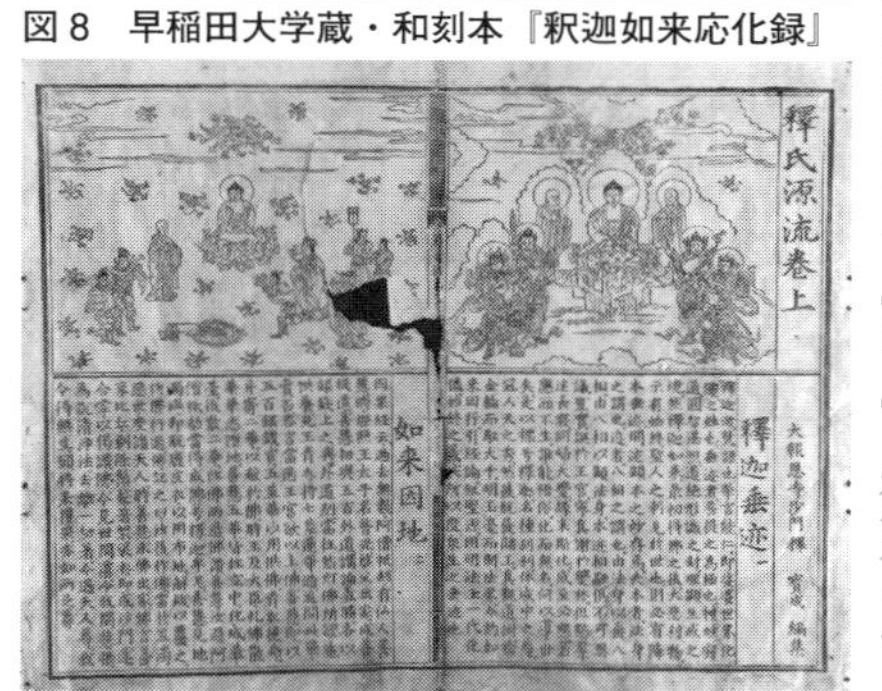

図9　ベトナム興南省・バッポン寺蔵『釈氏源流』

図10　ホーチミン市　恵光修院蔵　福建版『釈迦如来応化事蹟』

恵光修院以外にもハノイの漢喃研究院に善本があり、パリのギメ美術館にあることもわかりましたので七点ぐらい出てきましたが、柱刻に『釈氏源流』とあるのはこの本だけで、他にはないです。

それからもう一つ、ベトナム本はタイのバンコ

クにもあったのです。これはすでに東南アジア史の桜井由躬雄（ゆみお）さんが調査して詳しい目録を出しているんですが、（「在泰京越南寺院景福寺所蔵漢籍字喃本目録」『東南アジア―歴史と文化』八号、東南アジア史学会、平凡社、一九六五年）、ベトナムの華僑の人たちが政治的な問題などがあってタイに移住し、タイ政府がそれを庇護してお寺を作ります。ですからタイのとくにバンコクを中心に、ベトナムのお寺がたくさんあります。そこに漢文の経典や聖教類が入っていたのです。桜井さんの目録を見ると、『釈氏源流』や『釈迦如来応化事蹟』が数点あることがわかりました。実はその前にオワインさんが勤めておられたハノイの漢喃研究院に、そのコピー本があったのを見ていたのです。ベトナムで翻訳された喃字（なんじ）（チュノム）と漢字を混ぜた写本ですが、チュノム交じりの詩の六、八言形式のもので【図11】、一見漢字に見えるが読めない文字は喃字で、四字句の表題からやはり『釈氏源流』であることがわかります。写本には景福寺という寺の名前があり、最初このコピー本を見たとき、てっきり景福寺はベトナムのお寺だと思っていたら、なんとタイのバンコクのお寺だったんですね。見開きの挿図などがさっきの和刻本と一致することがわかります。同じ本だとしたら、『釈迦如来応化録』が中国産でベトナムにも広まっていたことがわかりますが。

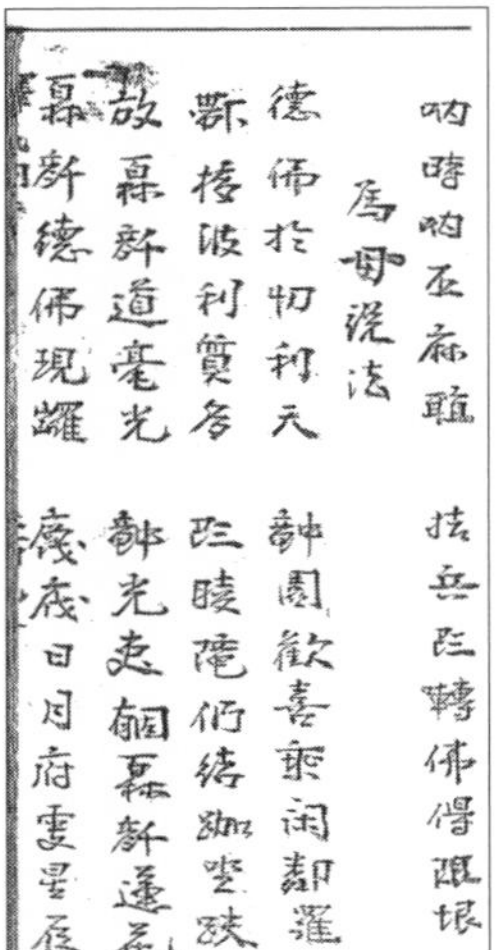

図11　六・八言の詩形式　漢喃研究院蔵コピー本（原本は景福寺蔵）

　バンコクの景福寺に行ってなんとか実物を見たいなと思っていたのですが、南方熊楠（みなかたくまぐす）研究会メンバーで高野山大学出身の神田英昭氏が二年間タイのお寺で修行していたので、今年の二月に同行してもらい、つてを頼ってついにこの景福寺に行くことができました。二階の建物に資料庫があるというので案内してもらいましたが、かなりぞんざいに聖教類が棚に置かれていました。桜井目録ではもっといろいろあるはずですが、点数も少なく、『釈氏源流』もないので、少し落胆しました。

　それで後でわかったのは、なんと桜井さんが調査したときに百点以上も聖教を日本に持ち帰っていたのですね（笑）。つまり現在は京都大学の東南アジア研究所にあるようなのです。桜井目録ができたのは一九六五年ですから、もう五十年以上たってますね。おそらく東南アジア研究所がこれをそのまま放置していて、全然知られていなかった。そして今年になって東南アジア研究所でベトナムの漢文資料の調査報告会が開かれて、初めてこの桜井さんが持ち帰った資料に手がつけられたようで、シンポジウムもありました。わたしは参加できなかったので、人民大学から京都大学に留学している院生に頼んで資料だけ届けてもらったのですが、まだ書誌的なレベルの報告会だったようです。ですからようやく埋もれていた景福寺の資料の再調査が始まった段階のようなのですね。

　それで、せっかくタイまで行ったのに、景福寺には『釈氏源流』がない。ところが、もう諦めて帰ろうかというときに、同行の金英順さんが「これはなんだろう」って、そこにあった厨子(ずし)を何気なく開けたわけです。そうしたら大蔵経の活字本が並んでいて、その上に二つ折りにした疲れ気味の本がある。なんだろうと思って取り出したら、これがなんと『釈迦如来応化事蹟』だったのです【図12】。ほとんどドラマになりそうな話ですが（笑）。ただし、大判の四冊本の最後の四冊目しかない端本ですね。しかも桜井さんの目録と照らし合わせると、どうも合うものがないんです。だからこれは目録に入っていない本の可能性があります。

　もう時間がなかったので、担当のお坊さんがまったく漢字なぞわからないこともあり、持って行っていいと言ったのです（笑）。内心嬉しかったけど、そのままもらってしまったら、ベトナムやタイと日本との友好関係に傷がつくと思って、ひとまず借り出してホテルで撮影して後から返しました。それでこの表の包装紙をはがすと、本表紙があり、刷りがあまりよくないですけれど、明らかに『釈迦如来応化事蹟』の外題で、しかも翠岸寺(すいがんじ)というお寺の蔵書印があって、景福寺に入る以前はそこにあった可能性がある。そして、末尾に福州とあるので、福建版だということもわかります。

図12　景福寺蔵『釈迦如来応化事蹟』（福建版）

　担当のお坊さんに、通訳で同行してくれた日本の服飾を研究しているジィ・ジ

ラーさんが間違いなく本を返してくれたという証拠写真です（笑）【図13】。タイの仏教は戒律が非常に厳しいですから、お坊さんは女性に絶対触ってはいけない。だから調査のときに、同行したわたしの妻も含めて女性が三人いましたが、本を渡すときにこのお坊さんが離れた位置から放り投げるんですよね。なんか大事な本なのにぞんざいに扱うなと思ったら、女性と接触しないためだったのです。そんなこともありました。

図13　バンコク景福寺・書籍担当の僧

5　欧米の伝本

最後に欧米ですが、これはまだ充分調査も進んでいないので、限られた範囲での報告ですが、さきほどの色付きのワシントン議会図書館本はネットで見てるだけで、実際に調査したのはハイデルベルグ民族博物館本やロンドンの大英図書館本などに過ぎません。ちなみに、ハイデルベルグ民族博物館本に関しては、小型のカラー図版付きの解説本も出ておりまして、これはハイデルベルグ大学のメラニー・トレーデさんに送ってもらったものです【図14】。

もう一つには、フランス語訳がかなり早い時期に出ています。抜粋ですけれども、一九一三年に刊行され、そのリプリント版は五十一年に再版されている。パリのコレージュ・ド・フランスの著名な仏教学者ジャン・ノエル・ロベールさんの研究室にうかがったときに、北京で『釈氏源流』を読んでいる話をしたところ、彼がツツと立って書棚に行って、これですかと言って本を出したんですが、それがフランス語訳の『釈氏源流』だったのです。しかも、フランス語と漢文との対訳形式になっていて、漢字書名が『釈迦如来応化録』ですので、おそらく『続蔵経』本を使っているのかと思います【図15】。

それから今年の七月にパリのINALCOで学会があった

とき、ギメの美術館に伊藤信博、伊藤慎吾両氏と調査に行きましたが、ギメの美術館には図書館もあって、ここにも有数のアジアコレクションがあります。司書の長谷川正子さんに仏伝がありますかと何気なく聞いたら、探してきてくれた中に、やはり『釈迦如来応化事蹟』が二点ありました。一つは板の表紙の大判の立派な装幀でしたが、状態が悪く紙がもうぼろぼろになっていました。ついでに言えば、その調査の終わる頃に何気なく紙の箱に入っていた数点の本をパラパラ見ていたら、なんと先にふれたベトナムの『如来応現図』の刊本が一点あったのです（翌年三月に再調査）。

犬も歩けば棒ではなくて、『釈氏源流』に当たるという感じで、まだまだいろいろ出てきますので、継続して調査を続けられればと思います。

『釈氏源流』を含む東アジアの仏伝文学の本格的な研究はようやく始まった段階で、その一つの集約が昨年出た小峯編『東アジアの仏伝文学』の論集（勉誠出版）で、執筆者三十四人で八三〇頁という大著になりましたけれども、読書会を代表して四人が『釈氏源流』や『成道記』について書いています。今回の学会に参加されている多くの方が読書会のメンバーでもあり、続きのラウンドテーブルは、また別の主要メンバーの報告が続きますので、よろしくお願いします。

図14　ハイデルベルグ民族博物館本の紹介本（1967年）

図15　ジャン・ロベール蔵・仏訳本（1951年）

ここでは細かい内容にふれることはできませんでしたが、読書会では翻刻、校異、訓読、語注、出典本文との関係、挿絵の分析、解説という手順で一段づつ読んでいます。出典名に対応しないものや独自文もあり、挿絵も細かく読むと、いろいろ問題が出てきておもしろいです。

この読書会は二〇一二年二月に人民大学で李銘敬さん主催の学会があったのに合わせて、「東アジア古典研究会」を発足して始めたもので、メンバーは中国で日本古典を専攻する中堅・若手が中心で大学院生も多いです。毎月二人が担当し、一人二段づつ読む形式で続いており、前半の仏伝が終わり、後半の中国への仏教伝来に移ったところです。会場は北京の各大学の持ち回りでやっていますが（北京日本学センター、人民大学、清華大学、北京大学、対外経済貿易大学、第二外国語大学等々）、年に一、二回は北京以外でやろうということで、西安や厦門、武夷山、広州、上海、重慶、天津等々でも開いています。つい先週、河南省の河南師範大学に行って講演会と合せてやってきました。今やこの会のグループチャットは八十人を越えています（実際の読書会に来るのは十数人ですが）。関心のある方はぜひご参加いただければと思います。

最後に二〇一二年、人民大学で第一回目の読書会を開いたときの記念すべき写真を挙げておきます【図16】。ということで以上ご報告でした。ありがとうございます。

図16　2012年2月、人民大学にて第一回読書会の様子。

2 『釈氏源流』（仏伝部）の出典について

周 以量（しゅう・いりょう）
所属：首都師範大学文学院教授
専門分野：日本近世文学・中日比較文学
主要著書・論文：「仏教説話と笑話—『諸仏感応見好書』を中心に」（『文学史の時空』笠間書院、二〇一七年）、「義堂周信の読書体験と漢詩文創作」（『日語学習と研究』、二〇一七年）など。
現在の研究テーマ：博物学的視野における文学研究

summary

『釈氏源流』（仏伝部）は二百話からなっている。第一話の「釈迦垂蹟」を除いて、すべての話は典拠が明記されている。その記された典拠は多岐にわたり、六十部近くの経典に及ぶ。これだけ膨大な経典の内容をもとに三百字前後の本文を作るのは非常に難しい。つまり、果たして編者はいちいち経典を繙いて引用したのか、はなはだ疑わしい。話の表現などは原典に近い本文を持つものもあれば、原典とかなりの食い違いが見られるのも多々あるのだ。編者はただ話の原典を明記しただけで、必ずしも直接原典から引いたのではないようである。そこで考えられるのは編者は何か便利なものを使ったのではないかということだ。本発表では、具体的な話を通して、その便利なものとは何かを探り、一方では、編者が原典の表現を変えた創作意識を考えてみたい。

1　『釈氏源流』の出典

周以量です。今日の発表は「『釈氏源流』（仏伝部）の出典について」ということなのですが、さきほど小峯先生からも紹介されましたように、『釈氏源流』は仏伝と僧伝の二部に分けられます。仏伝と僧伝はそれぞれ二百話、あわせて四百話で構成されております。

いま皆さんがご覧になっているスライド（【図1】）は読書会で使われているテキストで、宝成本（一四二五年）です。底本として使っています。今回はこの仏伝部に絞って話を進めていきたいのですが、この仏伝部の二百話は第一話を除けば、すべて編者によって「因果経に曰く」というように、出典が明示されています。この編者によって出された出典が、アテになるかならないかという問題があります。編者が出した典拠は非常に多く、二百話で六十部近くの経典に及びます。

これだけ膨大な経典の内容から、三百字前後の本文を作るのは難しいのではないかと考えています。三百字というのは法要文の体裁で言いますと、半丁、上下二つに分かれて、上段は絵、下段は文というふうになっています。絵と文は同じスペースを占めており、下段の文は十八行からなっています。青の線で十八行。毎行は十六字で、下段のところなのですが、十八×十六で、一話でほぼ二百八十八字、三百字前後となっていることがわかると思います。

さきほど言いましたが、編者はいちいち経典を紐解いて引用したのかは甚だ疑わしい。もちろん話の表現などは原典に近い本文を持つものもあれば、原典とかなり食い違いが見られるものもあります。編者は話の出典を明記をしただけで、必ずしも直接原典を見て引いたのではないように思います。考えられるのは、編者は何か便利なものを使ったのではないかということです。

具体的な話を通して、どんなものを使ったか見ていきたいと思います。まず全体として、『釈氏源流』の「引用一覧表」【表1】を作りました。表は、編者が『釈氏源流』の一話から二百話までの引用で記した経典の名前です。第一話は出典は明記されていません。絵の下の部分の「釈迦垂蹟」というところですが【図1】、「釈迦というものは梵語だ」といい、中国の言葉で言うと「能仁」ということで、釈迦の名前についてまず語っていきます。この一文の三百

表１『釈氏源流』（仏伝部）引用書一覧表

	タイトル	経典名		タイトル	経典名		タイトル	経典名		タイトル	経典名
1	釈迦垂跡	(無)	51	菩薩降魔	本行経	101	貧公見仏	貧窮老公経	151	付嘱国王	仁王般若経
2	如来因地地	因果経	52	成等正覚	普曜経	102	老人出家	賢愚因縁経	152	法華妙典	蓮華経
3	上托兜率	仏本行集経	53	諸天賛賀	普曜経	103	醜女改容	百縁経	153	飯王得病	浄飯王泥洹経
4	瞿曇貴姓	釈迦譜	54	華厳大法	仏華厳経	104	夫人満願	観無量寿仏経	154	仏還観父	浄飯王泥洹経
5	浄飯聖王	因果経	55	観菩提樹	荘厳経	105	鸚鵡請仏	百縁経	155	殯送父王	浄飯王泥洹経
6	摩耶託夢	因果経	56	竜宮入定	本行経	106	悪牛蒙度	百縁経	156	仏救釈種	増一阿含経
7	樹下誕生	本行経	57	林間宴坐	本行経	107	白狗吠仏	中阿含経	157	為母説法	摩訶摩耶経
8	従園還城	本行経	58	四王献鉢	本行経	108	火中取子	経律異相	158	最初造像	造像経
9	仙人占相	本行経	59	二商奉食	本行経	109	見仏生性	経律異相	159	浴仏形像	灌仏経
10	姨母養育	本行経	60	梵天勧請	荘厳経	110	因婦得度	三摩竭経	160	姨母涅槃	仏母般泥洹経
11	往謁天祠	大荘厳経	61	転妙法輪	因果経	111	盲児見仏	越難経	161	請仏入滅	摩訶摩耶経
12	園林嬉戯	本行経	62	度富楼那	本行経	112	老婢得度	観仏三昧経	162	仏指移石	涅槃経
13	習学書数	本行経	63	仙人求渡	本行経	113	観親請仏	法句経	163	嘱分舎利	蓮華面経
14	講演武芸	本行経	64	船師悔責	本行経	114	嘱児飯仏	法句経	164	付嘱諸天	蓮華面経
15	太子灌頂	過去因果経	65	耶捨得度	因果経	115	貸銭辦食	経律異相	165	付嘱竜王	蓮華面経
16	遊観農務	普曜経	66	降伏火竜	因果経	116	老乞遇仏	経律異相	166	請仏住世	大般涅槃経
17	諸王捔力	本行経	67	急流分断	普曜経	117	説苦仏来	法句経	167	天竜悲泣	蓮華面経
18	悉達納妃	因果経	68	棄除祭器	本行経	118	談楽仏至	法句経	168	魔王説呪	大般泥洹経
19	五欲娯楽	本行経	69	竹園精舎	因果経	119	祀天遇仏	法句経	169	純陀後供	大般泥洹経
20	空声警策	本行経	70	領徒投仏	因果経	120	仏度屠児	法句経	170	度須跋陀	涅槃経後分
21	飯王応夢	本行経	71	迦葉求度	因果経	121	度網魚人	法句経	171	仏現金剛	穢跡金剛経
22	路逢老人	本行経	72	仮孕謗仏	処胎経	122	度捕猟人	法句経	172	如来懸記	法住経
23	道見病臥	本行経	73	請仏還国	荘厳経	123	仏化醜児	百縁経	173	最後垂訓	長阿含経
24	路覩死屍	本行経	74	認子釈疑	荘厳経	124	救度賊人	経律異相	174	臨終遺教	仏遺教経
25	得遇沙門	大荘厳経	75	度弟難陀	宝蔵経	125	度除糞人	経律異相	175	荼毘法則	涅槃経後分
26	耶輸応夢	本行経	76	羅睺出家	未曾有因縁経	126	施食縁起	救面然餓鬼経	176	造塔法式	涅槃経後分
27	初啓出家	荘厳経	77	須達見仏	賢愚経	127	目連救母	盂蘭盆経	177	応尽還源	涅槃経
28	夜半逾城	荘厳経	78	布金買地	賢愚経	128	仏救嬰児	観仏三昧経	178	双林入滅	涅槃経後分
29	金刀落髪	荘厳経	79	玉耶受訓	玉耶経	129	金剛請食	宝積経	179	金剛哀恋	金剛力士哀恋経
30	車匿辞還	荘厳経	80	漁人求度	賢愚経	130	鬼母尋子	雑宝蔵経	180	仏母得夢	摩訶摩耶経
31	車匿還宮	荘厳経	81	月光諫父	月光童子経	131	小児施土	賢愚因縁経	181	昇天報母	摩訶摩耶経
32	詰問林仙	因果経	82	申日毒飯	月光童子経	132	楊枝浄水	請観音経	182	仏母散花	摩耶経
33	勧請回宮	因果経	83	仏化無悩	賢愚因縁経	133	採花献仏	採花違王経	183	仏従棺起	摩耶経
34	調伏二仙	因果経	84	降伏六師	賢愚因縁経	134	燃灯不滅	賢愚因縁経	184	金棺不動	涅槃経後分
35	六年苦行	普曜経	85	持剣害仏	宝蔵経	135	造幡供仏	百縁経	185	金棺自挙	涅槃経後分
36	遠餉資糧	因果経	86	仏救尼犍	雑宝蔵経	136	施衣得記	賢愚因縁経	186	仏現双足	処胎経
37	牧女乳糜	因果経	87	初建戒壇	戒壇図経	137	衣救竜難	海竜王経	187	凡火不燃	涅槃経後分
38	禅河澡浴	荘厳経	88	敷宣戒法	梵網経	138	説呪消災	消災経	188	聖火自焚	涅槃経後分
39	帝釈献衣	荘厳経	89	姨母求度	中本起経	139	証明説呪	大悲経	189	均分舎利	処胎経
40	詣菩提場	荘厳経	90	度跋陀女	本行経	140	竜宮説法	大雲輪請雨経	190	結集法蔵	処胎経
41	天人献草	本行経	91	再還本国	宝積経	141	天竜雲集	大集経	191	育王起塔	阿育王伝
42	竜王讃嘆	本行経	92	為王説法	宝積経	142	仏賛地蔵	地蔵十輪経	192	育王得珠	阿育王伝
43	坐菩提座	荘厳経	93	仏留影像	観仏三昧経	143	勝光問法	勝光経	193	迦葉付法	付法蔵経
44	魔王得夢	本行経	94	度諸釈種	観仏三昧経	144	維摩示疾	維摩詰経	194	迦葉入定	阿育王経
45	魔子諫父	本行経	95	降伏毒竜	観仏三昧経	145	文殊問疾	維摩詰経	195	商那受法	付法蔵経
46	魔女妶媚	本行経	96	化諸淫女	観仏三昧経	146	金鼓懺悔	金光明経	196	毱多籌室	付法蔵経
47	魔軍拒戦	本行経	97	阿難索乳	乳光仏経	147	楞伽説経	楞伽経	197	蜜多持幡	付法蔵経
48	魔衆拽瓶	雑宝蔵経	98	調伏酔象	法句経	148	円覚三観	円覚経	198	馬鳴辞屈	付法蔵経
49	地神作証	本行経	99	張弓害仏	雑宝蔵経	149	楞厳大定	楞伽経	199	竜樹造論	付法蔵経
50	魔子懺悔	本行経	100	仏化廬志	経律異相	150	般若真空	法宝標目	200	獅子伝法	付法蔵経

字前後の話の出典は何かというと、おそらくまだわかっていません。しかし、そのあとの百九十九話は、すべて編者によって経典の出自、つまり引用情報が明記されています。

ここで注意したいのは、たとえば、第三話は『仏本行集経』と記されていますが、第七話からは『本行経』と略称で記しています。これらは同じ本ですが、『仏本行集経』という名前は一回しか出てこず、『本行経』という名前は三十三回も出てきます。これは、最初に仏典の名前をフルネームで出して、そのあと省略した形で記したのかと言いますと、そうではないようです。たとえば、第十一話の『大荘厳経』は、二十七、二十八、二十九、三十、三十一話では『荘厳経』となっています。しかし、これらはおそらく同じ経典だと思います。そして二十五話も『大荘厳経』となっています。

ですから、これは編者である宝成の勝手な引用書の使い方ではないかと思われます。このように百九十九話まですべて出典が記されています。

もう一つの表で、引用数の回数を作りました【表2】。たとえば、『本行経』は『仏本行集経』のことですが、三十三回引用していて、三十三話あるということです。二番目に多いのは『因果経』で十五回、三番目は『荘厳経』で十三回。四番目は『法句経』で九回。『涅槃経後分』は八回。『経律異相』は七回。それから『付法蔵経』も七回。それから六回利用したのは三つありまして、『賢愚因縁経』『観仏三昧経』『蓮華面経』です。以下、五回引用したのは二つで、四回は三つ、三回は四つで、二回は六つです。二十六番の『釈迦譜』からすべて一回しか経典を引用していません。二十七番を見ていただきたいと思います。『仏本行集経』は『本行経』ですが、僕はあえてここで編者の『本行経』の下ではないのですが、あとでまた見ますが、三十

図1　釈迦垂跡（釈氏源流）（『釈氏源流』中国書店、1993年より）

表2 『釈氏源流』（仏伝部）引用書回数一覧表

	経典名	タイトル	話数
1	本行経	7. 樹下誕生	33
		8. 従圓還城	
		9. 仙人占相	
		10. 姨母養育	
		12. 園林嬉戯	
		13. 習学書数	
		14. 講演武芸	
		17. 諸王捔力	
		19. 五欲娯楽	
		20. 空声警策	
		21. 飯王応夢	
		22. 路逢老人	
		23. 道見病臥	
		24. 路覩死屍	
		26. 耶輸応夢	
		41. 天人献草	
		42. 竜王讃歌	
		44. 魔王得夢	
		45. 魔子諫父	
		46. 魔女妶媚	
		47. 魔軍拒戦	
		49 地神作証	
		50. 魔子懺悔	
		51. 菩薩降魔	
		56. 竜宮入定	
		57. 林間宴坐	
		58. 四王献鉢	
		59. 二商奉食	
		62. 度富楼那	
		63. 仙人求渡	
		64. 船師悔責	
		68. 棄除祭器	
		90. 度跋陀女	
2	因果経	2. 如来因地	15
		5. 浄飯聖王	
		6. 摩耶託夢	
		18. 悉達納妃	
		32. 詰問林仙	
		33. 勧請回宮	
		34. 調伏二仙	
		36. 遠餉資糧	
		37. 牧女乳糜	
		61. 転妙法輪	
		65. 耶捨得度	
		66. 降伏火竜	
		69. 竹園精舎	
		70. 領徒投仏	
		71. 迦葉求度	
3	荘厳経	27. 初啓出家	13
		28. 夜半逾城	
		29. 金刀落髪	
		30. 車匿辞還	
		31. 車匿還宮	
		38. 禅河澡浴	
		39. 帝釈献衣	
		40. 詣菩提場	
		43. 坐菩提座	
		55. 観菩提樹	
		60. 梵天勧請	
		73. 請仏還国	
		74. 認子釈疑	
4	法句経	98. 調伏酔象	9
		113. 勧親請仏	
		114. 嘱児飯仏	
		117. 説苦仏来	
		118. 段楽仏至	
		119. 祀天遇仏	
		120. 仏度屠児	
		121. 度網魚人	
		122. 度捕猟人	
5	涅槃経後分	170. 度須跋陀	8
		175. 荼毘法則	
		176. 造塔法式	
		178. 双林入滅	
		184. 金棺不動	
		185. 金棺自挙	
		187. 凡火不燃	
		188. 聖火自焚	
6	経律異相	100. 仏化廬志	7
		108. 火中取子	
		109. 見仏生信	
		115. 貸銭辦食	
		116. 老乞遇仏	
		124. 救度賊人	
		125. 度除糞人	
7	付法蔵経	193. 迦葉付法	7
		195. 商那受法	
		196. 毱多籌室	
		197. 蜜多持幡	
		198. 馬鳴辞屈	
		199. 竜樹造論	
		200. 獅子伝法	
8	賢愚因縁経	83. 仏化無悩	6
		84. 降伏六師	
		102. 老人出家	
		131. 小児施土	
		134. 燃灯不滅	
		136. 施衣得記	
9	観仏三昧経	93. 仏留影像	6
		94. 度諸釈種	
		95. 降伏毒竜	
		96. 化諸淫女	
		112. 老婢得度	
		128. 仏救嬰児	
10	蓮華面経	163. 嘱分舎利	6
		164. 付嘱諸天	
		165. 付嘱竜王	
		167. 天竜悲泣	
		168. 魔王説呪	
		169. 純陀後供	
11	普曜経	16. 遊観農務	5
		35. 六年苦行	
		52. 成等正覚	
		53. 諸天賛賀	
		67. 急流分断	
12	百縁経	103. 醜女改容	5
		105. 鸚鵡請仏	
		106. 悪牛蒙度	
		123. 仏化醜児	
		135. 造幡供仏	
13	雑宝蔵経	48. 魔衆拽瓶	4
		86. 仏救尼犍	
		99. 張弓害仏	
		130. 鬼母尋子	
14	処胎経	72. 仮孕謗仏	4
		186. 仏現双足	
		189. 均分舎利	
		190. 結集法蔵	
15	摩訶摩耶経	157. 為母説法	4
		161. 請仏入滅	
		180. 仏母得夢	
		181. 昇天報母	
16	浄飯王泥洹経	153. 飯王得病	3
		154. 仏還観父	
		155. 殯送父王	
17	賢愚経	77. 須達見仏	3
		78. 布金買地	
		80. 漁人求度	
18	宝積経	91. 再還本国	3
		92. 為王説法	
		129. 金剛請食	
19	阿育王伝	191. 育王起塔	3
		192. 育王得珠	
		194. 迦葉入定	
20	大荘厳経	11. 応謁天祠	2
		25. 得遇沙門	
21	宝蔵経	75. 度弟難陀	2
		85. 持剣害仏	
22	月光童子経	81. 月光諫父	2
		82. 申日毒飯	
23	維摩詰経	144. 維摩示疾	2
		145. 文殊問疾	
24	摩耶経	182. 仏母散花	2
		183. 仏従棺起	
25	涅槃経	162. 仏指移石	2
		177. 応尽還源	
26	釈迦譜	4. 瞿曇貴姓	1
27	仏本行集経	3. 上托兜率	1
28	過去因果経	15. 太子灌頂	1
29	未曾有因縁経	76. 羅睺出家	1
30	仏華厳経	54. 華厳大法	1
31	玉耶経	79. 玉耶受訓	1
32	戒壇図経	87. 初建戒壇	1
33	梵網経	88. 敷宣戒法	1
34	中本起経	89. 姨母求度	1
35	乳光仏経	97. 阿難索乳	1
36	貧窮老公経	101. 貧公見仏	1
37	観無量寿仏経	104. 夫人満願	1
38	中阿含経	107. 白狗吠仏	1
39	三摩竭経	110. 因婦得度	1
40	越難経	111. 盲児見仏	1
41	救面然餓鬼経	126. 施食縁起	1
42	盂蘭盆経	127. 目連救母	1
43	請観音経	132. 楊枝浄水	1
44	採花違王経	133. 採花献仏	1
45	海竜王経	137. 衣救竜難	1
46	大悲経	139. 証明説呪	1
47	消災経	138. 説呪消災	1
48	大雲輪請雨経	140. 竜宮説法	1
49	大集経	141. 天竜雲集	1
50	地蔵十輪経	142. 仏賛地蔵	1
51	勝光経	143. 勝光問法	1
52	金光明経	146. 金鼓懺悔	1
53	楞伽経	147. 楞伽説経	1
54	圓覚経	148. 圓覚三観	1
55	楞厳経	149. 楞厳大定	1
56	法宝標目	150. 般若真空	1
57	仁王般若経	151. 付嘱国王	1
58	蓮華経	152. 法華妙典	1
59	増一阿含経	156. 仏救釈種	1
60	造像経	158. 最初造像	1
61	灌仏経	159. 浴仏形像	1
62	仏母般泥洹経	160. 姨母涅槃	1
63	大般涅槃経	166. 請仏住世	1
64	穢跡金剛経	171. 仏現金剛	1
65	法住経	172. 如来懸記	1
66	長阿含経	173. 最後垂訓	1
67	仏遺教経	174. 臨終遺教	1
68	金剛力士哀恋経	179. 金剛哀恋	1
			199

三回プラス一回で、三十四回『本行経』を引用したということになります。

これは編者の記した出典の経典名だけですと、二十六から六十八までは、経典から引用した話は一回だけです。全部で百九十九ですね。この表を見ればわかるように、『釈氏源流』の仏伝部の百九十九話は、六十三部の経典を引用しているように見受けられますが、先ほど申し上げました通り、『本行経』と『仏本行集経』は同じ本なので、この表では区別していません。ですから六十三より少なくなり、だいたい六十部くらいの経典を引用していることがわかると思います。

2　何を利用したのか

次に、これだけ多くの経典を利用して、三百字前後の文章を構成していることを、どう考えればいいのかが問題になると思います。つまり六十三部の経典で、内容の膨大なものは少なくありません。編者が経典をそのまま利用している場合もあれば、直接を利用するのは難しいのではないかと思われるところもあります。

たとえば、六十四話の「船師悔責（せんしかいせき）」という話なのですが【図2】、最初に「本行経に曰く」と出典を明記してから話が進んでいきます。そこで、その出典と対照してみます。「本行経」というのは『仏本行集経』のことで、下線をつけたのは、『釈氏源流』の本文と一致したところです。傍線で示したのは、たとえば、「河水暴漲、平流弥岸。世尊欲度」という表現ですが、原典にはない言葉で、ここでは川の水

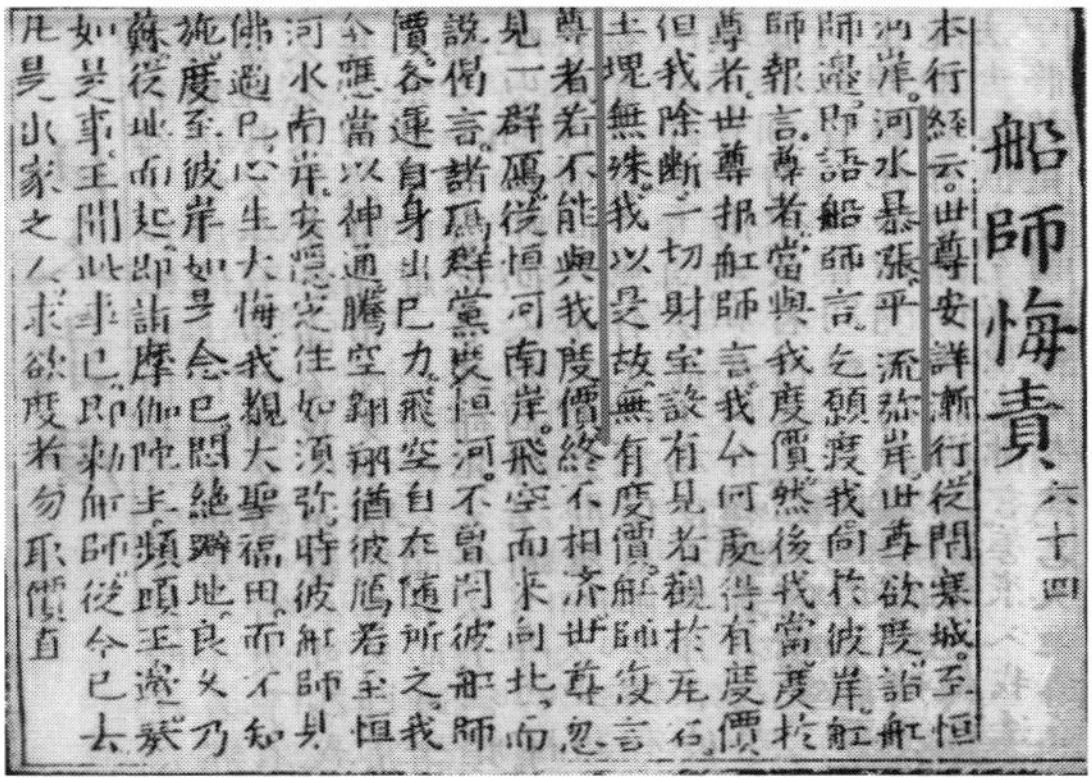
船師悔責　六十四

本行經云。世尊安詳漸行。從閻寒城。至恒河岸。河水暴漲。平流弥岸。世尊欲度。詣船師邊。即語船師言。乞願渡我向於彼岸。船師報言。尊者當與我度價。然後我當度於尊者。世尊報船師言。我今何處得有度價。但我除斷一切財寶。設有見者觀於瓦石。土塊無殊。我以是故無有度價。船師復言。尊者若不能與我度價。終不相濟。世尊忽見一群鴈從恒河南岸。飛空而來向北。而說偈言。諸鴈群黨度恒河。不曾問彼船師價。各運自身出己力。飛空自在隨所之。我今應當以神通。騰空翱翔猶彼鴈。若至恒河水南岸。安隱定住如須弥。時彼船師見佛過已。心生大悔。我覩大聖福田。而不知施度。至彼岸。如是念已。悶絶躃地。良久乃蘇。從地而起。即詣摩伽陀主頻頭王邊。訴如是事。王聞此事已。即勅船師。從今已去凡是出家之人。求欲度者。勿取價直

図２　船師悔責（釈氏源流）（『釈氏源流』中国書店、1993 年より）

が漲（みなぎ）って、岸まで流れていくとあります。これは仏経の言葉ではなく、俗語です。編者が自分で作ったのだろうと考えています。

それから、次の「尊者若不能与我度価、終不相済」の「若不能」という表現なのですが、原典ではたとえば「若能」とか、否定と肯定の表現の食い違いがあります。おそらく編者が勝手に変えたところでしょう。

【表2】で示したように、『本行経』からの引用がもっとも多くて三十三回、『仏本行集経』を入れて考えれば三十四回になりますが、『釈氏源流』の中では一番多く利用している経典ですので、編者はこの経典を直接利用しているとわたしは考えています。

それから、直接経典を利用するのではなく、ほかの典籍からの利用ではないかと考えられる話もあります。そこで編者は何を使ったかということですが、一話を例として挙げておきました【表3】。「度弟難陀」という、第七十五段の話です。出典として、編者は「宝蔵経に曰く」としています。また対照してみます。左側は『釈氏源流』の翻字です。①～⑥まで番号を振っていますが、ここで右側のところを見ていきますと、①、②、③、④、⑤の網かけしたところと、原典の網かけしたところを見ると、ほとんど同じ表現です。右側の引用はどこからきたかといいますと、これは『法苑（ほうおん）珠林（じゅりん）』です。編者は『法苑珠林』のような類書を使ったのではないかと想定して、このような対照表を作ったのです。話の後の部分ですが、『法苑珠林』の巻二十二の入道災第十三、引証部第四の話と、網かけのところは、ほとんど同じだということがわかっていただけると思います。『釈氏源流』（仏伝部）の二百話すべてを調べたわけではないので、『法苑珠林』をどれくらい利用したのか、まだわかりません。こうした類書を使ったと、わたしは推測しています。

先ほど【表2】であげました、一回しか利用していない経典は四十三部あります。計算によって少し食い違いが出てくるかもしれませんが、四十部くらいは『法苑珠林』のような類書を使ったのではないかと思われます。わたしの発表は以上です。どうもありがとうございました。

表3 「度弟難陀」本文と『法苑珠林』本文との対照

「度弟難陀」（第75話）『釈氏源流』	『法苑珠林』
宝蔵経云。①仏至難陀舎乞食。②難陀作礼。③取鉢盛**飯**奉仏。④仏不受鉢。随仏至精舎。⑤仏**A逼**難陀剃**頭**。⑥難陀恒欲還家。仏不聴許。⑦待仏出去。⑧異道而**帰**。⑨仏即異道而来。⑩遙見仏来。⑪大樹後蔵。仏即挙樹在空。⑫仏見難陀。将還精舎。⑬仏将難陀至忉利天上。⑭遍諸天宮観看。見一宮中。有**諸**天女。無有天子。⑮難陀**遂**問。何以此宮。独無天子。⑯答言。難陀出家命終。当生於此天宮。⑰難陀便欲即住。⑱天女**告**言。我等是天。汝今是人。還舎人寿。更生此間。⑲仏将難陀。複至地獄。⑳見諸鑊湯。悉皆煮人。唯見一鑊。炊沸空停。㉑難陀即問。㉒獄卒答言。難陀以出家功徳。当得生天。以欲罷道。命終堕此地獄。是故我今炊鑊而待。㉓難陀恐怖。畏獄卒留。㉔即作是言。南無仏陀。願仏擁護。将我還至精舎。㉕仏語難陀。汝勤持戒。修汝天福。㉖難陀答言。不用天生。唯願我**莫**堕此地獄。㉗仏**与**說法。三七日中。成阿羅漢。	①仏在迦毗羅衛国、入城乞食。……②難陀即出、見仏作礼、③取鉢向舎、盛**食**奉仏、④仏不為取。……至尼拘屡精舎、⑤仏即敕剃髪師与難陀剃**髪**。難陀不肯、……仏共阿難自至其辺、⑥難陀畏故、不敢不剃。雖得剃髪、恒欲還家、仏常将行、不能得去。……⑦待仏衆僧都去之後、我当還家。……即出僧房而自思惟：仏必従此来、我則従彼⑧異道而**去**。⑨仏知其意、亦従異道来。⑩遙見仏来、至⑪大樹後蔵。樹神挙樹在虚空中、露地而立。⑫仏見難陀将還精舎、……⑬仏複将至忉利天上、⑭遍諸天宮而共観看、見諸天子与諸天女共相娯楽。見一宮中有**五百**天女、無有天子。尋来問仏、仏言：汝自往問。⑮難陀**往**問：諸宮殿中尽有天子、此中何以独無天子耶？諸女⑯答言：閻浮提内仏弟難陀、仏**A逼**使出家。以出家因縁、命終当生於此天宮、為我天子。⑰難陀答言：即我身是。便欲即住。⑱天女**語**言：我等是天、汝今是人。人天路殊、且還舎人寿、更生此間、便可得住。……⑲仏将難陀複至地獄、⑳見諸鑊湯、悉皆煮人、唯見一鑊、炊沸空停。怪其所以而来問仏、仏告之言：汝自往問。㉑難陀即往問㉒獄卒言：諸鑊尽皆煮治罪人、此鑊何故空無所煮？答言：閻浮提内有如来弟子、名為難陀。以出家功徳、当得生天。以欲罷道因縁之故、天寿命終、堕此地獄。是故我今炊鑊而待難陀。㉓難陀聞已恐怖、畏獄卒留、㉔即作是言：南無仏陀。唯願将我擁護還至閻浮提内。㉕仏語難陀：汝能勤持戒修汝天福不？㉖難陀答言：不用生天、今唯願我不堕此獄。㉗仏**為**說法、**一**七日中成阿羅漢。諸比丘歎言：世尊出世、甚奇甚特。………………【巻二十二　△入道災第十三　▲引證部第四】

RUC80
1937-2017
中国人民大學
建校八十周年

3 儒教説話「以豆自検」の源流考——「麹多籌算」を読む

何衛紅（か・えいこう）

所属：北京外国語大学教授

専門分野：日本古典文学・比較文学

主要著書・論文：「人麻呂歌集七夕歌における『月人をとこ』」（『神戸松蔭女子学院大学研究紀要文学部篇』4、二〇一五年）、「七夕歌の発生—人麻呂歌集七夕歌の再考」（『アジア遊学』百九十七号、勉誠出版、二〇一六年）、「女性仏道修行者の出家と焼身—東アジア仏教最初期の一考察」（『アジア遊学』二百七号、勉誠出版、二〇一七年）など。

現在の研究テーマ：漢字・漢文・仏教・儒教によってつながった地域文化という視点で中国・日本の古典を探ることを研究の方向としている。

summary

『釈氏源流』には「毱多籌算」（百九十六段）という説話が収められている。毱多が商那和修尊者により、悪念を消す方便として、黒い小石と白い小石を籌算に用いて悪念と善心をはかることを教えられ、そのとおりしてみたら、「初黒偏多白者鮮少」（初め、黒が偏に多く、白き者が鮮少なし）ではあるが、七日目になると、黒い小石がなくなり、白い小石のみになったという話である。主人公が異なり、籌算も豆に取り替えられているが、「仁」をなすための方便を教える儒教説話「以豆自検」（いとうじけん／まめをもってじけん）が中国では今でもよく知られている。両者の関連性に関する考察を発表する。

1　『釈氏源流』の「毱多籌算」

北京外国語大学の何衛紅と申します。わたしは上代文学、主に『万葉集』と中国文学との関係を専門としておりまして、この『釈氏源流』の読書会のおかげで説話文学の勉強も少しさせていただいております。今日は『釈氏源流』の百九十六段「毱多籌算」の話なのですが、これはすでに読書会で発表されたもので、わたしが担当したものではありません。これからの話は、当時の担当者の発表を聞いて気になって調べたものを報告します。

まず、「毱多籌算」の話について解説します。この話は『付法蔵経』を出典とする話です。『付法蔵経』はよく知られる『付法蔵因縁伝』のことです。「籌算」は算木を使う代数術のことです。

話は前段と後段からなっていると考えていいと思います。前段では尊者・阿難が商那和修に仏法を伝え、その布教を託した際、「われが滅度したのち、優婆毱多が大饒益を興し、無量の衆生を教化することになる。汝は毱多を出家させるべきだ。もし涅槃に入るとき、法蔵を付嘱せよ」と言った。後段では商那から説法を聞いた毱多は、さらに悪念を消す方便として、算木の替わりに黒い石と白い石を用いて、悪念と善念をはかることを教えられる。その通りにしてみたところ、最初は黒い石（悪念）が多く、白い石（善念）が少ないが、七日目になると、黒い石がなくなり、白い石のみになったという話です。

原典の『付法蔵経』は、商那和修から優婆毱多への法蔵付嘱の話なのですが、この『釈氏源流』では、主に題名が示しているように、悪念を消す方便としての籌算に重きが置かれています。この話は中国では現在あまり知られていません。

いまの話の内容を理解していただくために、挿絵も見ていきたいと思います。小峯先生からも紹介があった、宝成本の挿絵です【図1】。右手は尊者・阿難で、真ん中は商那和修、左側は優婆毱多の幼い頃です。つまり、ここでは二つの場面が一枚に描かれています。似たようなもので憲宗本ではカラー版になっています【図2】。

図１　「稛多籌算」（宝成本挿絵）（『釈氏源流』北京市：中国書店、1993 年より）

図２　「稛多籌算」（憲宗本挿絵）（『釈氏源流応化事跡』アメリカ議会図書館蔵）

2　現在知られている類話

籌算に重きが置かれている『釈氏源流』の話ですが、いま中国では似たような話が民間でも知られています。ただ籌に使われているのは、石ではなく豆です。この話の出典は、北宋時代の儒教説話です。主人公は趙叔平（チャオシューピン）という人で、これは処世思想の話です。時間の関係で要所だけ説明します。

一つは正心克己（せいしんこっき）（心を正しくして、自分の感情・欲望・邪念などにうちかつこと）を重んじること。この人は普段からずっと克己を重んじる。克己心の修養を重んじる人です。

それから、絶えず私心雑念を解き除く。そのような人なので、誰かに教えられることもなく、自分で白い豆と黒い豆を使って、心の善悪の割合をはかるようにしているという話です。話の後半ですが、これもやはり克己心の修養がポイントになっていると思います。

最後ですが、ここも善心、ここでは善念のことだと思いますが、善念に対して、「悪念」ではなく「私心雑念」ということです。これについて解説しますが、出典は二〇一

○年に出版された本で、『中庸処世哲理論故事全知道』、つまり、儒教の処世の故事を集めた本です。その第二章、「修身以道 修道以仁」（道をもって、修身す、仁をもって、修道す）という中庸の話として収められています。

まとめると、主な内容は、北宋の趙叔平が幼い頃から勉学に励んで、見事に進士（中国で隋代〈六〇〇頃〉から清代末〈一九〇五〉まで続いた高等官資格試験制度「科挙」の及第者。競争が激しく、及第するのがきわめて困難であったため、進士となることは人生最大の幸福とされた）に及第したあとの日々も、克己心を修養しています。正心克己のために、黒豆と白豆を籌に用いて、心の善悪割合を計ります。ここでは善悪と使っているのですが、この話では価値観が混乱しているような気がします。

善は仏教の善ですが、善に対して悪があまり使われておらず、主に「私心」や「雑念」、「心雑念」という言葉が使われています。一日目の黒豆と白豆の割合を見たとき、克己心の修養の不足を実感したとあります。悪念ではなく、克己心の修養の不足です。それで毎日、豆をもって善念と私心の割合を計り続けます。最後は私心雑念がなくなり、善念のみとなった、という話です。

構成的には『釈氏源流』の「毱多籌算」にかなり似ているのですが、ここでは黒豆と白豆を用います。籌算は私心を消すための方便です。この二つの話の関係性について気になって調べたのですが、根拠になるようなものがありませんでした。

いま紹介した説話は最近出版された本に見えるものです。主人公は北宋の人で、おそらく話としてはまったくの虚構ではないと思います。ただ、現段階では出典が不明です（補足：発表後に分かったことだが、この儒教説話の原典は宋の黎靖徳が南宋の儒学者朱熹と門弟との問答を整理し、部門ごとに編纂した『朱子語類』である）。

3 「石」から「豆」への変化

右の儒教説話は北宋時代のことで、『釈氏源流』は明の時代に作られたものです。ただ、出典は『付法蔵因縁伝』で、北宋の趙叔平の話よりもっと古い時代の原典になります。とくに豆と石の相違ですが、『釈氏源流』のほうは表現は若干改作があるのですが、だいたい原典と同じような内容となっています。原典でも黒石や白石、善念と悪念です。

またこの『付法蔵因縁伝』ですが、北魏の時代、吉迦夜（けかや）(Kekaya) と当時の僧、曇曜（よくよう）が訳したもので、この時代から方便としての籌算は、やはり黒石と白石です。儒教の説話になってなぜ黒豆と白豆になったのか、現段階ではわかりません。仏教の善悪のかわりに、儒教説話では悪ではなく、私心などになっていることは、儒教の説話ですから当たり前だと思います。それから豆と石のことが少し気になっているのですが、一つ面白い資料が見つかりました【資料3】。

これは現代のバージョンですが、『付法蔵因縁伝』と『釈氏源流』の「籌算」と違います。どちらに似ているかというと、儒教説話のほうに似ています。

まず、現代バージョンの話の最初のところでは、仏典の中にはこのような経文があると述べているのですが、その内容を見ますと原典の『付法蔵因縁伝』と全然違う内容です。まず話の前段では、阿難や商那和修が登場していません。つまりこの話は法蔵付嘱と全然関係ないのです。

ここで登場するのは、優婆掬提（うばきくた）、掬提（きくた）、比丘（びく）ですが、おそらくこれは商那和修のことを言っています。もう一つ、原典と異なるのは、優婆毱多のお父さんに頼まれて、この商那和修が優婆毱多を済度することに決めたという話です。

資料3　「毱多籌算」の現代バージョン

在佛典中有一段经文阐述，有一位叫掬提的生意人，为人老实，而且信仰佛法。他的儿子优婆掬提，很有善根且富有智慧。当优婆掬提年龄渐长，掬提居士就将自己开设的一家店交由儿子接管，他则专心修学佛法。有一天，掬提居士对一位已证得罗汉果的比丘说：「尊者！我很期待儿子能进入佛门、修学佛法。」比丘说：「很难得你有这分心，我会让他有机会接近佛、法、僧。」互相承诺后，比丘就到优婆掬提的店里随缘度化，应用智能解说佛陀的教法。优婆掬提听闻佛法后深感欢喜，有如甘露灌顶般；他问比丘说：「我要如何才能进入佛门？　如何真正修行呢？」比丘说：「你要照顾好你的心。心念如果能达到善良、慈爱与平静的境界，就是修行了。」优婆掬提说：「这无形无影的心念，要如何照顾？又该如何证明哪一心念是好的？　哪一心念是不好的？」比丘回答说：「你可用黑豆和白豆，来试验心中的善念或恶念。一天中若起善念，就放一粒白豆；如果生起一恶念，就放一粒黑豆。黑豆减少、白豆增加，表示善念升高了；白豆减少，就表示恶念、烦恼增加了。」尔后，优婆掬提按照比丘的教法，把他的店当成道场，好好照顾自己的心。（中略）优婆掬提精进的心，终于使黑豆的数量由多渐少，甚至完全消失。http://www.xuefo.net/nr/article16/156968.html 学佛网 / 法师开示 2013/6/30 11:38:00　http://www.tlfjw.com/xuefo-586617.html 通灵佛教网 / 般若文海 / 修学指导

話の後半は籌算のことですが、ここでの籌算は善念と悪念の割合を計る方便なのですが、原典の黒石と白石ではなく、儒教説話と同じ黒豆と白豆になっています。

この三つの話の関係をどう考えればいいのかわからないのですが、わたしの考えでは、籌として使われているのは、石から豆になったのですが、それだけではなく、籌に用いて測ったものも善念、悪念からいわゆる私心を測ることに変わりました。『釈氏源流』では人物は優婆毱多です。それから主人公の優婆毱多が置かれている状況が違います。尊者・阿難に滅度後の付法蔵の対象とみなされて、商那和修から正法を付嘱することになるという状況に置かれています。商那和修に教わった通り、善悪の念が起こると小石を投じるという行動があります。その心理変化は大体同じなのですが、『釈氏源流』では最後は「善念が已に盛なり、初果を得るに逮る」となります。

儒教説話のほうでは北宋時代の人物の置かれている状況が異なり、勉学に励んで見事に進士に及第した。自ら日々克己心を修養している。他人と全然関係ありません。心理変化は『釈氏源流』にも似ているのですが、ここでは主に克己心の修養に重点が置かれています。その話の最後は私心雑念がなくなることがポイントになっています。

以上まとめれば、仏教説話の影響で、儒教説話が作られて、さらに仏教説話が儒教説話の影響を受けて新しく作り変えられたということになるかと思います。ありがとうございました。

※本ラウンドテーブルで発表のあった、高兵兵（西北大学文学院）「『釈氏源流』百五十二段「法華妙典」に見る「霊山法会儼然」の出典にまつわって―日中における南岳・天台説話の異なる展開を兼ねる」については、発表者の意向により要旨のみを掲載する。

[summary] 『釈氏源流』一五二段「法華妙典」に、「若夫、入旋陀羅尼諸三昧者、見霊山法會儼然、佛常住不滅。証悟者自知、非思議境界矣。」という一節があり、その次に「天台智者大師、証旋陀羅尼三昧、九旬談妙。」とある。つまり、法華三昧を悟った証しとして、釈迦が諸仏菩薩を前に説法する霊鷲山の会の情景が目の前に現れると言い、そしてその霊験を実際に体験した例として、天台宗祖智顗の事跡を挙げている。

この一節は、法華経の経文より引用したものではない。その出典を探ったところ、智顗の弟子潅頂が書いた『隋天台智者大師別伝』（以下『別伝』と称す）や道宣が撰した『続高僧伝・智顗伝』と深く関わっているようである。ただし『別伝』には、「思曰、昔日靈山同聽法華、宿縁所追、今復來矣。」とあるように、霊山の法会は慧思と智顗の前縁となっているのみであり、『釈氏源流』の内容と隔たりがある。本発表では、「儼然」という表現に注目し、それが唐に見ず（白居易）、宋代に初めて見られ（史浩、普済）、元と明において智顗の話の中で定着した表現となった過程を追う。

いっぽう、慧思が智顗に持ち出したとされる「霊山同聴」の話が、日本において「伝教大師に依って天台の立祖相承論に一つの新しい霊山直授相承の一面が開拓され」（平井照「霊山同聴について」『天台学報』14、一九七二年）、慧思聖徳太子転生説や菩提仙那と行基の関係などにも応用され、仏法の日本伝来とも大きく関わる重要な話題である。また後世においては、菅原道真、慶滋保胤の詩文や西行の和歌にも詠み込まれ、広く知られる故事である。本発表では、先行研究を踏まえながら、日本の例をあらためて整理し、日中におけるこの「霊山同聴」説話の異なる展開についても述べてみる。

ラウンドテーブル2

「東アジアの〈環境文学〉と宗教・言説・説話」

［司会］

竹村信治（たけむら・しんじ）●所属：元広島大学●専門分野：日本文学●主要著書・論文：『言述論 for 説話集論』（笠間書院、二〇〇三年）、「「内証の「こと加へ」」（『国語と国文学』八十八―十二、二〇一一年十二月）、「文学という経験―教室で」（『文学』十五―五、二〇一四年九月）など。●現在の研究テーマ：言語文化とその教育について、言述論の立場から研究を進めている。

鈴木 彰（すずき・あきら）●所属：立教大学教授●専門分野：日本中世文学、軍記物語●主要著書・論文：『平家物語の展開と中世社会』（汲古書院、二〇〇六年）、『いくさと物語の中世』（共編、汲古書院、二〇一五年）、『島津重豪と薩摩の学問・文化』（共編、アジア遊学百九十、勉誠出版、二〇一五年）など。●現在の研究テーマ：戦争と文芸の関係史を見すえながら、軍記物語や幸若舞曲などの語り物文芸の受容史の研究や、地域社会（薩摩・防長など）の様相から日本の文学史・文化史を問い直す研究などに取り組んでいる。

1　東アジアの時間から見た〈環境文学〉――「鼠の嫁入り」の時間問題

劉暁峰（りゅう・ぎょうほう）
所属：清華大学教授
専門分野：日本歴史、民俗学
主要著書・論文：『古代日本における中国年中行事の受容』（桂書房、二〇〇二年）、『寒食節』（中国社会出版社、二〇〇六年）、『東アジアの時間：歳時文化の比較研究』（中華書局、二〇〇七年）、『日本の顔』（中央編訳出版社、二〇〇七年）、『端午』（三聯書店、二〇一〇年）など。
現在の研究テーマ：古代東アジアの時間認識の形成、沖縄の民間信仰について研究している。

summary

「鼠の嫁入り」はインドから伝来した説話で、中国、日本、朝鮮、ベトナムなど、東アジアのほぼ全地域に伝わったものである。ところが、調査によればなぜか中国では民間習俗として存在する「鼠の嫁入り」に関する民間習俗の時間帯は正月前後に集中している。本発表は中日韓における鼠に関する民俗をあつめ、古代東アジアにおける鼠文化に対する認識を分析し、インドの「鼠の嫁入り」伝説がいかに東アジアの時間文化と融合されたかを検討したい。

1　中国の「鼠の嫁入り」

劉暁峰と申します。わたしは一九九一年に日本へ留学しまして、そこから年中行事の研究を始めて、もうだいぶ時間が経ちましたので、今ではどんな学術問題にぶつかっても、すぐ「時間」という角度からものを考えるようになりました。今回の「鼠の嫁入り」問題も、「時間」を中心に申し上げたいと思います。

「鼠の嫁入り」は、インドから伝来した説話です。東アジアほぼ全域に流通する物語で、中国・日本・朝鮮半島・ベトナムにこのテクストがあります。もちろんテクストだけではなく、民間美術、アニメーションなど、さまざまな手法で再現されまして、実在する説話として存在していると考えられます。

【図1】は私が中国の山東省で集めた旧正月の年画です。昔は今の時代と違って年があけるときに壁に年画を貼ってめでたいという気持ちを表現しましたが、その時代に使われた年画の一つのテーマは「鼠の嫁入り」であります。

【図2】の絵は蒲松年の個人蔵で、清朝の蘇州で印刷された年画です。同じく「鼠の嫁入り」をテーマをしたものですが、『西遊記』の陥空山にあった鼠妖になぞらえたものです。このほかに、中国の年画にはたくさんの「鼠の嫁入り」をテーマにする作品があります。

日本でも絵で「鼠の嫁入り」を表現するものがあります。【図3】は国立国会図書館で保存されている赤本『鼠の嫁入り』です。結納の使者が到着しまして、お互いによい家柄でおびただしい数の結納品、結納金、祝儀物などが、次々と運び込まれている場面です。

【図4】はめずらしいものです。小峯先生と一緒にベト

図1　清末の年画（個人蔵）

図2　蒲松年蔵の年画（『科学と経済画報』1995年1月15日より）

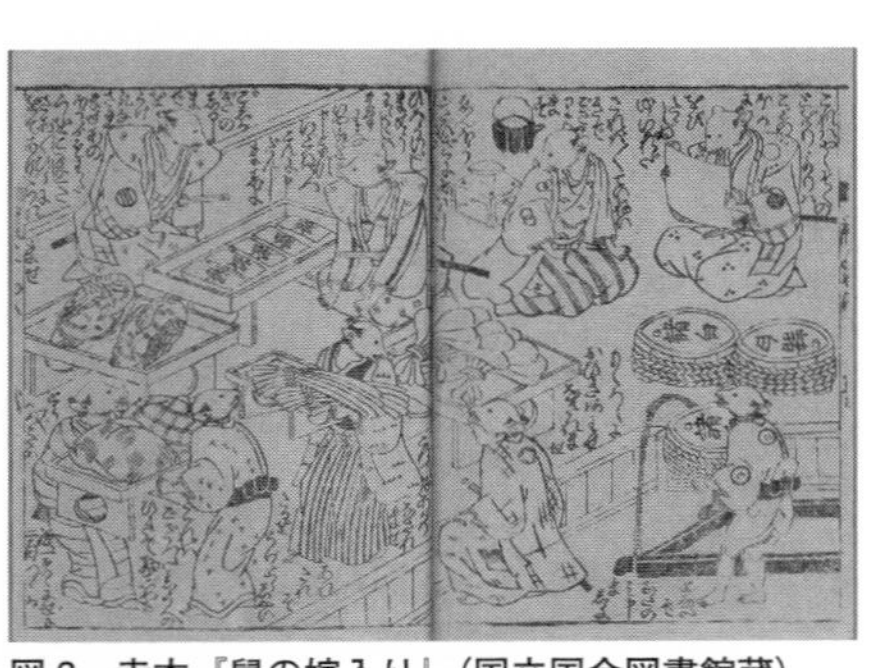

図3　赤本『鼠の嫁入り』（国立国会図書館蔵）

図4　ベトナムの「鼠の婿入り」（蔡玉琴「ベトナム年画における中国の要素と本土特徴」、『中国政法大学学報』2008年第5期より）

ナムに学術調査に行った際、ベトナムのものに興味があって、一生懸命探しました。研究者の論文からやっと見つけたベトナムの「鼠の嫁入り」です。ただ、図にある文字は読めません。喃字かなと思いますが、よくわかりません。実にわたしは、中国で大活躍している小峯先生の研究のおかげで、だんだん東アジアという学術立場でものを考えるようになりましたが、そのなかで一番壁が厚いのがベトナムです。これからはベトナムのことをもう少し勉強したいと思います。

さて、中国では「鼠の嫁入り」という説話からどんな教訓を引き出したかというと、子ども向けの解釈では、どんな偉い人もあらゆる領域ですべて偉いとは言えないということです。やはりどこか弱いところがあります。人間には強いところと弱いところがありますから、自信を持って生きることが大事だということです。

近代的な学術研究方法で「鼠の嫁入り」を研究しはじめたのは、一九二八年からです。中国民俗学の祖と呼ばれる鍾敬文（しゅうけいぶん）という学者が一九二七年に『民俗』で「中国古代民俗における鼠」という研究論文を発表しました（同年一巻二期）。そこから彼はずっとこの問題を追って八十年代まで研究を続けまして、一九八七年に「文化史から見た鼠の嫁入り」（『中国文化報』同年二月）、一九九一年に「中日民間昔話の比較泛説」（『民間文学論壇』同年第三期）を発表しました。また、中国の梵學（ぼんがく）研究で有名な学者、北京大学教授の季羨林（きせんりん）氏もこの問題を研究しました。「中国におけるインド文学」というテーマで、インドから伝来したこの物語が中国でいかに展開されたを考察しました（『文学遺産』一九八〇年第一期）。

鼠の嫁入りに関する習俗は、長い間中国のあちこちで流行します。宋代の書物である『東京夢華録』には、すでに「夜於床底点燈、謂之照虚耗」（夜、床底に燈を点け、これを「ネズミ照らし」という）とあります。清代の山西省『崞県志』には、正月十日の夜は壁の下のところにお餅を置いて、鼠が嫁を迎えるからそれを食べさせるとあります。清代の山西省『河津県志』には、正月二十日夜「鼠忌」のため燈を点けることを許さないとあります。同じく、清代楡林地域の『府谷県志』には、「正月十日名鼠嫁女日、是夜家人滅燭早寝、恐驚之致害百穀、噛衣裳」（正月十日は「ネズミの嫁入り日」と呼ばれ、この日は家族皆早く蝋燭を消して寝て、ネズミが百穀と衣に被害を加えることを恐れ驚く）とあります。上海郊外では、正月十六日にゴマを炒ってゴマ飴を作り、鼠の嫁入りの喜びを表します。わたしの故郷である吉林省では、正月十四日の夜は蝋燭、燈などを使わないように老人から注意されました。鼠の嫁を迎えるのに邪魔だから光を消すのだといいます。しかし、他のところでは、わざわざ床下に光をつけて、鼠のために用意するところもあります。湖南省では正月十七日に鼠の行列が家の中から出られるようにドアを開けます。反対に河北省では、家の財物を鼠に運ばれないようにドアを開けてはいけないといいます。他に、嫁入りの道具を提供するケースもあります。たとえば、子どもの虎頭のデザインした靴を床下に置いて、嫁入りのときの御輿として使えるようにします。このように、食べ物をあげるとか、静かな環境を作るとか、あちこちで流通する習俗がたくさんありますが、一つ共通する特徴があります。中国で鼠に関して専門的な著作まで書いた馬昌儀先生は、百十一例の嫁入りの資料を集めました。彼女によると、嫁入りの時期はほとんど旧暦の十二月二十三日から次の年の二月二日までの間、いわゆる中国のお正月に集中しています。では、鼠の嫁入りはなぜこの時間帯を選んだのか、以下、東アジアの時間文化のもとでこの問題を考えてみたいと思います。

2　日本と韓国の鼠に関する習俗

まず、日本の正月の鼠に関する習俗の資料を調べました。『続日本紀』巻十五、天平十五年（七四三）正月壬子条に、

壬子。御石原宮楼。〈在城東北〉賜饗於百官及有位人等。有勅。鼓琴任其弾歌五位已上賜摺衣。六位已下禄各有差。

とあります。これは子の日の宴会の記録です。それから『類聚国史』には、

平城天皇大同三年正月庚子、曲宴。賜侍臣衣被。
嵯峨天皇弘仁四年正月丙子、曲宴後殿、令文人賦詩、賜祿有差。
五年正月甲子宴侍臣。賜錦有差。
八年正月甲子。曲宴後庭。
淳和天皇天長八年正月壬子。天皇曲宴仁壽殿。參議以上預焉。賜祿有差。
文徳天皇齊衡四年正月乙丑、禁中有曲宴。預之者不過公卿近侍數十人。昔者上月之中。必有此事。時謂之子日態也。今日之宴修舊跡也。

と、都合六條も関係資料があります。またここで特筆すべき資料は、『万葉集』に収めた大伴家持の以下の作品です。

（天平寶字）二年春正月三日召侍従豎子王臣等、令侍礡內裡之東屋垣下、即賜玉帚肆宴。于時，內相藤原朝臣奉敕宣、諸王卿等隨堪任意作歌並賦詩。仍應詔旨各陳心緒作歌賦詩、乃作歌也。
始春乃波都禰乃家布能
多麻婆波伎
手尓等流可良尓
由良久多麻能乎
右一首，右中辨大伴宿禰家持作。但依大藏政不堪奏之。

これは間違いなく「天平寶字二年」の「初子之儀」です。この年の子の日、宮中では中国皇帝の「祈谷躬耕の儀」と皇后の「浴繭躬桑の儀」をまねる儀式を行いました。天皇が「祈谷躬耕」の儀式に使った子日手耒と皇后が「浴繭躬桑」に使った子日目利帚は、現在も正倉院で保存されています。

子の日に特別な行事を行う慣習は、平安時代まで文献に見られます。『菅家文草』に菅原道真が書いた『早春觀賜宴宮人同賦催妝應制並序』という文章があります。

聖主命小臣、分類舊史之次、見有上月子日賜菜羹之宴。臣伏惟自觴王公于朝、至喚文士於內宴、首尾二十餘日、洽歡言志者、諸不及婦人、此唯丈夫而已。夫陰者助陽之道、柔者成剛之義也。況亦野中芼菜、世事推之蕙心矣。爐下和羹、俗人屬之荑指。宜哉、我君特分斯宴、獨樂宮人矣。觀其天臨咫尺、逼金鋪以展筵。地勢懸高、排繡幌而移榻。春情欵欵、春態遲遲。或辭以不任羅綺、或訴以不暇脂粉。於是晝漏頻轉、新妝未成。其慎命諧

恩、來就列序者、譬猶秋夜待月、才望出山之清光、夏日思蓮、初見穿水之紅豔。斯事之為希夷、不可得而一二。彼桂殿姫娘羞膳行酒、梨園弟子之奏舞唱歌、一事一物、儀在其中。時卻時前。禮治其外。臣等職為侍中、業書君舉。恐不得意知理者、謂我後偏專內寵。故聊假文章以備史記雲尓。謹序。

算取宮人才色兼、妝樓未下詔來添。
雙鬟且理春雲軟、片黛才成曉月纖。
羅袖不遑廻火熨、鳳釵還悔鏁香奩。
和風先導薰煙出、珍重紅房透玉簾。

この文章から、正月子の日の宴は「分類舊史」（『類聚国史』か）に記録される行事で、宴会の中心になるのは「菜羹」（野菜のあつもの、吸い物）とわかります。もともと宴会の慣習として参加者は男ばかりでしたが、この文章が書かれたころから、女官たちも宴に加わるようになりました。また、寛平八年にも子の日に特別な行事を行いました。『菅家文草』に「扈從雲林院不勝感歎聊敘所觀並序」という文章があります。

　雲林院者、昔之離宮。今為佛地。聖主玄覽之次、不忍過門、成功徳也。侍臣五六輩、玩風流而隨喜、院主一兩僧、掃苔蘇恭敬。供奉無物、唯花色與鳥聲。拜謝有誠、唯至心與稽首而已。予亦嘗聞於故老曰：〃上陽子日、野遊厭老。其事如何？ 其儀如何？ 倚松樹以摩腰、習風霜之難犯也；和菜羹而啜口、期氣味之克調也。〃況年之閏月、一歳餘分之春、月之六日、百官休暇之景。今日之事、今日之為、豈非為無為無事乎。予雖愚拙、久習家風、廻輿有時、走筆無地。聊舉一端、文不加點雲尓。謹序。

明王暗與佛相知、垂跡仙遊且佈施。
松樹老來成繖蓋、莓苔晴後變瑠璃。
暖光如淺慈雲影、春意甚深定水涯。
郊野行行皆鬥藪、和風好向客塵吹。

この文章から、子の日に「菜羹」を飲むことで「気味の調和」を求めるほか、野遊を以って老化に抵抗し、松樹に寄り掛かってその「風霜」の強い生命力を身に付ける慣習であったことがわかります。

　また『小右記』には、寛和二年子の日の「野遊」の様子が以下のようにあります。

　三日，戊子。巳時許參院。今日禦子日也，禦禦車令向紫野給。（中略）太上皇（円融院）於野口乗禦禦馬。（中略）。

京都路野邊見物車如雲。即禦禦在所。其禦裝束立幄敷板敷又立簾臺懸禦簾。其中立輕幄（南向）。其東為公卿座（南面）。其幄東又立幄為侍臣座。禦前四方立屏幔。禦前植小松（中略）。左大臣仰可獻和歌題之由。即獻云。於紫野玩子日松者，以兼盛令獻和歌序。此間有蹴鞠事。

この時代になると、子の日の「野遊」が「見物の車が雲の如」く賑やかになりました。遊びも松に寄り掛かり、和歌、蹴鞠など豊富になりました。平安時代において、この日にどんなことをしているのか、どんなふうにものを考えているのか、これらの記事からいろいろ読み取れます。

　朝鮮半島にも子の日に関する習俗があります。関係する記事が『三国遺事』にあります。

第二十一毗處王（一作炤智王），即位十年戊辰，幸於天泉亭。時有烏與鼠來鳴，鼠作人語雲，此烏去處尋之（或云，神德王欲行香興輪寺，路見眾鼠含尾，怪之而還，占之，明日先鳴烏尋之云云，此說非也）王命騎士追之，南至避村（今壤避寺村，在南山東麓）。兩豬相鬥，留連見之，忽失烏所在，徘徊路旁。時有老翁自池中出奉書，外面題云：〝開見二人死，不開一人死。〟使來獻之。王曰：〝與其二人死，莫若不開，但一人死耳。〟日官奏云：〝二人者庶民也，一人者王也。〟王然之開見。書中云〝射琴匣。〟王入宮，見琴匣射之，乃內殿焚修僧與宮主潛通而所奸也。二人伏誅。自爾國俗每正月上亥上子上午等日，忌慎百事，不敢動作。以十五日為烏忌之日，以糯飯祭之，至今行之。俚言怛忉，言悲愁而禁忌百事也。命其池曰書出池。

（一然著『三国遺事』吉林文史出版社、二〇〇三年、四九頁）

この物語は朝鮮半島ではかなり有名です。内容は少々違いがありますが、『朝鮮史略』『新增東國輿地勝覽』などの書物にも記録されていて、子の日が特別視されていた証拠としてよく使われています。

　もう一つ、正月の初の鼠の日について面白い話が『冽陽歳時記』にあります。

禁中以亥子二日，裁各色綾緞，造配囊。穿結雜組，下做流蘇。栩栩如大蝴蝶。正朝候班近臣卿宰，例得頒賜。其來甚久，而莫省所以。或曰〝亥子居十二辰終始，以是日造囊者，囊括一歲福祿之意也〟。

（金邁淳『冽陽歳時記』大洋書籍、一九七二年、一二九頁）

朝鮮半島では、亥の日と子の日の二日、いろいろな材料を使って丸い形と長方形の袋を作り、その中に炒めた大豆を入れます。亥の日の袋は形は丸く、子の日の袋は四方形です。これは天地になぞらえているではないかと思われます。亥は十二支の終わりで、子は十二支の始まりです。つまりこの日で「一年の福禄」をこの袋に入れたいという願いから、これを配布したと言います。これとかかわりまして『京都雑誌』の「亥子巳日」條を紹介します。

正月上亥為豕日，上子為鼠日。國朝故事，宮中小宦數百，聯炬曳地呼燻豕熏鼠，燒穀種盛於囊，頒賜宰執近侍，以昕祈年之意。頒囊尋廢矣。當寧禦極，複頒。囊用錦制，亥囊圓，子囊長。子日閭巷亦炒豆，呪云：鼠嘴焦，鼠嘴焦。亥日作豆屑澡面，黑者漸白。豕色黑，故反取其義也。巳日不理發，忌蛇入宅。

（柳得恭『京都雑誌』大洋書籍、一九七二年、一七八頁）

袋を作る前、宮中の使用人たちが何百人も群れて松明を持って「豕（亥）と鼠を焼け」と叫びながら、穀種を焼きます。儀式が終わると焼けた穀種を丸い亥の日の袋と四方形の子の日の袋に入れます。この日、庶民は豆を炒め、「鼠嘴焦，鼠嘴焦」という呪語を歌います。正月子の日に豆を炒める習慣は一九二〇年代まで朝鮮半島に存在したと、当時の中国の記者が書いた記事を、中国の古い雑誌から見つけました。

3　東亜鼠文化視域にある「鼠の嫁入り」

では、東アジアの鼠の習俗から「鼠の嫁入り」がどうして正月に集中するのかということを考えてみます。

まず、この問題は「初子」あたりの行事と重ねて考える必要があると思います。中国と同じように日本と朝鮮半島では正月あたりの初子の日にかかわる行事があります。正月の元日は、年の始まり、月の始まり、日の始まりのめでたい日だと思われますが、同じく毎年干支の最初の子の日も一つの始まりであり、めでたい日です。これとかかわりまして、正月子日あたりに宴会など多くの行事がありました。これが後に「ネズミの嫁入り」の習俗が正月前後に集中する一つ要因になったと思います。

つぎに、そもそも時間の重要な数え方として、十二支はどうして子（鼠）から数えるのでしょうか。そこでどんな古代の人間の認識があるのかを考えてみたいです。

【図5】は明の來知徳が書いた古代の人間が考えた一日の気象図です。一番上はお昼の「午」で、この時点は陽から陰へ変わる転換点であり、一日で一番陽気が盛んでありながら、陰気が芽生えるところでもあります。一番下の鼠の「子」の時点は、陰から陽へ変わる転換点で、一日で陰気が盛んなところです。どうしてこんなところに「子」を置いているかというと、鼠には特別なところがあります。古代の中国人は鼠をよく観察しまして、鼠の足が前足は足爪が四本、後ろ足爪が五本であることに目をつけました。古代中国人の数に関する考え方では、「四」という数は陰で、「五」は陽です。鼠の体は陰から陽に変化するという形は、「子時」の陰から陽へ変換するところと一致しています。ちなみに陰陽に関しては、十二支の中で、あらゆる奇数にあたる動物は足の爪はみな奇数、偶数にあたる動物の爪はみな偶数です。これは先ほどの

図５　来知徳一日気象図（『易経来注図解』九洲出版社、2004 年より）

鼠の足の数を数えるときと同じ道理で、証拠になると思います。明の郎瑛の文言小説『七修類纂』に詳しくあります。

仁和郎漢云，地支肖屬十二物……以地支在下，各取其足爪於陰陽上分之。如子雖屬陽，上四刻乃昨夜之陰，下四刻今日之陽。鼠前足四爪象陰，後足五爪象陽故也。醜屬陰，牛蹄分也；寅屬陽，虎有五爪；卯屬陰，兔缺唇且四爪也。辰屬陽，乃龍五爪。巳屬明，蛇舌分也。午屬陽，馬蹄圓也。未屬陰，羊蹄分也。申屬陽，猴五爪。酉屬陰，雞四爪也。戌属阳，狗五爪也。亥属阴，猪蹄分也。

ちなみに、亀と蛇は北の玄武の守護神とされていますが、その亀も足が特別で、亀の前足の爪は五つで、後ろ足の爪は四つです。

前述のとおり、正月の元日は、年始、月始、日始で、めでたい日です。この日から春を迎え新しい年が回っていきます。まさに陰を克服して陽を強く求める時期です。鼠は陰から陽へ転換する属性がありますので、お正月にあった「鼠の嫁入り」に関する習俗は、この陰陽転換の属性を利用して陰を追い出し、陽を求めるという意向を表現しています。『周易』の八卦には、それぞれ乾（☰）父、坤（☷）母、

震（☳）長男、巽（☴）長女、坎（☵）中男、離（☲）中女、艮（☶）少男、兌（☱）少女と呼びます。だから正月の「鼠の嫁入り」は陰になる鼠女を送り出して、陽を迎えるという側面があります。中国の年画の「鼠の嫁入り」を見ると、嫁になる鼠が最後にどこに行くかというと、猫のところに行き、食べられるのです。これは中国の年画の「鼠の嫁入り」によくあるパターンですが、最後のところに猫が待ち受けています。

古代日本の子の日の行事も、陽を求める傾向が存在しています。菅原道真の文章に書かれていた通り、男ばかりの宴を開いたり、山に登って陽に近づいたり、松に背中を擦ったり、同じく陽を求めるようなことが書かれております。朝鮮半島の記事からも「鼠嘴焦，鼠嘴焦」という呪語を歌いながら鼠を焼払う行事が読み取れました。

要するに、インドの「鼠の嫁入り」物語は、東アジアにおける鼠に関する文化と融合して、正月に集中的に「鼠の嫁入り」の習俗を多く形成しました。

4　東アジア文化から環境文学へのまなざし

最後に少しだけ時間を使って、環境文学の主題に戻り、話を進めましょう。

東アジアの時間文化から見た人と環境はどのような関係がありますか。少なくとも古代中国の考え方には、「あらゆるものは生きている」という観念が根強く存在しています。わたしたちは生きていますが、天も地もこの世界全体も生きています。この生きている世界は春夏秋冬に従って絶えず変化しています。絶えず変化する世界と調和しながら、人間は自分の生を営みます。そこにはルールがあります。一つは自然の変化に順従するルール、もう一つは自然の変化を利用してうまく生きて行くルールです。しかし根本になるのは人間と自然とがともに生きること、つまり共生です。これは東アジアの時間文化から見た人と環境の基本的な決まりです。

図6　亥の子の行事（脇田健一氏より）

【図6】は龍谷大学の脇田健一教授からいただいた

ラウンドテーブル2

写真です。これを皆さまに紹介しまして今日の話を終わります。

これはほぼ日本の全域にわたって存在する亥の子の習俗です。旧暦の十月の子の日の行事ですが、今日の話から一歩前に進むと、亥の子の「亥」と「子」は、十二支の最後の一つと、最初の一つではありませんか。東アジアの時間文化から考えれば、そこにもう一つ研究のテーマがあります。ご清聴ありがとうございます。

2　東アジアの〈性〉と〈環境文学〉——熊楠・男色・遊廓・二次的自然

染谷智幸（そめや・ともゆき）

所属：茨城キリスト教大学教授

専門分野：日本近世文学、日韓比較文学

主要著書・論文：『西鶴小説論―対照的構造と〈東アジア〉への視界』（翰林書房、二〇〇五年）、『韓国の古典小説』（編著、ぺりかん社、二〇〇八年）、『冒険・淫風・怪異―東アジア古典小説の世界』（笠間書院、二〇一二年）、『男色を描く』（編著、勉誠出版、二〇一七年）、『日本永代蔵』（編著、講談社学術文庫、二〇一八年）、など。

現在の研究テーマ：①朝鮮時代後期の文学作品『九雲夢』と東アジアの恋愛小説の関係。②井原西鶴『男色大鑑』を中心にした東アジアの同性恋文学の変遷解析。③同じく西鶴の『日本永代蔵』を基軸にした日本及び東アジアの経済小説史の解析。④茨城県及びその周辺を題材にした川瀬巴水の木版画調査。

summary

南方熊楠（みなかたくまぐす）が生物多様性について多彩な知見を遺したことは広く知られているが、彼が人間の性、とくに男色について独自の見解を述べ、それが現在に続く男色文化の研究を良導したことはあまり知られていない。熊楠が展開した性の多様性、とくに男／女、性欲／心霊、等の二項対立を解消しようとする議論は、男色のみならず、遊廓論や二次的自然の概念にまで広げることが可能である。本発表ではその点を指摘し、環境問題が人間の内面にまで及ぶことについて私見を提示してみたい。

1　はじめに

南方熊楠（みなかたくまぐす）が生物多様性について多彩な知見を遺したことは広く知られているが、彼が人間の性、とくに男色について独自の見解を述べ、それが現在に続く男色文化の研究を良導したことはあまり知られていない。しかし、熊楠が展開した性の多様性、とくに男／女、性欲／心霊、[1]等の二項対立を解消しようとする議論は極めて重要で、男色のみならず、自然に対する考え方、とくに二次的自然の概念や、さらには遊廓論にまで広げることが可能である。たとえば、ハルオ・シラネ氏が提唱された二次的自然の観点は、従来の多くの知見を再構成・再活性化する力を持っているが、今のところ、人間の外部に向けられていて、人間の内部・内面へは向けられていない。しかし、熊楠の「性の多様性」に関する議論は、二次的自然を人間の内部にも広げることを強く促すはずである。そうした視点に立つ時、人間の持つ〈性〉を野性のままでなく、管理・保育・馴致（じゅんち）したものとして遊廓の存在が浮上してくる。すでに指摘されてきたことだが、遊廓は〈性〉を放埒化させるのでなく、他のさまざまな文化と協働する形で、〈性〉を解放／管理する装置としての働きを持っていた。二次的自然の人間への内部化・内面化という視点は、この遊廓の機能に重要な意義付けをすることになろう。遊廓は、近代的禁忌、あるいは過度な言説化（ミッシェル・フーコー）によって歪められたまま認知され、現代に至っている。その歪みを是正するために、二次的自然の人間への内部・内面化は極めて重要な視点である。

本稿ではその点を指摘し、環境問題が、病理的な問題のみならず文化的な側面においても、人間の内面に及ぶことについて私見を提示してみたい。なお、「東アジア」と銘打った限りは、日本以外にも触れなくてはならないところだが、紙数の制約もあり、今回は日本の問題に絞らざるを得ない。いずれ中国・朝鮮も俎上に論じる機会を持つ予定である。

2　浄の男道——岩田準一と南方熊楠

岩田準一（いわたじゅんいち）（一九〇〇〜一九四五）は、日本の男色研究の草分け的存在で、生涯を男色研究に捧げた人物である。広範囲の文献調査や、南方熊楠（一八六七〜一九四一）との男色に関する手紙のやり取りは、よく知られている。その研究成果は『男色文献書誌』（一九五六年）と『本朝男色考』（一九七三年）にまとめられている。一方の熊楠は言わずと知れた日本の民俗学・生物学の巨星で、人文・社会・自然の諸科学に通じた、世界的にも著名な学者である。

二人の手紙を読むと、岩田が男色研究に力を入れていることを知った熊楠が、頼もしい後進が現れたと知って大変喜んだことが分かる。二人が知り合った頃、男色研究はまだタブーであり、そうした偏見を物ともせず男色研究に没頭する岩田を、熊楠は頼もしく思ったのである。熊楠は自分の仕入れた古今東西の男色の文献や、それに連なる知識・情報を惜しげもなく岩田に伝授した。ただ熊楠は、その中で一点、岩田に厳しく注意を与えたことがあった。

岩田の男色研究は、男色世界の中でも、両性具有的な少年の肉体と結合一体化しようとする性愛的側面の解明に力を入れていた。しかし、熊楠は、そうした性愛的側面を重視しつつも、同時に一個の男、人間同士として対等に向かいつつ、幾多の困難に対峙しようとする、純度の高い精神性を発揮する側面が男色にはあると指摘して、その点を疎かにしないように岩田に言った。

貴下は性欲上の男色のことを説きたる書のみ読みて、古ギリシア、ペルシア、アラビア、支那、また本邦の心霊上の友道のことはあまり知らぬらしく察せられ候。しかるときは、ただただつまらぬ新聞雑報などに気をもみ心を労して（中略）頓死さるべし。何とぞ今少し心を清浄に持ち、古ギリシアの哲学書などに就き、精究とまでなくとも一班でも窺われんことを望み上げ候。

（一九三一年、岩田準一宛・南方熊楠書簡、傍線染谷）

熊楠は「性欲上の男色」「心霊上の友道」と言ったように、男色の持つ純度の高い精神性を「男色」とは分けて「友道」、または別の箇所では「男道」あるいは「浄の男道」と名付けた。

この岩田と熊楠以後、さまざまな男色研究が行われたが、熊楠の言う「浄の男道」には、多くの研究者が注目した。たとえば、宗教学者の中沢新一は南方と岩田のやりとりを踏まえて次のように言う。

ここで熊楠は、男性の同性的な愛には、二重構造があるのだという、とても重要な指摘を行っているのである。いっぽうでは、容姿や心だてに優れた少年に、年上の青年たちが恋情をいだき、少年を肉体的にも自分のものにしたいという、欲望がある。しかし、その一方では、昔から男の同性愛の世界では、兄弟分の「契り」という要素が、きわめて大きな位置をしめていて、いったん兄分と「契り」を結んだ少年にたいしては、邪恋を仕掛けることは恥ずべきことである、という考えがゆきわたっていたのである。▼2

男色を初めとする同性の恋愛が、男／女という固定化された性概念を朦朧化することは言うまでもないが、熊楠の男色とは、その男／女の境界を越えるだけでなく、性欲／心霊の枠をも越えた多重構造があったと中沢は指摘する。むろん、この二重・多重構造とは別個に構造があるのでなく、その間を往還する、あるいは両者・多極が浸透し合うことを意味する。それは熊楠が植物学の世界で博捜し分析した粘菌が、動物から植物へと変身・越境してゆく生態や原理と全く同じである。

3 若女ふたつ

こうした〈性〉の在り方、とくに男／女、性欲／心霊を越えて往還する世界を考えた時、江戸時代、またはそれ以前の多様な〈性〉の在り方が思い起こされてくる。とくに、井原西鶴の浮世草子などを中心に展開されていた「若女ふたつ」（若＝男色、女＝女色）の発想・世界観が注目されるのである。西鶴は、よく知られているように、元禄期の多様な人間の有り様を、浮世草子としてリアルに描き尽くしたが、とりわけ女色と男色の二重構造について、処女作『好色一代男』から絶筆『西鶴置土産』までこだわりつづけて描き出していた。以下の文章は西鶴の浮世草子から引用したものである。西鶴は浮世草子の題材として女色・男色をさまざまに取り込んでいるが、次の例のように、男色と女色が文章に血肉化・混然一体化した様子がうかがえる。

・五十四歳まで、たはぶれし女三千七百四十二人、少人のもてあそび、七百二十五人
（『好色一代男』巻一の一「けした所が恋のはじまり」）

・道頓堀役者の顔をも見知らず、新町筋は順慶町を西へ行くも、
（『椀久一世の物語』上の一「夢中の鎰」）

・きのふは嶋原に、もろこし・花崎・かほる・高橋に明し、けふは四条川原の竹中吉三郎・唐松歌仙・藤田吉三郎・光瀬左近など愛して、衆道女道のわかちもなく
（『好色五人女』巻三の一「姿の関守」）

・あるは又輿に乗じ、大坂堺の町衆、嶋原四条の川原ぐるひの隙に（『好色一代女』巻一の三「国主艶妾」）

・かくれもなき歴々の子に。替名を篠六と云人。いかに若ければとて。七年此かたに請取し金銀を若女ふたつにつゐやし。（『本朝二十不孝』巻一の一「今の都も世は借物」）

・惣じて、女の心さしをたとへていはゞ、花は咲きながら藤づるのねぢれたるがごとし。若衆は、針ありながら初梅にひとしく、えならぬ匂ひふかし。（『男色大鑑』巻一の一「色はふたつの物あらそひ」）

・次に、二道の色噂になりて、いふはくどけれど共、御亭主の御仕合に及ぶ者は、他国はしらず、岸之助殿の器量にまして、また有べし共覚えず。（『武道伝来記』巻八の二「惜や前髪箱根山颪」）

・三番に、家原に住て年久しきちょこ兵衛。姿は二八の花の顔色、むらさきの帽子をかけて、いづくへ飛子のさだめなく、しどけなきなりふり、満座に死にますする悩みける。……次に出しは艶姿、たとへば嶋原の野風、大坂の荻野のもおとるまじき（『懐硯』巻二の五「椿は生木の手足」）

・四条の橋を東へわたらず、大宮通りより丹波口の西へゆかず（『日本永代蔵』巻一の二「二代目に破る扇の風」）

・これ盛んこれ衰へるふたつ。女若の好色ふと名に立、ひがし川原、にし嶋原両方うちはづさぬ遊興。（『好色盛衰記』巻一の一「松にかゝるは二葉大臣」）

・住所京・大坂のうちに物好に座敷を作り、妾女一人・小性ひとり（『西鶴織留』巻一の一「津の国のかくれ里」）

・よし原かよひして太夫月に十五日づゝ請あい。堺町にては名高き藝子になづみ太夫本へのつけとゞけ。お大名を望む美童に合力（『万の文反古』巻一の二「栄花の引込所」）

・揚屋の酒、小さかづきに一盃四分づゝにつもり、若衆宿のならちや、一盃八分づゝにあたるといへり。（『世間胸算用』巻二の三「尤始末の異見」）

・有時泉州。堺の嶋長といへる大臣。はじめは野郎にあそび。毎日にしのび御座舟に。みねのこざらしを乗せて。ゑびす嶋の遊興。世の人のするほどの事しつくして。いつの比よりか都の嶋原にかよひ。大坂屋の野風に吹たてられ次第にくだり舟。のぼりづめの。女色男色此二色に身をなし。財宝皆になし。

（『西鶴置土産』巻二の一「あたご颪の袖さむし」）

たとえば、いま引用した『日本永代蔵』巻一の二「二代目に破る扇の風」の一文「四条の橋を東へわたらず、大宮通りより丹波口の西へゆかず」だが、これは一生を吝嗇で通した商人が、色事に一切金を使わなかった有り様を、揶揄的に評した言葉である。すなわち「四条の橋を東へわた」ると、そこには四条河原の歌舞伎小屋が林立していたのであり、また「大宮通りより丹波口の西へゆ」けば、そこは島原遊廓があった。その東へも西へも一切行かずに一生を金を貯めるだけに費やしたのは、何とも勿体ないと西鶴は言うのである。

つまり、西鶴時代の町人たちの一般的な色事とは、今日は男色、明日は女色と、両方を往還していたのであり、それこそが「若女ふたつ」であって、かつ自然な〈性〉のあり方だと西鶴は見ていたのである。

また、西鶴が男色を網羅した『男色大鑑』（一六八七年）を見よう。この作品は前半の四巻と後半の四巻に分かれるが、後半の歌舞伎若衆編では、西鶴の周囲にいた歌舞伎若衆たちの姿を通して、男色という性の世界が置かれた現実世界を写実的に描いているのに対して、前半の武家若衆を取り上げた四巻では、衆道に命をかける若衆と念者の姿をロマンチックに描き出していた。西鶴の描き出した男色も、熊楠と同じように男／女、性欲／心霊を乗り越えた世界観を示していたのである。[3] この〈性〉の多様性は、西鶴の描いた女色でも全く同じであることは、後述したい。

4 二次的自然と遊廓（一）——遊女・遊廓の歴史

こうした熊楠の指し示した男色・男道の世界、西鶴の描き出した若女二道や男色世界の豊かな多様性を見てくると、その西鶴も大きく題材として取り上げ、かつ日本文化にも極めて大きな影響を及ぼしてきた遊廓の世界が、そうした多様性を確保していたのか否かが、自然と気になってくる。遊廓と言えば、まずは男性中心の猟色的世界が連想される。確かに遊女や遊廓の歴史を見れば、そうした時期がなかったわけではない。しかし、網野善彦・後藤紀彦氏[4]などが説き続け、また日本における遊女・遊廓の悉皆調査を基に渡辺憲司氏も強調されて来たように[5]、そしてわたしもそうした先学の末席で、江戸初期の遊廓を例にして論じたように[6]、中世から近世にかけての遊女たちとは、男性側からの一方的な猟色対象となるような存在でなかったことは明らかである。[7]

たとえば『好色一代男』における遊女や遊廓の描かれ方をみよう。『一代男』は『男色大鑑』のように前半後半と分かれてはいないが、男女の性をリアルに描いた世界とともに、遊女の意気地・気概をその強さ美しさと共に謳い上げていた。

まず、二代目吉野（徳子）の話（巻五の一）には、太夫の揚げ代を貯めて吉野に逢いに来たものの怖気づいてしまった小刀鍛冶の弟子が登場する。この弟子のような身分の低い人間に、遊女の最高位である太夫が逢うのは遊廓で禁じられているのだが、吉野は小刀弟子の気持ちに応えて一夜逢ったばかりか、怖気づく弟子に自ら迫って関係を結ぶ。また世之介が吉野との結婚をめぐって親戚一門からの反対に遭って難渋した時、吉野は世之介に代わって自らの技芸（歌・琴・活け花等）と技量でもって一門を納得させた（この時のモデルは灰屋紹益）。また、三笠（巻六の一）は、遊廓の抱え主から世之介との恋を咎められ、丸裸にされるという折檻を受けるが、屈することなく世之介との恋を貫いた。ゆえに奴三笠（「奴＝やっこ」男伊達の意）と呼ばれた。そして、後にも取り上げる太夫高橋（巻七の一）の気丈さも同様で、西鶴は遊女たちに、まさに男勝りの活躍をさせていたのである。注目すべきは、その遊女たちの力強さと同時に、遊女たちの振舞いが共通して遊廓の論理・倫理を揺るがすほどのものであったことである。

こうした振舞いがなぜ可能だったかは、遊女や遊廓を考える時の大きな謎の一つだが、遊廓が元来そうした行為を許容する力を持つものだったとも、また、遊女たちが中世の時代にまで持っていた権力・気概・矜持が近世初期の遊女たちにも受け継がれていたからだとも考えられる。

もちろん、これは浮世草子の中でのことであって、実際の遊女・遊廓がどうであったかは別であるが、近世初期の藤本箕山の『色道大鏡』等の遊女・遊廓関係書を紐解けば、西鶴の描き出した遊女の世界が単なる妄想でなかったことはすぐに分かる。

では、その遊廓の許容力、そして遊女の気概・矜持の根本に何があったのか。[8]

5 二次的自然と遊廓（二）——諸芸能の世界

遊女の歴史を辿る時、その「遊び」は平安朝の「遊び＝管弦」に行きつく。すなわち遊女の根源に音楽等の芸能の世界があること、これは遊女史のイロハであるが、問題は、時代が下った江戸時代の遊廓においても、その伝統は厳然と力を持ち、遊廓を支え、遊女の矜持となっていたことである。しかし、その矜持は、江戸時代の中後期以降、芸者等の出現によって次第に遊女から消えてしまったものでもあるのだが、西鶴が活躍した元禄時代には消えることなく、まだまだ一定の力を保っていたということになる。

わたしは先に「五感の開放区としての遊廓―遊廓の「遊び」と「文化」を求めて」[9]と題して、この遊廓における芸能の問題について論じたことがあった。遊廓が「性」の解放区であると同時に、それは野放しの解放でなく、さまざまな仕来りや諸芸能が扇子の要のような役割を果たしており、遊廓や遊女の美的世界、遊びの世界を構築していると述べた。今から考えれば、それはまさしく遊廓を二次的自然として捉えていたのだが、その時にはまだそうした観点から遊廓について深く考えるに及ばなかった。そこで今回は改めて、その折の論考に触れながら、遊女や遊廓を、二次的自然の視角から捉え直してみたい。

まず前稿で取り上げたのは、『諸艶大鑑』巻八の五「大往生は女色の台」の挿絵であった[10]【図1】。これは、いわゆる菩薩来迎図のパロディとなっているもので、『諸艶大鑑』の主人公世伝が往生の際、物故した遊女たちが、菩薩よろしく世伝を迎えにきた場面である。この図は言うまでもなく、下に載せた二十五菩薩図[11]【図2】等を意識している。

下の菩薩図の方では、菩薩たちが、多くの楽器、たとえば、羯鼓、鉦鼓、鈸、笙、琵琶、箜篌などを持っているのに対して、上の遊女図では、楽器よりもさまざまな芸能に関するものが目立つ。遊女たちの持ち物を列挙する。

・夕霧（挿頭の花）　視覚・嗅覚・触覚
・吾妻（香炉）　嗅覚
・京半太夫（敷物）　視覚・触覚
・古三夕
・なか川（煙草盆）　味覚・嗅覚
・瀬川（菓子盆）　味覚
・越前（渡盞に組重盃）　味覚
・古小太夫（燗鍋）　味覚
・古和泉（三味線）　聴覚
・和洲（琴）　聴覚

・古吉野

・虎之助（大傘）　視覚・触覚

前稿では、夕霧の「花」、吾妻の「香炉」等を取り上げながら、遊廓にさまざまな芸能が繰り広げられ、加えて先にも挙げた二代目吉野のデザインセンスにも触れながら、遊廓が人間の五感を慰撫する壮大な装置となっていることを論じた。

図１　『諸艶大鑑』巻八の五「大往生は女色の台」

図２　二十五菩薩図

再度『一代男』巻五の一「後は様つけて呼」の吉野の挿絵を取り上げておこう【図３】。この二代目吉野が活躍した時、遊廓はまだ京都の西外れの朱雀野でなく六条三筋町にあった。この頃までの遊女は、客に呼ばれて置屋から揚屋に移動（いわゆる後に花魁道中と呼ばれたもの）するのでなく、自分の居室に遊客を招いて接待したのである。よってその居室のコーディネートからインテリアデザインまでを遊女が差配したと言われる。この挿絵もその三筋町時代の風景を写し取ったものであると考えられ、襖や屏風の絵・デザイン、床の間に置かれた調度品、蝋燭立て等のレイアウトには、遊女吉野のさまざまなセンスが発揮されていたと考えてよい。床の間の香炉は「徳子、香を聴くに妙を得たり」（『色道大鏡』巻十七「扶桑列女伝」）と言われた吉野であってみれば、とくに珍重の逸品であり、また、香炉の脇に置かれた和本は、吉野が歌の妙手であったことからすれば、『古今集』あるいは『源氏物語』等であったろう。

前稿では触れなかったが、こうした独立した居室をなぜ近世初期の遊女が持てたのか。ここからは推測でしかないが、江戸初期の遊廓が、中世まで国内を移動していた遊女やその集団を取り込むことで成立して行ったと言われる。[12]その取り込み方がどのようなものであったのかは分からないが、初期はその取り込まれた遊女集団の独立性が担保されていたに違いない。そして、その独立性を徐々に解体して、遊廓としての一体化を作り出して行ったのだろう。とすれば、この吉野の居室も遊女たちの独立・屹立した気概が示されていたと見てよいだろう。そうした点からすれば、この挿絵で気になるのは、いささか高めの床の間に、和本と香炉が堂々と鎮座していることだろう。ここから強烈な文化的文学的嗜好、香りが発散されている。さらに襖に描かれた紅葉、竹、菊といった植物、そして七宝文様の屏風。七宝は伝統を意味するとすれば、まさに『古今集』以来の伝統を踏まえたコーディネートである。遊女吉野の気概を支えていたのは、まさにこうした文化の力だったのであり、それが生かされたのが『一代男』で世之介（灰屋紹益）のピンチを救った話だったのだろう。

図３『好色一代男』巻五の一「後は様つけて呼」

6 遊廓における五感の解放／管理、遊女の素顔／化粧

今、吉野の居室の問題を取り上げたが、もう一つ「花」の問題を取り上げて、前稿とは別の角度から論じてみよう。次々頁上の挿絵は、『諸艶大鑑』巻三の五「敵無の花軍」【図4】における新町の揚屋吉田屋吉左衛門方北面の長縁での花競べの様子である。花桶にさまざまな花を投げ入れただけの野趣味ただようイベントであるが、何とも自由な雰囲気が醸し出されていて面白い。下の挿絵は『諸艶大鑑』巻五の一「恋路の内証疵」【図5】で、島原の太夫花崎が活け花の会をしたときの様子である。こちらは縁側でなく、

床の間に花を活けていて、どこか畏まった雰囲気を出している。遊女も正座をしたり、片膝を立てる（遊女の正式な座法）などしているのに対して、上の挿絵は、胡坐をかいたり寝そべったりするなど、寛いだ雰囲気を醸し出している。

この二つの挿絵は、遊廓において「花」をめぐる文化がいかに大切にされていたかを示すものだが、重要なのは、やはり上図であろう。というのは、この絵が遊女や遊廓の伸びやかな有り様を点出していることに加えて、この花桶と遊女が一対一に配置されているからである。すなわち、縁側に置かれた花桶と同様、遊女も遊客によって鑑賞されるものだとすれば、ここからは想像の域に入るが、西鶴は、遊女をこの花桶の花のようなものだと考えていたのではないか。遊女とは、活け花のように窮屈なものではなく、自由で伸びやかなものだと。とは言え、やはりそこは桶の中という制約があったことは言うまでもない。すなわち、解放しつつ管理する、解放／管理の空間と言ってもよいだろう。

この遊女・遊廓の解放／管理、そして花桶の花のような遊女と言った場合、すぐに遊女の化粧の問題が浮かび上がってくる。次の文章は藤本箕山『色道大鏡』巻三「寛文式上」に載る言葉である。

> 傾城の顔に仮粧する事、これを制する処也。但、新艘立の女郎、少の間はこれをゆるす、月を経ては必とゞむへし。端傾城はいかほども心まかせにぬるへし。其故は、局に入来る輩、其善悪をわきまへざれば、たゞ色白く見えたる計よし。挙女郎の年経たるにも、折々仮粧する女かたへにあり、是よからぬ事なり。最停止すべし。抑傾城といふは、禿立より朝夕五体をみがきあげて、繕なき皃を本とす。道に長ぜる人は、傾城の色くろきとてきらはず、色くろき女郎は、くろきまゝにてをくべし。是生れつきにて、ぶたしなみといはず。

「端傾城」（下級の遊女）は別として、遊女たるものは化粧などすべきでないと言うのである。理由は太夫などの優れた遊女は小さい頃から肉体を磨きあげているので、その素顔・素肌こそが命であって、そこに化粧などすれば、その練磨の意味を全く失うからである。よって肌が「色くろ」くともそれは自然のものであって、それを尊重すべしと言うのである。

しかし、その自然尊重は野放しのものでない。同じ『色

図4　『諸艶大鑑』巻三の五「敵無の花軍」

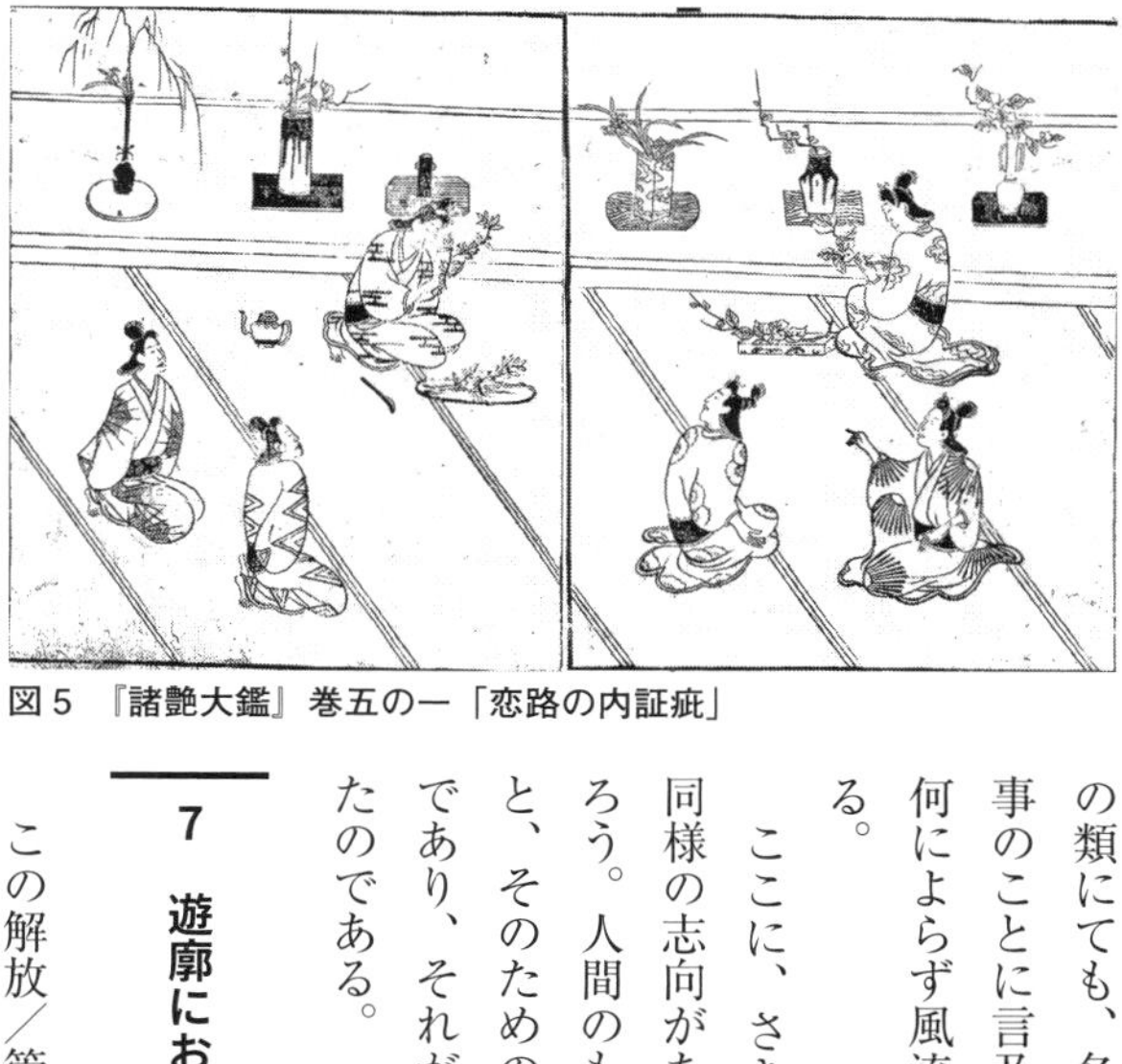

図5　『諸艶大鑑』巻五の一「恋路の内証疵」

道大鏡』の巻四「寛文式下」には、遊女たるもの笑ってはいけないとある。なぜならば「口をあき歯をかみ出し、かしらをなげうち貌をかへ、高わらひするなどは立所に風流をうしなひ、つたなく見ゆ」るからだと言う。また、「惣じて傾城たらん者は、何によらずくひもの、名を、随分といはぬやうに心得べし。魚鳥の名は申にをよばず、精進物の類にても、名をいふ事よろしからず」と、食事のことに言及することは厳に慎んだのである。何によらず風流第一の姿勢が求められたのである。

ここに、さきに挙げた花桶や活け花の花と、同様の志向があることは容易に看取できるであろう。人間のもつ「性」そして「自然」の解放と、そのための徹底した管理が遊廓の持つ原理であり、それが遊女の精神と肉体に施されていたのである。

7　遊廓における遊女の意気地

この解放／管理の「解放」に注目した時、先に述べた遊女二代目吉野（徳子）と奴三笠（「奴＝やっこ」男伊達の意）の男勝り、男伊達の在り方が気になって来る。わたしは先に「命懸けの虚構―通し矢・矢数俳諧・『好色一代男』」[13]なる論考で、『一代男』に死の影があり、そこに思いの外に武張った性格が付与されていることについて論じた。代表的な事件を挙げよう。

図6 『好色一代男』巻七の一「其面影は雪むかし」

・夫のある女性に恋慕して、その女から割木で眉間を打たれ傷を受けたこと (巻二の三)
・他人の妻女を強引に襲って片小鬢を剃られたこと (巻三の七)
・牢獄で出会った女と逃げたところ、その女の追手に瀕死の目に遭わされたたこと (巻四の二)
・女の生霊に襲われ抜刀して闘ったこと (巻四の三)
・泉州の迦陀沖で遭難し死にはぐったこと (巻四の七)
・男伊達を標榜していた遊女、奴三笠と心中をはかったこと (巻六の一)
・遊女高橋を独り占めにしたために、尾張の大尽に抜刀されて切り込まれたこと (巻七の一)

この中で、遊女の武張った性格がよく表れているのは、巻七の一の高橋である。挿絵をあげてみたい【図6】。

これは、高橋が野暮な田舎客と逢うのを嫌がり、田舎客の呼び出しを無視して粋人の世之介と逢って悠然としている場面である。そこに怒った田舎客が刀を抜いて斬りかかったが、遊廓で抜刀は許されない。多くの遊廓関係者に取り押さえられているところである。遊客は二本差しであることからすれば武士であろうが、その怒りの形相に比べて、世之介と高橋の悠然とした姿が対称的である。この後、高橋の遊客を無視した態度に怒った遊廓の亭主が、高橋の髻を持って引きずりながら店に戻すのだが、そんな中でも高橋は悠然と世之介に向かって「さらば」と言ってのけるのである。西鶴は最後に高橋を「こころつよき女、此男にあやかり物ぞかし」(何とも心強い女だ！ こんな女に惚れられる世之介にあやかりたいものだ)と結んでいる。

これは「解放」がいささか行きすぎた世界かも知れないが、遊女や遊廓の「自然」を大事にするのなら、こうしたこともあって当然と西鶴は考えていたのだろう。

こうしてみれば、遊廓が人間の内部・内面の自然を解放

／管理した二次的自然であることがはっきりと分かると思うが、こうした二次的自然が、西鶴の時代以後、そして近現代に至って失われてしまったかに見える。そこには解放／管理でなく、管理の側面が強く打ち出されてくるかのようだ。そうなったのはなぜだろうか。

これにはさまざまな原因があるが、今の『色道大鏡』が遊女の化粧について触れている部分で「端傾城はいかほども心まかせにぬるへし。其故は、局に入来る輩、其善悪をわきまへざれば、ただ色白く見えたる計よし」とあることを注視すべきだろう。江戸前期から中期までの遊廓、とくに関西を中心にした遊廓には、上層の町人のみならず貴族・貴人が出入りした。そうした貴人たちが、雅びや風流を第一に重んじたことは言うまでもない。また、上層の武士たちも多く出入りした。そうした武士たちが武士の意気地を感じさせる遊女（吉野・奴三笠・高橋）を好んだことは言うまでもない。遊廓や遊女もそうした貴人や武士に対峙するための教養や美的センス、そして意気地や気概が求められたのである。ところが、時代が下るに従って「其善悪をわきまへざ」る人間が多く出入りするようになる。そこでは、手っとり早い性欲の処理が求められるようになったのである。そうなれば、雅びや風流、意気地などはかえって煩わしいことになる。そして、遊女や遊廓の持つ伸びやかな「自然」も大方雲散霧消するしかなかったのであろう。▼[14]

8 結語

「はじめに」でも述べたように、人間の持つ〈性〉を野性のまま放埒化するのでなく、他のさまざまな文化と協働する形で管理・保育・馴致したのが遊廓であり、そこでは、人間の五感が解放／管理されていた。

誤解を恐れずに言うなら、庭園が野生の自然を解放／管理したものであるのと同じ意味において、遊廓は人間内部の〈性〉という野性の自然を解放／管理したものである。こうした見方は、二次的自然の観点を人間の内部・内面に向けることによって初めて得られるものである。

従来、環境問題の人間内部への視点として、十数年前に問題化された「環境ホルモン」があった。それは、世界各地での野生生物の観察結果等から、環境中に存在している物質が生体内であたかも「ホルモン」のように作用することで、内分泌系をかく乱することがあり、それが人間の存在に大きな問題を投げかけるという指摘であった。これは今もって重要な課題ではあるが、そうした病理的な問題のみならず、文化的な側面からも、この人間内部の環境問題は極めて重要である。二次的自然と遊廓の関係はそのことを我々に突き付けていると考えられるのである。

本稿では、この二次的自然と遊廓との関係を論じたが、遊廓とは言え、それは西鶴の時代、すなわち江戸前期の元禄期に的を絞った形となった。それ以後の時代、そして遊廓が女色の殿堂であれば、もう一方の男色、とくに歌舞伎役者の世界、歌舞伎若衆や歌舞伎小屋の世界がどうなっていたのかも重要な視点である。

また、「はじめに」の最後でも触れたが、朝鮮や中国をはじめとする東アジア世界において、この二次的自然と遊廓（東アジアに広げた場合は遊里と言った方がよい[15]）の原理がどうあったのか、あるいはなかったのかを探る必要があろう。これらの点についてはすべて別の機会を求めて論じてみたいと思っている。

注

1　この言葉は、後述する、岩田準一宛・南方熊楠書簡に載る熊楠の言葉「性欲上の男色」「心霊上の友道」（一九六頁下段）から取った。

2　中沢新一編『南方熊楠コレクションⅢ—浄のセクソロジー』（河出文庫、一九九一年）。

3　この点については拙著『西鶴小説論—対照的構造と〈東アジア〉への視角』（翰林書房、二〇〇五年）に載る『男色大鑑』に関する諸論で詳述した。

4　網野善彦『中世の非人と遊女』（明石書店、一九九四年）。後藤紀彦「遊女と朝廷・貴族」「立君・辻子君」（『朝日百科日本の歴史』〈中世三号〉朝日新聞社刊所収。一九八六年四月）。

5　渡辺憲司『江戸遊里盛衰記』（講談社現代新書、一九九四年）、『江戸遊女紀聞　売女とは呼ばせない』（ゆまに学芸選書ULULA、二〇一三年）等。

6　染谷智幸「遊女・遊廓と「自由円満」なる世界—『好色一代男』を中心に」（『冒険・淫風・怪異—東アジア古典小説の世界』笠間書院、二〇一二年）。

7　遊廓は、近代以降のさまざまな負の歴史が、今もその傷跡を残しているために誤解を受けることが多い。わたしの遊廓論の大筋は、注6の論文の前半に尽きているが、その中でもとくに強調しておきたい箇所を以下に引いておきたい「当たり前のことだが、遊廓には遊廓の生活があり、遊女には遊女の人生があった。それはパラダイスでも地獄でもない。人間以上でも以下でもない世界がそこにあるだけだ。遊女も遊廓も人間が作り上げたものである以上、そこに発現されるのはさまざまな人間性である。そうした目で遊女や遊廓を見ようとすること、また、そうした人間性に対する想像力を失わないこと、それが今、遊女・

遊廓、そしてそれをめぐる文化・文学の研究において、最も大切なように思う。」（前著一四六頁）

8　なお、注6の拙論注6で、遊廓が金銭の力を最大限に発揮することで、当時の身分制社会に対抗していた可能性に触れた。本稿ではこの点については触れないが、その注でも触れたように、この金銭の論理が、十六・十七世紀の東アジアに遊里・遊廓文化が広がってゆく背景の一つだったのではないかと考えられる。この点については、東アジアの〈性〉と環境問題を考える際にも重要な視点になってくるように思う。いずれ考えてみたい。

9　注6の拙著。

10　『西鶴と浮世草子研究』第一号所収、「西鶴浮世草子全挿絵」加藤裕一・染谷智幸編、笠間書院、二〇〇六年、以下西鶴の挿絵の引用は同じ。

11　高瀬承厳『二十五菩薩物語』（鈴木書店、一九二二年）。国会図書館デジタルコレクションより。

12　注3の諸論や『色道大鏡』巻十二「遊楽図上」など。

13　染谷智幸「命懸けの虚構—通し矢・矢数俳諧・『好色一代男』」（『ことばの魔術師西鶴』篠原進・中嶋隆編、ひつじ書房、二〇一六年）。

14　むろん、近代になれば、その時代に相応しい遊廓の自然が求められたこともあった。それは永井荷風や谷崎潤一郎の描き出した小説・エッセイの世界に表れている。しかし、そこにあるのは、江戸初期〜中期の遊廓・遊女が持っていた優雅悠然とした世界ではすでになかった。

15　諏訪春雄・広嶋進・染谷智幸編『西鶴と浮世草子研究』（四号、特集「性愛」）二〇一〇年の座談会（諏訪春雄・田中優子・鄭炳説・大木康・染谷智幸［司会］）で、中国や朝鮮に遊廓（妓女・妓生等が隔離された空間）はなく、集住した場所、すなわち遊里ならあるという意見でおよその一致を見たことがあった。

＊なお、原文等を引用する際、ルビを出来るだけ付したが、読みやすさを重視して現行の仮名遣いにした箇所がある。

※当日、発表者が急遽不参加となったため、事前に送付された原稿を司会が代読、その原稿を掲載した（編集委員追記）。

世纪
中国人民大学学生

3　東アジア／日本における自然誌叙述と国家史叙述

樋口大祐（ひぐち・だいすけ）
所属：神戸大学教授
専門分野：日本文学、東アジア比較文学
主要著書・論文：『乱世のエクリチュール—転形期の人と文化—』（森話社、二〇〇九年）、『変貌する清盛—『平家物語』を書きかえる—』（吉川弘文館、二〇一一年）、「二十世紀の和泉式部伝説—『かさぶた式部考』における「救済」について—」（張龍妹・小峯和明編『東アジアの文学と女性と仏教』勉誠出版、二〇一七年）、“Representations of Nomads in the Works of Ishimure Michiko,” Ecocritisism in Japan, edited by Hisaaki Wake, Keijiro Suga, and Yuki Masami, Rexinton Books. 2018 所収など。
現在の研究テーマ：日本の歴史文学を海域アジア文化圏や東アジア漢文文化圏の中に位置づけなおし、また、環境文学的視座から捉えなおすことを目指している。

summary

近代以前の歴史叙述の大半は国家史のナラティヴであり、王権と関係の深い社会の諸事件が時系列で選択・配列され、動植物の記述は少ない。他方、地方志や『和漢三才図会（わかんさんさいずえ）』等の類聚的・自然誌的書物は、空間的・地理的な情報や動植物に関する豊富な叙述を含んでおり、動植物を固定的な観察の対象とする場合が多いとはいえ、人類との流動的な交渉のさまを記した説話的叙述も散見する。本報告ではその具体例を瞥見し、如上の諸形式の相互関係を考えるための一助としたい。

1 はじめに

神戸大学の樋口と申します。劉さんがさきほど亥の子の話を起点に、歳時のような循環的な時間感覚のお話をされましたが、わたしの今回の発表は、直線的な時間の流れを軸にして書かれた歴史叙述と、それとは対照的な、空間的な認識把握が、表現世界の中でどのように交差しうるのかという、人間の文化システム全体のあり方の問題が出発点になっています。そのなかで、自然と人間の関係性がどのように表現されるのかということを漠然と考えております。ラウンドテーブルなので、かっちりした結論を出すというよりも、問題提起的なことが何か言えればいいのかなというつもりで、お話しできればと思います。

わたしは従来は歴史文学、『平家物語』や『太平記』を研究してきたのですが、歴史を叙述するという行為は、言語文化のなかのある一つの要素に注目したものに過ぎない。時間の流れに従って、世の中で起きる森羅万象のうちのごく一部を、とくに前近代の場合は王権に関わる国家史の枠組において選別し、序列化したという面があると思います。

それに対して、環境というキーワードとも関わると思うのですが、中国の歴史叙述には各王朝の断代史のほかに、膨大な量の地方志があって、「志」という漢字で表現されるジャンルがありますね。これは類書にも似て、歴史に棹さしつつ空間的な広がりを背景に、自然環境や動植物を含む多様な物事を項目並列的に（時には説話的に）記述している。一定の地理的範囲の中で、時間軸と空間性をさまざまに交差させることを通じて、世界を叙述していると言えるのではないかと思います。

それでは、日本の中世文学の諸ジャンルはどうなのかという問題です。第一に軍記文学は、中国の正史でいうなら、本紀や列伝の要素を部分的に持っていると思うのですが、基本的には王権によって統合されている歴史叙述です。それでは自然環境や動植物についてはどうなのか、ということですが、たとえば『延慶本平家物語』のなかの動植物の表象は、いくつかのタイプにグルーピングすることができると思います。

第二に、類書と説話集について。中国では唐代の勅撰の四大類書や、宋代、明代に到るまでさまざまな類書があり、そこから筋を持った説話や小説が派生してくる筋道があります。では日本ではどうなのか。延慶本成立以前の十三世紀後半、対モンゴル戦争の時期に、『塵袋』という辞書的な類書が編纂されましたが、これが多くの説話的記述を含んでいます。その目次は、非常に類書的な配列なのですが、他方、『和名抄』や『色葉字類抄』などに比べると説話的な叙述が非常に多い作品です。また、十三世紀半ば成立の『古今著聞集』は説話集のなかでは類書的な構成を持つ作品ですが、とくに巻二十「魚虫鳥獣篇」を見ると、動植物の表象についてどのような傾向を有しているのかということがわかります。

これらの作品の動植物表象の特徴について、以下、簡単に説明させていただければと思います。

2 『延慶本平家物語』にみる動植物表象の特徴

まず『延慶本平家物語』では、動植物の語彙はかなりの頻度で出現しています。ただし、半分以上は漢詩文や和文の修辞の中で比喩的に引用される場合が多く、実際に歴史的な出来事に実在の動植物が関わったという形ではありません。

しかし、歴史的な出来事の記述において具体的な動植物が登場する話も百箇所以上あります。特に前半、治承四年（一一八〇）の源氏の挙兵以前の箇所に多いですが、王権との多様な関係性という意味で、四種類くらいに分けられます。

一つ目は王権的世界の行方を超越的に指し示す動植物です。たとえば、巻一「清盛繁昌之事」における鱸。熊野参詣の途上で、船に飛び込んできた鱸を、清盛が「調美シテ、家子郎等、手振、強力ニ至マデ、一人モ不漏養ケリ」とあります。中国の周の武王の船に白魚が踊り込んだ故事に擬えられていますが、動植物が冥界の意思を伝えるものであり、また王権につながる富の象徴として意味づけられている例と言えます。また、巻二「康頼ガ歌都へ伝ル事」では、鬼界ヶ島に流された康頼が熊野権現勧請の祭文を読み終えた後、膝に落ちかかった「ナラノ葉」の虫食いの形状から和歌に込められた神意を読みとります。さらに、巻十一「源氏ニ勢付事付平家八嶋被追落事」で、壇ノ浦の合戦の直前に熊野別当湛増が若王子の前で闘鶏をしてどちらに味方すべきかの神意を占った説話も、動植物の同様の役割を示唆していると思います。

二番目に、王権的世界の周縁で王権に従う動植物が存在します。巻二「漢王ノ使ニ蘇武ヲ胡国ヘ被遣事」における雁は、王権の域内と域外を媒介していて、帝国の周縁を象る存在といえると思います（匈奴にとらわれた蘇武は「禽獣鳥類」のみを友として、「羊の乳」を飲む生活を続けながら、「雁」の足に漢都への手紙を託します）。また、「枯タル草木モサカエ花咲キ」という慣用表現がありますが、これはもともと『千手陀羅尼経』や『梁塵秘抄』で同趣旨の文言が使われており、仏教的な語彙であったものが『延慶本平家物語』巻五「右兵衛佐謀叛発ス事」では則天武后の説話に転用され、さらに天皇の宣旨に従う鷺の説話に変貌しています（「宣旨ト云ケレバ、枯タル草木モサカヘ花咲キ、天ヲカケル鳥、地ヲ走ル獣モ、皆随奉リキ」）。しかし、巻八「木曽怠状ヲ書テ送山門事」では、法住寺合戦で木曽義仲に敗れる鼓判官知康に同様の文言を口にさせることで、天皇の権威が失墜している現状を逆に示すために使用されています。いずれにしても王権的世界に従うことで王権の意義を際立たせる役割を見いだすことができるでしょう。

それから三番目に、不遇の人物と動植物が交感する説話があります。覚一本にもあるのですが、延慶本だけでいうと、とくに松が顕著な役割を果たしています。たとえば、巻三「丹波少将故大納言ノ墓ニ詣事」では、鬼界ヶ島から帰ってきた少将成経が、父親の大納言成親の「御墓ハイヅクゾト問給ヘバ、此屋ノ後ノ一村松ノ本ト申ケレバ」という記述があります。また、巻三「有王丸油黄嶋ヘ尋行事」で有王が鬼界ヶ島に俊寛を探しに行った時も、野中に松が立っており、「云ヘドモ答エヌ松ニイトマヲ乞テ」という記述があります。不遇の人物が動植物と交感をおこなうという説話の枠組は、和歌的な修辞の影響の範囲内ではないかと言われれば、そう言えなくもありません。その他、巻九の一の谷合戦の際、平知盛と彼が陸に置き去りにした馬とのあいだのアイコンタクトの説話もあります（「畜生ナレドモ、年来ノヨシミ忘レガタクヤ思ケム」）。

四番目に、実際の動植物は登場しないのですが、動植物を用いた比喩で、仏教的な文脈の中で、逆境にある人間状況を形容する事例です（巻十一「檀浦合戦事付平家滅事」の「源氏ハ刀俎ノ如ニテ、平家ハ魚肉ニ不異」のほか、「屠所ノ羊」「少水ノ魚」等）。

そして最後に五番目の事例として、人間社会の身分秩序から離脱し（あるいは追放され）、より自然に近い生活を営んでいる人物に対する差別的眼差しの事例があります。たとえば巻三「有王丸油黄嶋へ尋行事」で、「カゲロウ」のごとき姿で、腰の回りに「アラメ」を指しはさみ、「ナマシキ魚」を握って彷徨う俊寛の姿を見た有王は、「此嶋ノ非人ニテコソ有メ」と考えます。ここには修羅道や餓鬼道のイメージも重ね合わせられていますが、草木や魚介類をまとい、身分秩序の外部に出た俊寛の姿に対し、都育ちの有王は差別的な認知を発動させてしまうのです。この差別的眼差しの問題は、動植物の表象の中でたいへん気になる要素の一つです。また、巻十二「法皇小原へ御幸ナル事」で、花摘み姿の建礼門院を見た後白河が彼女を哀れがるのに対して、阿波内侍がそれを捨身の行であるとして弁護する場面があります（この阿波内侍自身も非常にみすぼらしい姿であり、後白河院は最初彼女であることに気づかなかったことになっています）。ここでは「花を摘む」という行為に対する二つの解釈がせめぎ合っており、人間社会の秩序を離脱して自然に近い生活を送るようになった人々に対する社会の眼差しを表現しているように思います。

3　『塵袋』と『古今著聞集』にみる動植物表象の特徴

『延慶本平家物語』の事例だけで時間を使ってしまいましたが、『塵袋』と『古今著聞集』についても簡単に一瞥しておきたいと思います。『塵袋』巻四に「犀角」という項目があります。「犀角ノ水ヲトヲクサルト云フハ、実事カ」という問いに始まり、犀の角をふりかざしたり、水に入れると、水がひくだけではなく、水の中が透明になって、水底にいる生き物の姿が目に見えてしまう。晋の温嶠という人がそれを実際にやってみたところ、「ソノ夜温嶠ガ夢メニ、フチノソコノ生モノドモキタリテウラミケリ。幽明ミチコトナリ。ナニノ故ヘニカ、ワレラガスミカヲアラハス」と抗議をしたという説話です。これは前近代から存在した、人間の自然支配（「類書」自体がその現われの一つ）に対する抵抗の思想と言えなくもありません。

あるいは『古今著聞集』魚虫鳥獣篇、七百十七話「豊前国住人太郎入道、母子猿の相思ふを見て後、猿を射るを止むる事」は、武士が、自分が殺すつもりだった母子猿の相愛の様子を目撃して出家する説話です。母猿が木から落ちそうになって子猿を助けようと思って木の上に引きあげようとするのですが、子猿が母親に飛びつこうとしてもがいているあいだに、両方とも木から落ちてしまい死んでしまうという話です。田中宗博氏「『古今著聞集』魚虫鳥獣篇の混沌をどう読むか」(『百舌鳥国文』二十五号、二〇一四年)は、『古今著聞集』の動物説話を、人間に近い共感できる存在としてポジティブに扱う説話と、畜生として動物同士が凄惨な戦い合いをするというネガティブな説話の二種類に分類しています。しかし、わたし個人は、その二種類の説話群よりも、食物連鎖の中でどうしても共存できない、お互い食い合わないと生きていけない人間と動植物の関係性に対する認識(北条勝貴氏のいわゆる「負債の感覚」)を含んでいる説話を評価したいと思います。

そのような説話の存在を一方の念頭に起きつつ、時間軸と空間性が交差する歴史文学や類書・説話集等の諸相を逆照射していくのも一つの方法ではないかということで私のコメントに替えたいと思います。

4

菩提樹の伝来——栄西による将来とその意義

米田真理子（よねだ・まりこ）
所属：元神戸学院大学准教授
専門分野：日本中世文学
主要著書・論文：「『喫茶養生記』再読—栄西による主張の独創性とその継承—」（『比較思想から見た日本仏教』山喜房佛書林、二〇一五年）、「無住における密教と禅—栄西「禅宗始祖」説を考える」（『説話文学研究』五十二号、二〇一七年九月）など。
現在の研究テーマ：栄西を中心に、中世の禅受容の在り方を見直して、中世文学研究に還元させられるよう努力している。

summary

釈迦がその下で悟りを開いた菩提樹は、仏伝を通して広く知られるだけでなく、樹そのものが諸国に移植されたことで、釈迦の聖地から遠く離れた地においても、人々が実際に目にし、直接手に触れることが可能となった。日本へも鎌倉時代初頭に伝来したとされており、それは、栄西が中国の天台山から博多へ送り、各地へ移植したことによると伝えられている。栄西による菩提樹の将来は、『元亨釈書』などに見られることから早くより知られていたが、その意義については深く掘り下げられることはなかった。それが日本への伝来の最初と目されるのであれば、栄西以前をも含めた日本での菩提樹受容の実態も、具体的には検証されてこなかったことになろう。

そこで本発表では、日本における菩提樹の受容について、栄西の将来を軸に考察しようと思う。まず、栄西が中国天台山の菩提樹を日本に送った目的を、東大寺再建事業との関わりから明確にする。次に、栄西自身にとっての菩提樹将来の意義を、『元亨釈書』に記された菩提樹の伝来経路をもとに解き明かす。さらに、同時代の人々による受容の痕跡を探索して、当時の釈迦信仰の様相にも言及し、最後に、『喫茶養生記』下巻の「桑」に関する記事を分析して、菩提樹と代替可能とみなされた桑の役割を明らかにする。

栄西の研究史を振り返ると、菩提樹の将来は、禅との関わりが稀薄であるためか、従来注視される機会は多くなく、一方、『喫茶養生記』は、禅に関する記述がないにもかかわらず、禅と結びつけて論じられることが少なくなかった。近年、中世における禅受容の見直しが進められており、栄西の思想に対する評価も大きく変化した。本発表では、かかる動向を踏まえつつ、栄西による禅の受容を菩提樹将来から照らし出し、『喫茶養生記』の密教的要素に栄西の独創性を読み解いて、文学的見地からの栄西思想の再評価を試みたい。菩提樹の移植は一大事業であったに違いなく、人々が歓待したことも想像に難くない。菩提樹の伝来を通して、信仰と自然の関係を考える契機にしたい。

1 はじめに

釈迦成道の樹として広く知られ、世界の各地で目にすることのできる菩提樹が、日本に伝来したのは鎌倉初頭のことでした。栄西（一一四一～一二一五）が中国から日本へ送ったことによるとされています。このことは、『元亨釈書』の栄西伝をはじめ、諸書に書きとめられて、つとに知られていましたが、栄西の事跡としては特段掘り下げられることはなく、そのため日本での受容についても詳しく論じられることはありませんでした。菩提樹は、この時期ならではの諸相をまとって伝来したと考えられることから、人々の菩提樹に対する認識を分析することで、当時の社会や仏教世界の様相を照らし出すことにもなると思います。そこで本稿では、菩提樹が日本でどのように受容されたのかを検証し、栄西による菩提樹将来の歴史的意義を明らかにしようと思います。

2 菩提樹の実と葉の伝来

まず、菩提樹の一般的な定義を確認しておきましょう。

> 釈迦がその下で悟り（bodhi, 菩提）を開いたとされる樹木。〈覚樹〉〈道場樹〉ともいう。サンスクリット語で pippala とか aśvattha とか呼ばれる樹木。学名は Ficus religiosa で、クワ科。日本の寺院に植えられている菩提樹やドイツの菩提樹（Lindenbaum）は、葉の形がこれに似たシナノキ科の植物である。過去七仏にそれぞれ別種の菩提樹があるとされる。なお、シナノキ科の果実を〈菩提子〉といい、数珠の材料とする。特に唐招提寺の菩提樹は、鑑真請来の菩提子に由来するものとされて著名。（『岩波仏教辞典』第二版）

インドの菩提樹はクワ科に属し、日本やドイツの菩提樹は葉の形の似たシナノキ科の植物であると説明されています。たしかに、いま日本で目にすることのできる菩提樹のほとんどはシナノキ科の樹木です。では、その菩提樹が、日本にどのように伝来し、受容されたのかをひもといていきましょう。

右の辞書にもみえる鑑真将来説は、天平勝宝五年（七五三）に来日した鑑真（六八八～七六三）の、『東征伝』に載る将来品の一つ「菩提子」（菩提樹の実）が育ったとするものです。いま、唐招提寺には、講堂北側食堂跡の植林地に菩提樹が確認でき、太宰府市の戒壇院でも、「鑑真和上が中国から請来したと伝えられる」の立て札を添える菩提樹を、本堂の東側に見ることができます【写真1】。しかし、管見の限りでは、鑑真の菩提子が植えられたことを裏づける文献はみあたらず、伝承の域を出るものではないと思われます。[1]

　ただ、『東征伝』により、奈良時代に、鑑真が中国から菩提樹の実をもたらしていたことはたしかでしょう。ほかにも、天平八年（七三六）に渡日した菩提僊那が所持し、行基がもらい受けたとする「菩提子念珠十貫」[2]（『東大寺要録』巻第二供養章「開眼師伝来事」）や、天平十九年（七四七）の『大安寺伽藍縁起 幷 流記資財帳』に載る「合誦数貳拾玖貫」のうち「一貫菩提樹数五十三丸」も、菩提樹の実であったと考えられます。[3]平安時代に入り、承和六年（八三九）の、入唐僧円行（七九九～八五二）による将来目録には、「菩提樹葉一枚有茎、中天竺三蔵難陀付授」と、中国から菩提樹の葉を一枚持ち帰ったことが記されています。[4]

写真1　戒壇院の菩提樹（福岡県太宰府市）
石碑、木製立て札、スチール製説明板あり。2019/7/23筆者撮影。

　このように、菩提樹の実や葉は、貴重な将来品として扱われていました。ただし、当時の日本に、どれほどの数が存在し、どのような人が所持し、あるいは見たり、触れたりできたのかはわかりません。やがて菩提樹の数珠が、物語にも登場するようになります。『落窪物語』三「こがねの数珠箱に菩提樹のをなん入させ給たりける」（新大系）や、『うつほ物語』国譲・中「律師には、菩提樹の数珠具したる衲など、一具奉りたまふ」（新編全集）がその例です。物語の読者も、菩提樹の実で作った数珠が貴重であることは知っていたのでしょう。

　菩提樹を珍重する背景には、釈迦の伝記があることは疑いありません。仏伝に登場する菩提樹について、小峯和明氏は、次のように解説しています。

> 生涯を八段階に区分する「釈迦八相」の中でも、悟りを開く「成道」と、魔王らの妨害を排除する「降魔」との二つが菩提樹下を舞台としている。もとより釈迦がこの樹下で成道したのでその名があるが、畢鉢羅樹、勘導樹、覚樹ともいい、『法苑珠林』八では「阿沛多羅樹」、『法顕伝』では「貝多樹」、『観仏三昧経』に「阿輸陀樹」、『西域記』八に「畢鉢羅固樹」（国冨堅）、『十住毘婆娑論』に「阿主陀樹」、『陀羅尼集』五に「戸利沙樹」（『渓嵐拾葉集』四八「菩提樹随仏異事」）云々とみえる。[5]

説話集などにみられる菩提樹は、こうした釈迦の伝記にかかわるものがほとんどです。[6] かかるなか、森正人氏が明らかにした、『今鏡』の語りの場である「木かげ」が菩提樹下に擬えられていたことは、興味深いといえます。

> こうして、未来において樹下に成仏し、法を説いて人々に聞かせたいと言うこの老女は、弥勒菩薩の化身であるとみなければならない。老女の昔物語が仏の説法になぞらえられるならば、昔物語を〈語り—聞く〉ために人々の身を寄せた木が菩提樹になぞらえられることはいうまでもない。[7]

弥勒菩薩の化身とみなされる老女の説法の場が、菩提樹に擬えられた樹の下であったことには、現実的な側面もあったのかもしれません。なぜなら、その頃の日本には、まだ菩提樹の樹は伝来していなかったからです。

菩提樹は、仏伝によって誰もが知る植物です。その実や葉は、奈良時代以来、来日僧や留学僧が日本にもたらしていました。それらはたいへん貴重で、たとえば菩提子の数珠は、一部の特権的な立場の人しか手にすることができなかったと思われます。また、仏伝図などに菩提樹が描かれるケースもあったでしょうが、多くの人々にとっては、文字テクストや法会などでの語りを通してイメージするものだったと考えられます。[8]

3 菩提樹の樹の将来

菩提樹の樹が初めて日本にもたらされたのは、鎌倉時代初頭のことでした。栄西が中国から日本へ送ったことによるとされ、その時の様子は、『元亨釈書』の栄西伝に、次のように叙述されています。

六年創二聖福寺于筑之博多一。此春分二天台山菩提樹一栽二東大寺一。初西在二台嶺一、取二道邃法師所レ栽菩提樹枝一、付二商船一、種二筑紫香椎神祠一。建久元年也。西以謂、吾邦未レ有二此樹一。先移二一枝于本土一以験二我伝法中興之効一。若樹枯槁吾道不レ作。蓋菩提樹者如来成道之霊木也。世尊滅後一百年、師子国王受二仏記一、共二仏舎利一得二南枝一盛二金甕一移植。南宋之始、求那跋陀羅始栽二広府一。其後邃師分二台峯一。是以西為二法信一寄来、逮二東大寺復一、勅以二此木一移焉。元久之始、西又取二台枝一、栽二建仁東北隅一。両処茂盛、垂レ蔭数畝、至レ今繁焉。天下分栽。（新訂増補国史大系）

記事は、建久六年（一一九五）の出来事として、博多聖福寺の開創に続き、建久元年（一一九〇）に香椎宮に植えた菩提樹を、東大寺へ移植したと記しています。その菩提樹は、そもそもは、最澄の師である道邃が天台山に植えた菩提樹から栄西が一枝をとり、商船に乗せて日本へ送ったものでした。「西以謂らく、吾が邦未だ此の樹有らず」と、当時の日本に菩提樹はなかったとしており、さらに「我が伝法中興の効」、すなわち自らの伝法中興の証にするとしています。そして、菩提樹は、日本に到着して五年後に、勅命により再建中の東大寺に移植されることになったのです。

東大寺への移植は、『東大寺造立供養記』にも、「抑伝二西天之道樹一移二東上之庭前一、植二鯖木之古跡一」（大日本仏教全書）とみえ、重源の『南無阿弥陀仏作善集』でも、「鯖木跡奉レ植二菩提樹一」（奈良国立文化財研究所研究史料）と記されています。鯖の木とは、東大寺の創建時に、大仏開眼供養の読師となった鯖売りの翁が籭を担いだ杖のことで、『今昔物語集』巻第十二「於東大寺、行花厳会語第七」は、「其ノ鯖荷タリケル杖、于今御堂ノ東ノ方ノ庭ニ有リ」（新大系）と、翁が堂の前に突き立てたとしていました。しかし、治承四年（一一八〇）十二月二十八日の南都焼き討ちで、『玉葉』翌二十九日条に「東大寺已下堂宇房舎払レ地焼失」とあるように、東大寺は焼亡し、鯖の木もまた、『宇治拾遺物語』第一〇三「東大寺華厳会の事」に「この度平家の炎上に焼けをはりぬ」（新編全集）とあるごとく、焼けてしまいました。栄西の菩提樹はその鯖の木の跡に植えられたのでした。

このように、菩提樹の東大寺への植樹は再建事業の一環でした。このことから、日本に伝来した菩提樹が、二つの仏法中興とかかわりがあったことがわかります。一つは、この南都の中興です。『宇治拾遺物語』は、鯖の木を、「今伽藍の栄え衰へんとするに随ひて、この木栄え、枯る」と、創建された東大寺の盛衰に鯖の木の栄枯を重ねあわせていました。そして、焼き討ちでの焼失を受けて「世の末ぞかしと口惜しかりけり」と文を結ぶのは、鯖の木の焼亡が法滅を意味したからにほかなりません。その失われた鯖の木の跡に菩提樹が植えられたのは、今度は再建された東大寺の未来を託す意図があったからだと思われます。もう一つの中興は、栄西による伝法です。前掲『元亨釈書』で、栄西は菩提樹の送付に際して「我が伝法中興の効を験みん」と述べたとされていました。「若し樹、枯槁せば、吾が道作らじ」と、栄西もまた、菩提樹に「吾が道」たる「伝法中興」の成否を託していたのです。文末に「今に至るまで繁し。天下に分かち栽う」と、天下に移植されて繁茂すると記すのは、その達成をいっていると考えられます。

以上、日本へ送付された菩提樹は、二つの仏法中興とかかわりがあったことがみえてきました。そこにはどのような背景があったのかを、つぎに検証します。

4 栄西の中興の意味

まず、栄西にとっての中興と菩提樹の関係をみていきましょう。栄西は、菩提樹の送付の際に「我が伝法中興」を託していましたが、記事では、その「中興」の内実は明瞭ではありませんでした。栄西の事跡を踏まえると、『興禅護国論』第五門に載る、初度の入宋時における中国人僧との会話で、栄西が「我国祖師、伝レ禅帰朝。其宗今遺欠。予懐レ興レ廃故到レ此（我が国の祖師、禅を伝へて帰朝す。其の宗、今遺欠す。予懐ふに廃せるを興さんが故に此に到る）」▼10と述べたことが注目されます。最澄の禅の教えが途絶え、それを復興すると述べているからです。

最澄の禅の受法は、『内証仏法相承血脈譜』の「達磨大師付法相承師師血脈譜一首」により、貞元二十年（八〇四）に天台山の禅林寺で翛然から受けたことが知られます。

更ニ受二ク達磨ノ付法ヲ一。大唐貞元二十年十月十三日、大唐国台州唐興県ノ天台山禅林寺ノ僧翛然、伝二授ス天竺大唐二国ノ付法血脈幷ニ達磨ノ付法牛頭山ノ法門等ヲ一。頂戴シ持シ来リテ安二ス叡山ノ蔵一ニ。

（伝教大師全集）

最澄は、「天竺大唐二国の付法血脈幷に達磨(だるま)の付法牛頭山(ごずさん)の法門等」を「頂戴し持し来りて叡山の蔵に安んず」と、叡山に布置したとしています。一方、栄西は、最初の入宋の前に、博多で通事から「聞二伝言一、有二禅宗一弘二宋朝一云云（伝へ言ふを聞く、禅宗有りて宋朝に弘まると云云）」と、大陸で禅が盛んであると聞き、帰国後、禅について叡山の先師たちの書籍によって学んだことを記しています。

> 即及レ秋帰朝。而看二安然教時諍論一、知二九宗名字一。又閲二智証教相同異一、知二山門相承巨細一。又次見二伝教大師仏法相承譜一、知三我山有二稟承一。畜念不レ罷経二二十年一、方今、予懐礼二西天八塔一。

最澄の著作により「我が山に稟承(ひんしょう)有りしことを知」ったというところをみると、栄西は、この頃初めて叡山での禅の伝灯を知ったものと思われます。そして、『興禅護国論』第三門において、前掲『内証仏法相承血脈譜』を引用して、「其後、今及二四百年一也。栄西慨二此宗絶一、且憑二後五百歳之誡説一、欲二興レ廃継レ絶也（其の後、今は四百年に及ぶなり。栄西は此の宗の絶えたるを慨(なげ)き、且つ後五百歳の誡説(じょうせつ)に憑(よ)つて、廃せるを興し絶えたるを継がんと欲するなり）」と、最澄から数えて四百年のいま、廃絶した禅を復興し、その跡を継ぐと宣言します。「中興」は、ここに関係することは間違いないでしょう。

ただし、栄西が、叡山の禅の再興を最初に誓ったのは、仁安三年（一一六八）の初度入宋の前後のことであり、菩提樹の送付は、それから二十年以上経った、二度目の入宋中の出来事でした。栄西は初度の帰国後に禅について学んだとしていましたが、栄西が二度の入宋を振り返って執筆した『入唐縁起(にっとうえんぎ)』では、「自二入唐帰朝一以来、無二他事一学二真言聖教一（入唐帰朝より以来、他事無く真言の聖教を学ぶ）」[11]と、次の入宋までの間は、密教の修学に専心したと記しています。じじつ当時執筆した多数の著作はいずれも密教の書であり、栄西が重きを置いたのは密教だったといえます。そして、かかる修学の結果、「予懐ふに西天の八塔を礼せん」と、インドへの渡海に踏み切ることになったのです。栄西は、二度目の入宋中に中国の禅師から禅を受け、また天台山の菩提樹を日本に送付しますが、そのときは求法の旅の途上だったことになります。[12]では、インドへ行く心づもりの栄西にとって、叡山の禅の復興は、どのような意義を有したのでしょう。

本節の冒頭に引用した『興禅護国論』第五門の中国人僧

との会話は、『元亨釈書』ではつぎのように記されています。

我邦台教始祖伝教大師伝二三宗一而帰。方今台密正熾。禅滅者久矣。西承レ乏者也。恨二祖意之不一レ全矣。故航レ海来欲レ補二禅門之欠一。

ここでは「我が邦の台教の始祖伝教大師三宗を伝へて帰る」と、最澄は三宗を伝えたと記しています。三宗のうち、いまは密教が盛んであり、禅は滅んで久しく、「祖意の全からざるを恨む」と、全くではない状態を恨むといっています。このことは初度帰朝後の栄西の修学実践とも合致します。帰国後、主に密教を修し、禅をも学んだのは、「全」に近づこうとする営為だったのです。つまり「禅門の欠を補はんと欲す」とは、「三宗」を補完することの意と理解することができ、よって、栄西が目指したのは、最澄が叡山に敷いた教えの全体を再構築することだったといってよいと思います。

同様の志向は、『興禅護国論』にも読み取れます。第九門に「然日本国人常諺云、天竺唐土仏法已滅。我国独盛也云云（然るに日本国の人、常の諺に云く、「天竺・唐土は仏法已に滅す。我が国のみ独り盛んなり」と云云）」と、天竺や唐土の仏法は滅び、日本だけが盛んだといわれるが、そうではないと述べています。栄西は、日本・震旦・天竺で仏教が行われているという三国観を有していたのです。かかる前提のもと、「中天竺国如来成道樹下、有二金剛座一。如レ是勝地今豈無二仏法一哉（中天竺国は、如来成道樹下に、金剛座有り。是の如き勝地に、今豈に仏法無からんや）」と、「中インドの釈尊が成道した菩提樹下に金剛座があるのであり、このような勝れた地に、どうして今この時に、仏法が行じられていないというようなことがあるだろうか[13]」と述べて、インドでいまも仏教が行われていることを、金剛座の菩提樹の存在によって示しました。栄西が菩提樹を仏法興隆の象徴とみなしていたことがうかがえます。日本については、「然則此地是勝境、仏法流布之方。慇懃鄭重参禅、則如来当二随喜一。証果亦応レ有也（然れば則ち、此の地は是れ勝境、仏法流布の方なり。慇懃鄭重に参禅せば、則ち如来もまさに随喜したまふべし。証果も亦たまさに有るべきなり）」と、優れた地勢で仏法も流布しており、参禅すればさらに盛んになるとします。そして、「因レ茲、思二地勢一、慮二末世一、憐二稚子一、懐二祖道一、欲レ興二其廃亡一（茲に因って、地勢を思ひ、末世を慮ぱかり、稚子を憐れみ、祖道を懐ひて、其の廃亡を興さんと欲す）」と、やはり復興への思いを語るのです。インドに匹敵する勝地たる日本で、仏法をより興隆させるために必要な禅を復興するという謂いでしょう。栄西が、中国に限定されない、インドに由来する禅を目指していたこともみえてきます。

ここで、『元亨釈書』の菩提樹伝来ルートを整理します。

1　蓋菩提樹者如来成道之霊木也。

2　世尊滅後一百年、師子国王受二仏記一、共二仏舎利一得二南枝一盛二金甕一移植。

3　南宋之始、求那跋陀羅始栽二広府一。

4　其後邃師分二台峯一。

5　初西在二台嶺一、取二道邃法師所レ栽菩提樹枝一、付二商船一、種二筑紫香椎神祠一。

1がインドの釈迦成道の菩提樹で、2は師子国（スリランカ）への移植、3で求那跋陀羅が中国の広州に植えたことを示しています▼14【写真2】。4では、最澄の師である道邃が天台山へ株分けしたこと、そして5が栄西による日本への移植です。インドから日本に到るこのルートは、日本に送る菩提樹が、釈迦が成道したインドの菩提樹に、正しく由来することを保証するものだといえます。栄西は、日本の地に育つ菩提樹に、インドの菩提樹と同様の仏法興隆を象徴するアイコンとなることを期待していたのでしょう。

写真2　光孝寺の菩提樹（中国広東省広州市）
中国最古の菩提樹の二代目。南華寺の孫樹を移植。
2018/10/07 吉原浩人先生撮影。

ところで、最澄も天台山の植物を日本に持ち帰っていました。『伝教大師将来台州録』に「天台山香炉峯送二檉及柏木文釈四枚一」（大正蔵）とみえ、『道邃和尚施与物目録』にも「天台山香炉峯檉柏木並檉木文釈四枚」（伝教大師全集）と載ることから、師である道邃が最澄に授けたことがわかります。『叡山大師伝』も「天台山香炉峰神送二檉及柏木釈文四枚一」（史籍集覧）とするように、「檉」と「柏木」は別の植物とみなされますが、最澄が持ち帰ったのがどのような形態のものであったかは、管見の限りでは、それを記す文献はみつけられませんでした。

右の目録類にみえる「香炉峯」は、天台山の仏隴と呼ばれる地域に所在し、そこは「開祖の智顗にまつわる伝説やその墓地など」がある「天台山仏教最高の聖地」であり、「禅林寺はその中心に位置していた」とされます。[15] その禅林寺は、智顗が天台山で最初に拠点とした寺院であったことから、「天台仏教発祥の場所」といわれています。

では、禅林寺と香炉峰について、唐代の宝暦元年（八二五）成立の徐霊府撰『天台山記』をみてみましょう。

自二国清寺一東北一十五里、有二禅林寺一。寺本智顗禅師修二禅於此一也。以二貞元四年一使牒。移二黄巌県廃禅林寺額一来、易二於道場之名一。寺東一十五里、有二香炉峰一。甚高嶮。峰上多有二香柏檉桂之木相連一。有二宴坐峰一。其峰可二高百餘丈一。是智者大師降魔峰。後有二神人一、送二石屏峰於大師背後一。至レ今存焉。

禅林寺は智顗の修禅の寺であるとしており、香炉峰は峰の上に多くの「香柏檉桂の木」が連なっているとしています。このうち「檉」は、かはらやなぎ（檉柳）や檜の類（檉柏）などと説明される樹木で、『妙吉祥平等秘密最上観門大教王経』では、菩提樹の代用となる植物の一つに数えられています。

将二此五菩提樹葉以真言加持一。此土縁無。以二此方香樹葉・秋樹葉・夜合樹葉・梧桐樹葉・檉樹葉一代レ之。
（大正蔵）

さらに『天台山記』では「宴坐峰有り」、「是れ智者大師の降魔の峰なり」と、ここに智顗の降魔峰があったことを示しています。つまり、道邃が最澄に授けた檉は、智顗の降魔にかかわる、菩提樹の代替となり得る樹木だったのです。道邃は、おそらく最澄の受禅を記念して檉を授与したと推察され、[16] また、最澄が翛然から禅を受けたのが禅林寺で、道邃からの受法は台州の龍興寺でしたが、道邃が修禅寺座主（修禅寺は禅林寺の後の名）であったことから、香炉峰の檉を最澄に授けることになったのだと考えられます。

一方、栄西は、『興禅護国論』第九門に「天台山修禅寺今大慈寺和尚祖詠語曰」と、修禅寺の僧の話を引用しています。その僧とは面識があり、修禅寺へ足を運んだこともあったのでしょう。そうした交流において、道邃から最澄への檉の施与について知る機会もあったと思われます。栄西は、在宋中に虚庵懐敞から禅を受けて建久二年（一一九一）に帰国し、同五年には禅宗停止の宣旨が下され、同九年頃に『興禅護国論』を執筆したことで、事跡のなかでは、とりわけ禅がクローズアップされることになります。ただし、二度目の渡海の目的地はインドであり、それまで密教に専心していたことをあわせると、出発前の栄西の念頭に宋朝禅の受容はなかったと考えられます。かかる在宋中に仏法中興の願を託した菩提樹の送付を実施したのは、初度入宋時に抱いた禅復興の思いが甦ったからであり、そのきっかけは修禅寺への訪問や梩の話題などではないかと推察します。菩提樹の送付もこのことから思い至った可能性は高いと思われます。その場合、菩提樹の伝来ルートにおいて、栄西が日本に送った菩提樹の枝を、道邃が天台山に移植した菩提樹からとったと明記する点は示唆的だといえるでしょう。また、インドへ向う栄西にとっても、最澄の伝えた「三宗」の一つである禅は、重要だったにちがいありません。

以上、菩提樹の送付に託した「我が伝法中興」は、最澄が中国から日本に伝え、叡山に敷いた仏法を、栄西が中興するの意と捉えてよいと思います。つまり、栄西にとって菩提樹の送付は、最澄の事跡に自らの未来を重ねる営為でもあったのです。その菩提樹が「今に至るまで繁し。天下に分かち栽う」と、全国に広がったと記すのは、願の成就を意味し、なにより、真言・天台・禅を修したとされる建仁寺への移植に、「西又台枝を取り、建仁の東北の隅に栽う」と、わざわざ天台山の枝をとって移植したとすることに、最澄による伝法の中興を果たしたとする栄西の自負がみえるように思います。

5 東大寺の中興と菩提樹

つぎに、菩提樹が東大寺の中興と結びつく経緯を、栄西の動向に即して探ってみようと思います【表1】。南都焼き討ちの翌年に、後白河院の命により勧進職に就いた重源は、まず大仏を再興し、文治元年（一一八五）八月に開眼供養を行い、つづいて大仏殿の再建に取りかかりました。一方、栄西は、南都炎上のときは九州で活動しており、大仏再興から二年後の文治三年（一一八七）四月に二度目の入宋を果たします。目的地はインドでしたが、国交断絶のため中国に滞留することになり、建久元年（一一九〇）に菩提樹を送付し、翌年七月に帰国します。

帰国に到る経緯は、『入唐縁起』に、「逐電の志、中印度に在り」と、インドを目指すも、「山道を思ひ留め、南海に懸からむと欲する処」と、夷狄（いてき）の脅威から陸路を諦め、南海路に希望を繋ぎつつ、実現しないまま時を過ごしているとしたうえで、次のように記しています。

徒留二台嶺一五年、一切経転読三返了。欲二渡海一日、於二博多一夢曰、東大寺予造畢也。爰予雖三思切二在唐一、被レ牽二宿業一再帰朝、遭二重源和尚没化一、其年九月十八日、蒙レ勅奉二行東大寺事一、上人来（未）レ作之事都造畢。

表1　南都復興と菩提樹

西暦	事項
1168	栄西　一度目の入宋
1175	栄西　博多今津誓願寺縁起
1177	重源　博多今津誓願寺仏像銘
1180	南都焼き討ち
1181	重源　勧進職に就く
1185	重源　大仏再興
1187	栄西　二度目の入宋
1190	栄西　菩提樹の送付
1191	7月栄西　帰国
1195	菩提樹東大寺移植
1206	6月重源没、9月栄西勧進職に就く

徒に天台山に留まること五年とあり、在宋最後の年を回顧した記事だとわかります。本文に誤脱があるのか、文意はとりづらいものの、「博多において」以下は博多で見た夢の話になり、その夢の中で東大寺は栄西が造り終えた、と述べていると理解されます。よって「渡海せんと欲する日」は、二度目の入宋より前を指すことになるでしょう。つづけて、切に在宋を思うが、「宿業」にひかれて再び帰朝し、「重源和尚の没化に遭ふ」と記しています。ただし、重源が死去するのは、十五年後の建永元年（一二〇六）ですので、ここは、あとの「勅を蒙り東大寺の事を奉行す」と、重源の没後に勧進職を継いだ点に主眼があると推察され、最後に、重源が遺り残したことはすべて造り終えたと、夢が実現したことにも触れています。すなわち、インド行きを止め、帰国を決意させた「宿業」とは、東大寺再建事業への従事だったのです。これは晩年に振り返ったいわば結果論ですが、博多で見た東大寺造営の夢が帰国のきっかけになったとするように、栄西が、入宋前から東大寺の再建に心をとめていたことは間違いないといえるでしょう。

　ただ、五年も前に見た夢が帰国を促したということに、唐突の感は否めません。仮に、インド行きを胸に秘めつつ天台山に滞留していた栄西に、東大寺の再建を意識させた人物がいたとするなら、重源をおいてほかには考えにくいと思います。栄西は、仁安三年（一一六八）に初めて入宋した際に、重源と大陸で出逢い、行動を共にしたと伝えられています。また、栄西が九州での拠点の一つとした今津誓願寺で、重源は丈六の仏像に結縁し、重源の亡くなる直前に栄西が菩薩戒を授けるなど、交流は生涯続きました。

こうした関係を踏まえると、栄西が、在宋五年にして、博多で見た東大寺再建の夢を思い出した背景には、たとえば、重源が、栄西が送った菩提樹の情報を得て、中国の栄西に連絡をとったり、栄西に菩提樹の東大寺への移植の話が伝わったりした事情があったのではないかと推測します[17]。なお、栄西は、菩提樹を送付した同じ年の九月に、天台山で再治した『隠語集（いんごしゅう）』を日本の弟子に送っており、日本との間に通信手段が存したこともうかがえます[18]。

栄西が中国から菩提樹を送った建久元年（一一九〇）は、大仏殿上棟の年にあたり、日本に到着した菩提樹の枝は、筑前の香椎宮に挿し木され、翌年帰国した栄西は、その近くに報恩寺を建立したと伝えられています【写真3・4】。重源は、建久六年（一一九五）に大仏殿の落慶法要に漕ぎつけ、同じ年に、菩提樹が東大寺へ輸送されることになりました。『元亨釈書』は「此の春」として、輸送の時期は特定できませんが、法要が三月十二日であったことから、それより前に実施されたのでしょう。再建した大仏殿の前に菩提樹を植えるこのアイディアは、「東大寺の興廃を象徴した聖樹[19]」たる鯖の木に代わり、仏法再来の新たなシンボルとなることを期待するものだったと思われます。

栄西が菩提樹を日本へ送付したのは帰国の前年でした。栄西は、そのときはまだインド行きを諦めておらず、帰国の目処も立っていませんでした。そのようなときであったればこそ、送付する菩提樹に、「我が伝法中興」や「吾が道」といった、個人的な願を賭したのだと思います。翌年、栄西は東大寺再建への思いからインド行きに見切りをつけて、帰国を決意します。言い換えると、東大寺再建事業への従事が、巡礼の旅を中断させたことになります。しかし、『元亨釈書』の末尾で菩提樹の繁茂を謳うように、菩提樹に託した「伝法中興」の宿願には、挫折の跡はうかがえませんでした。その結果、日本に到着した菩提樹は、栄西の伝法中興とともに、もう一つの中興—東大寺再建—が重ねて託されることになったのです。

写真３　報恩寺の菩提樹（福岡県福岡市）
立て札には「日本最初 菩提樹」と記す。
2019/7/22 筆者撮影。

写真４　報恩寺の菩提樹の葉
中国・広州市の光孝寺の菩提樹（写真2）とは葉の形が異なる。

6　南都の菩提樹

菩提樹は、日本到着後、しばしの時を経て、東大寺の大仏殿前に植えられました。人々は、菩提樹の樹を実際に目にし、手に触れることさえ可能となりました。前代までとは異なる受容の始まりです。以下の三例は、いずれもその東大寺の菩提樹から葉を採取した事例と考えられます。それぞれの概要を、先行研究を参考にみていきましょう。

まず、京都の花背にある大悲山峰定寺の釈迦如来像には、多数の納入品があり、そのなかに結縁文をしたためた六枚の樹葉が含まれています。文字は図録などの写真でも判読でき、葉の形もよく残っていて、良好な状態といえます。瀬谷貴之氏は、「特徴からシナノキであることがわかる」とし、日本の菩提樹に特定したうえで、「東大寺大仏殿前へ移植された菩提樹から採取されたもの」とみなしました[20]。本像を調査した井上一稔氏も、樹葉を「心葉形を呈する」として、「東大寺の菩提樹を用いたかとも想定される」としています[21]。釈迦如来像については、結縁文にある正治元年（一一九九）が造立年を示し、作風は南宋仏画に倣った表現といわれ、造像には貞慶と重源が関わった可能性が指摘されています。施主の丹波入道帰阿は、野村卓美氏が、藤原盛実（一一六〇〜一二二六）に同定して、『春日権現験記絵』巻五に登場する俊盛の息であり、『同』巻十五に登場する丹波入道浄恵も同一人物であると指摘しました。[22]さらに、野村氏は納入された願文に貞慶の釈迦信仰の影響を読み取り、「導師貞慶、施主丹波入道帰阿を中心に集まり、相互の信頼を基本とした緊密な信仰集団」が存在したことを推定しました。[23]東大寺に移植された菩提樹は、かかる場でいち早く用いられたのです。なお、納入された樹葉の大きさは、縦十一センチから十三センチと報告されており、建久六年（一一九五）春の移植から約四年半を経た菩提樹の姿がここに留められていることになります。

つぎは東大寺南大門の仁王像です。阿形像の納入品の一つ「経葉断片」は、修理報告書に、「数片　最大分　五・七×四・〇　菩提樹葉　各梵字墨書　各墨書は判読不能」と解説されるように、菩提樹の葉とみなされています。図版を見ると、経年のためか原形を留めておらず、表面の文字は、梵字であることは見て取れるものの、判読はできない状態といえます。[24]仁王像は、建仁三年（一二〇三）七月二十四日竣工、同年十月三日の開眼であり、『東大寺別当次第』には「聖人御沙汰也」（群書類従）とみえ、修理報告書も「東大寺を復興造営した俊乗房重源上人の最後の事業」[25]とするように、重源が東大寺再建事業の一環として造像させたことがわかります。その仁王像に納められた「経葉」は、東大寺に移植した菩提樹の葉とみて問題はなく、建久六年春の植樹から約八年半が経った菩提樹が、しっかり根付いていたことも推察されるのです。

最後は明恵です。「明恵上人所持経等目録（本秘本入目六）」に「菩提樹葉一 裏紙ニ上人御日記有レ之」[26]とみえ、明恵が菩提樹の葉を所持していたことが知られます。明恵が菩提樹に特別な思いを抱いていたことは先学にも指摘があり、とりわけ『四座講式』の「遺跡講式」に、数ある釈迦の遺跡から、第一に菩提樹をあげたことは注目されます。その「遺跡講式」には、『大唐西域記』に基づき、毎年、涅槃会の日ごとに葉が落ちてはもとに戻る菩提樹の「霊異」が描かれています。また、明恵が建保三年（一二一五）に定めた『涅槃会法式』の、「四座講式」のうち「遺跡講式」に対応する本尊の菩提樹像も、[27]その図様の注文書とみなされる「涅槃図之事」に、枯れた菩提樹を取り囲んで泣き悲しむ「国王大臣道俗男女」

が登場します[28]【表2】。

明恵は、当初、涅槃会を屋外で行っていました。『高山寺明恵上人行状（仮名行状）』下の建保二年（一二一四）「二月十五日涅槃会」の記事からは、紀州移住のころ、大樹を菩提樹に見立てて催していたことがわかります。[29]

> 紀州移住ノ比、糸野奥ノ谷成道寺ノ庵室ニ居ヲシメシ時、其庵室ノ傍ニ大樹アリ。彼ノ木ヲモテ菩提樹ノ称ヲタテ、、下ニ石ヲカサネツミテ金剛座ノヨソヲヒヲマナベリ。其傍ニ一丈許ナル率堵波ヲ立テ、其銘ニ上人自筆ヲモテ南无摩竭提国伽耶城辺菩提樹下成仏宝塔ト書ス。其下ニシテ一群ノ諸人貴賤長幼道俗男女数百餘人、樹ノ下ニ集会シテ彼西天菩提樹下金剛座上ノ今夜ノ儀式ヲウツス。国王々子群臣黎庶ノトモガラ、覚樹枯衰ノスガタヲ見ルニ、ツヰニ悲恋ニタヘズシテ、ヲノ〳〵蘇油香乳ヲソ、クラムアリサマ、哀ニカナシキ儀ヲ思遣テ、ナク〳〵水ヲモテ樹ニソ、キ、供養ヲノベテ、カノ西天今夜ノ景気ヲマナベリ。

菩提樹に見立てた「大樹」の下に「貴賤長幼道俗男女数百餘人」が集い、「覚樹枯衰ノスガタ」を思い描きつつ、泣く泣く水を樹に注いで供養したとしています。山本陽子氏は、これを「天竺風の涅槃会」と呼び、「現地の儀式を模倣」した「釈迦信仰の原点」を希求する実践と位置づけました。[30]かかる屋外での儀式は風雨や病者の憂いがあるため、場を室内に移すことになり、その際に定められたのが『涅槃会法式』であり、「今恒例不退ノ大法会トシテ、此高山寺ニ充テ行フ」（仮名行状）と、以後は高山寺で行われることになりました。よって、その涅槃会で掲げられた菩提樹像は「大樹」の代替であったといえ、図様の注文書である「涅槃図之事」や、そのもととなる「遺跡講式」に、天竺での菩提樹の様子が描かれていたのは、屋外の涅槃会と同様の趣向がこらされた結果だったと考えられるのです。

表2　明恵と菩提樹

西暦	事項
1193	明恵、東大寺での書写活動
1195	菩提樹の、東大寺への植樹
1202	明恵、渡天竺を計画
1205	明恵、再び、渡天竺を計画
1206	栄西、東大寺勧進職に就く
1207	明恵、東大寺尊勝院学頭に就く
1214	明恵、『行状』涅槃会の記事
1215	明恵、『涅槃会法式』を定める

ところで、涅槃会で菩提樹を本尊とすることには前例がみつからず、西山厚氏は「明恵の独創」と推測しました。[31]明恵は、建久四年（一一九三）頃から東大寺へ通って聖教の書写に励み、建永二年（一二〇七）には東大寺尊

勝院の学頭に就任します。大仏殿前への菩提樹の植樹は建久六年（一一九五）でしたので、明恵が所持した葉も、やはり東大寺の菩提樹から採取したものとみなして問題はないでしょう。そして、涅槃会に対する明恵の理解に、その東大寺のインドに由来する菩提樹が影響を与えた可能性はあると思います。明恵は釈迦への思慕と天竺への憧憬が強く、渡天竺の計画を建仁二年（一二〇二）と元久二年（一二〇五）の二度立て、二度ともに潰えた経験がありました。「遺跡講式」には、「燈炬継レ日競修二供養一。各悲泣哽咽収二樹葉一而去（燈炬日を継いで、競って供養を修す。各悲泣哽咽して、樹葉を収めて去る）」[32]と、人々が先を争って供養し、涙ながらに形見に樹葉を拾う姿が描かれています。明恵が菩提樹の葉を手にした時期は不明ですが、そのときの自らを、インドの涅槃会で菩提樹の葉を拾う人々の姿に重ねたのではないかと想像します。

以上の樹葉は、いずれも東大寺の菩提樹から採取した葉とみなすことができました。重源が『作善集』に菩提樹の植樹を自らの作善と記したように、東大寺で菩提樹に接した人々もまた、結縁の証と捉えたことでしょう。このようにして、南都に運ばれた菩提樹は、重源の目論見どおり、仏法中興の旗印として人々に受けいれられていったのです。

7 『喫茶養生記』下巻にみる独創性

最後に、栄西の著作『喫茶養生記』を取りあげます。『喫茶養生記』の下巻は「遣除鬼魅門」といい、主に桑を用いた養生法が説かれていますが、そのなかに菩提樹と重なる点が認められます。

まず冒頭に、『大元帥大将儀軌秘鈔』に基づき、鬼魅魍魎が人々に病をもたらすことを説明したうえで、五種の病相をあげて、その対処法として桑の摂取を奨励します。

> 已上五種病、皆末世鬼魅之所レ致也。然皆以二桑木一治レ之者、桑樹是過去諸仏成道之霊木也。以二此樹一為二乳木一護摩時、鬼魅悉退散馳走。又息災法相応木也。桑樹下鬼魅不レ来。是故此樹為二万病之薬一也。若人携二此木一為二念珠一為レ杖為レ枕、天魔尚以不レ得レ侵。況諸餘下劣鬼魅附近乎。是以栄西以二此木一治二諸病一、無レ不レ得二効験一矣。[33]

桑に効果が認められる理由を「桑樹是れ過去諸仏成道の霊木なり」と記しています。[34]これは、先掲『元亨釈書』の「菩提樹は如来成道の霊木なり」とよく似ていることがわかります。つづいて、桑の樹を乳木として護摩に用いると鬼魅は悉く退散し、また息災法の相応の樹であるから、桑の樹下は鬼魅が寄りつかないと記すことも、菩提樹の降魔での役割と符合するといえるでしょう。

桑の樹を乳木に用いることは、根拠を仏典に求めることができます。たとえば『大日経義釈』に「此ノ二木ハ（筆者注・優曇鉢羅と阿説佗木）是レ過去ノ仏ノ菩提樹ナリ。若シ無ンハ者当レ求ニ有ルノ乳之木一ヲ。謂フ二桑穀等一ヲ」[35]（続天台宗全書）とみえ、乳の木として桑が菩提樹の代用とされていたことがわかります。その理由は、『金剛頂大瑜伽秘密心地法門義訣』巻上に「応レ用レ有ニ乳汁一者、謂三桑穀之類又以二乳酪蘇蜜及三白食及七穀種子胡麻稲穀之属二」（大正蔵）とあるように、桑が実際に乳汁を有するからだと考えられます。そして、栄西もかかる説を知っていたことが、つぎの『渓嵐拾葉集』の記事から推測されます。[36]

一、乳事　示云、東寺山門両流共ニ用ニ牛乳ヲ一事如常云云。付ニ山門流ニ葉上僧正秘乳在レ之。是ハ如ニ秋八月霧一◯口伝云云。又云、或人相伝云、若乳及ニハハ闕如ニ者用ニ桑ノ乳一ヲ云云。

さらに、『渓嵐拾葉集』の加持に用いる「散杖」に関する記事では、栄西の「最極の大事」とされる桑の木の説をあげ、円仁の釈に依拠することが示唆されています。

一、散杖事私云、乳散杖事。示云、梅ノ枝等ヲ用レ之。東寺山門如レ常。又云、乳ヲカク散杖ハ常ノ散杖ノ如ニシテ七寸ニ切テ用レ之。又葉上僧正秘伝最極ノ大事アリ。行者ノ生気養者ノ方ニ行テ、桑ノ木ノ一年立テ杖ノフクフクトシテ無レ疵立タル、行者ノ福徳ノ方ニ向テ刀ヲ不レ用手折ニシテ、半ハ如ニ宝剣一造半ハ如レ柄ノ造テ柄ノ端ニ宝珠ヲ造ル也。以レ是ヲ乳ノ散杖ニ用レ之。此レハ即チ此尊ノ福智相応ノ三昧耶形也。口伝云云。甚深甚深　尋云、何ンカ故ソ用ニ桑ノ木一ヲ乎。示云、覚大師御釈ニ云、過去久遠ノ菩提樹ハ弥陀相応ノ縁木也云云。謂ク意ハ者桑ノ字ハ四十八ト書ケハ也。所詮西方ハ風大ノ方、桑ハ又風大所成ノ霊木也。西方又妙観察智ノ智門也。旁々以テ相応ノ霊木也。仍用レ之。用ルテ（まま）ニ桑ノ乳一ヲ此ノ義ニ依テ也云云。

栄西の説は「桑の木の一年立ちて杖のふくふくとして疵無く立ちたる」ものを「乳の散杖」に使用するというもので、桑の木を散杖に用いる理由としては、「覚大師御釈に云く、過去久遠の菩提樹は弥陀相応の縁木なり」と、菩提樹にかかわる円仁の説に依拠することを示唆します。円仁のこの説は管見ではみつけられませんでしたが、円仁撰述『護摩次第』の「桑木、加持乃木。消息用二栗木一調伏相応物」（日本大蔵経・天台宗密教章疏一）などは、通底する内容と思われ、そこには、「榎木、柏木、樫木、穀木、桑木有レ乳木、有レ香木、無レ毒木、無二屍気一木。此等木通二息災増益一用レ之」と「樫木」も出てきます。

桑を乳木に用いることには典拠が認められ、さらに、たとえば『門葉記』の「護摩壇」についての記事に「脇机支物如レ常左脇机名香置レ之。乳木桑木」（大正蔵図像）とあるように、加持をする僧侶であればよく知る説であったこともうかがえます。栄西は、かかる密教儀礼での桑の役割に着目し、桑を万病の薬とみなしたうえで、桑の念珠、杖、枕は、天魔さえも寄せつけないと説き、「是を以て、栄西此の木を以て諸病を治し、効験を得ざること無し」と、桑を用いた治療の実践で効果を得たと記してもいます。

つづいて、『喫茶養生記』は、桑による処方を列挙します。五種の病に対する十種の治療法のうち、「桑粥の法」、「桑煎の法」、「桑木を服する法」、「桑木を含む法」、「桑木の枕の法」、「桑の葉を服する法」、「桑の椹（実）を服する法」の七種までを、桑の処方が占めています。栄西は、それらは中国での口伝によるとして、さらに本草書から桑の枝を煎じて服用する説も引用します。

是唯依二大国口伝一非二自由之情一。以二此方一治二諸病一見レ之無二相違一乎。（中略）本草云、煎二桑枝一服、療二水気・肺気・脚気・癰腫・兼風気一、常服、療二遍体風痒乾燥一又治二眼暈嗽一、又消レ食利二小便一身軽耳目聡明令二人光沢一、又療二口乾一矣。

栄西が、自身の自由な考えではないと述べるように、ここにもやはり典拠が存することがうかがえるのです。[37]

ここまでの栄西の論述を整理すると、『大元帥大将儀軌秘鈔』に基づき、病は鬼魅魍魎がもたらすと規定することにより、それらを撃退する菩提樹を想起させ、その菩提樹の代替となる桑の功能を説くとともに、本草学による桑の処方を掲げ、薬としての桑の効力を示していました。これは、大陸で得た本草学の知識を、密教修法の実践で得た知識によって独自に解釈し直した結果であるといえ、すなわち、薬としての桑に菩提樹の験力を与える試みだったと捉えることができるでしょう。

栄西は、『喫茶養生記』の序文に、「仍立二一門一、示二末世病相一、留二贈後昆一共利二群生一矣（仍って二門を立てて末世の病相を示し、後昆に留め贈り、共に群生に利せむ）」と、群生に役立たせるために書き残すと述べています。栄西が将来した菩提樹は、南都を中心に受容されましたが、実際に手にできるのは特権的な立場にある一部の人々に限られていました。しかし桑であれば、多くの人々が摂取することは可能です。栄西は、仏伝によって知られる菩提樹の効力を、密教修法や本草学ですでに保証されている桑の功能に置き換えることで、より広く、簡便に、人々にもたらすことを試みたのだと推測します。『喫茶養生記』の再治本は建保二年（一二一四）正月に完成し、栄西は翌年六月に七十五歳で死去します。栄西が、最晩年まで菩提樹への思いを抱き続けていたこともうかがえます。

8　おわりに

菩提樹は、仏伝によって特別な意味を与えられて、世界の各地へ移植されていきました。日本では、鎌倉初頭の混乱期に将来されたことで、仏法再興という当該期特有の意味を帯びつつ、結縁の証として人々に受けいれられていきました。

焼き討ちに遭った南都で、焼け落ちた大仏を目にした人々は、『玉葉』に「為レ世為レ氏（民）仏法王法滅尽了歟。凡非ニ言語之所一レ及、非ニ筆端之可一レ記」（治承四年十二月二十九日条）と記した九条兼実と同様に、法滅の世の到来を感じたにちがいありません。その大仏殿の前に菩提樹を移植することは、天平創建時の開眼供養を思い起こさせる営為であり、かつ、鯖の木の跡に立つ菩提樹の姿は、仏法再来の象徴として人々の目に映ったことでしょう。

一方、栄西は菩提樹の移植に日本天台宗の中興を託していました。菩提樹が繁茂して全国に広がったとすることが願の成就を意味するなら、栄西は自らの伝法中興は成功したと捉えていたことになります。つまり、栄西は、禅の復興を果たし、最澄の伝えた三宗を再び布置し得たと自認していたことになるのです。このことは、鎌倉末から南北朝にかけて編纂された『渓嵐拾葉集』巻九「禅宗教家同異事」が、安然の『教時諍論』から「備ニ此三法ヲ唯我一山ナリ」を引用して、叡山にかつて在った禅が復興され、再び三法が揃ったと記すことに繋がります。▼38 また、『興禅護国論』末尾の未来記において、宋朝禅の流布を指すとされてきた栄西没後五十年の禅興隆の預言に、再解釈を迫るものでもあると思われます。栄西による菩提樹の将来は、茶の伝承や中世神道の三角柏（瑞柏）の説[39]と重なる点もあり、将来者としての栄西の役割は改めて検証する必要があるでしょう。また、栄西の著作とされる『釈迦八相』の位置づけも再考が促されます。いずれも今後の課題にしたいと思います。

注

1　『筑前太宰府　戒壇院』（九州歴史資料館、二〇〇二年復刻版）所収の「関係資料」のうち、『筑前国続風土記拾遺』（文久年間〈一八六一～六四〉成立）や『福岡県地理全誌』（明治十三年〈一八八〇〉成立）に、鑑真の記事と「菩提樹一株有」の両方があげられているが、両者は結びつけられておらず、鑑真の菩提樹将来伝承はこれら以降に生じた可能性が考えられる。戒壇院の菩提樹は、傍らの説明板に、鑑真が九州で初めて授戒した際に菩提子を植えたと記す。二〇一三年九月二十五日に太宰府市の天然記念物に指定。一方、唐招提寺の菩提樹には説明は付されていなかった（二〇一九年現在）。

2　菩提僊那の菩提子については、小島裕子氏にご教示いただき、小島氏の「婆羅門僧正菩提僊那―流沙を渉り、滄海を凌ぎ、遥かにわが国に来朝した天竺の僧―」（大安寺、二〇一〇年四月）を参照した。

3　「大安寺伽藍縁起幷流記資財帳」の引用は、『大日本古文書』編年文書之二による。それによると、「大和国添上郡菩提山村正暦寺」の所蔵とのことである。

4　円行の将来目録は、『円行請来目録（霊巌寺和尚請来法門道具等目録）』を指し、本文は『大日本仏教全書』第九十六巻（目録部2）より引用した。

5　小峯和明「〈仏伝文学〉・菩提樹の変移」（『立教大学日本文学』百十一号、二〇一四年一月）

6　和歌では、新編国歌大観で「菩提樹」を検索したところ、後一条院陵である「菩提樹院」の例がいくつかみつかった。実際の菩提樹を詠んだのは、小沢蘆庵（一七二三～一八〇一）『六帖詠草』一七七七番歌で、詞書に「庭にたかき菩提樹あり」とみえ、歌に「ぼだい樹の花になきよる山蜂はいまも般若をよむかとぞきく」と詠む。

7　森正人「今鏡〈物語の場〉―擬菩提樹の陰で」（『場の物語論』若草書房、二〇一二年）

8　小峯和明「日本と東アジアの〈仏伝文学〉」（『東アジアの仏伝文学』勉誠出版、二〇一七年）の「二　日本の〈仏伝文学〉（一）日本古代の〈仏伝文学〉（七～十二世紀）」を参照した。

9　『玉葉』の引用は、図書寮叢刊『九条家本玉葉』七（宮内庁書陵部、二〇〇一年）により、私に返り点を付した。

10　『興禅護国論』の引用は、『大正新脩大蔵経』八十巻により、私に返り点を付し、訓読文を添えた。

11　『入唐縁起』の引用は、榎本渉『南宋・元代日中渡航僧伝記集成 附江戸時代における僧伝集積過程の研究』（勉誠出版、二〇一三年）の「史料翻刻」「01栄西入唐縁起（明庵栄西）」による。論述の都合上、原文に私に返り点を付して示した箇所と、読み下し文によって示した箇所がある。

12　中国の禅師・虚庵懐敞からの受禅と菩提樹の送付の前後関係

は不明である。菩提樹の送付より前に禅を受けた可能性はある。

13　西村惠信監修、安永祖堂編著『興禅護国論　傍訳』（四季社、二〇〇二年）の現代語訳による。

14　「広府」への移植を「求那跋陀羅」によるとするのは間違いで、実際は「智薬三蔵」の事跡とされる。吉原浩人氏にご教示いただいた。

15　天台山の地理については、薄井俊二『天台山記の研究』（中国書店、二〇一一年）による。『天台山記』本文の引用も同じ。栄西は、『喫茶養生記』に『天台山記』の引用文をあげているが、『茶道古典全集』第二巻（淡交社、一九五八年）所収『喫茶養生記』の森鹿三による「解題」と「補注」31に、『太平御覧』からの孫引きとの指摘がある。また、薄井氏は、『天台山記』は「比叡山の経蔵に所蔵されて、天台僧たちによって写本が作られ読み継がれていった」とし、叡山の先師たちは入唐時に「旅行ガイドブック」として携行したとする。

16　『道邃和尚施与物目録』にあがる「施与物」は三点である。天台山の樹木の前には、「禅鎮一頭、説法白角如意一柄」の二点が載ることから、禅との関係がうかがえる。

17　重源の菩提樹への関与については諸氏に言及がある。たとえば、横内裕人「東大寺の再生と重源の勧進—法滅の超克—」（『日本中世の仏教と東アジア』塙書房、二〇〇八年）では、『作善集』により重源の作善と捉えたうえで、『東大寺造立供養記』に基づき「栄西が天台山万年寺より菩提樹の蘖を持ち帰り、香椎宮に植えたところ根付いたため、重源が栄西から譲り受け東大寺に移し伝えた」とする。また、瀬谷貴之「貞慶と重源をめぐる美術作品の調査研究—釈迦・舎利信仰と宋風受容を中心に—」（『鹿島美術研究』年報　第十八号　別冊、二〇〇一年十一月）は、菩提樹の東大寺大仏殿前への移植を「重源の演出」とする。

18　ただし、『隠語集』を、菩提樹と一緒に送った可能性も考えられる。

19　今野達「鯖の木の話—成立と伝承」（『今野達説話文学論集』勉誠出版、二〇〇八年、初出一九七三年）による。なお、菩提樹が植えられたのは、大仏殿の東の回廊の前とされる。

20　注17にあげた瀬谷貴之氏の論文。

21　井上一稔「二三　釈迦如来像」（『日本彫刻史基礎資料集成　鎌倉時代　造像銘記篇第一巻〈解説〉』中央公論美術出版、二〇〇三年）。本書については、野村卓美氏にご教示いただいた。

22　野村卓美「『春日権現験記絵』と丹波入道」（『中世仏教説話論考』和泉書院、二〇〇五年）

23　野村卓美「京都峰定寺釈迦如来像納入品と貞慶」（『国語国文』七十五巻二号、二〇〇六年二月）

24　阿形像納入品「経葉断片」については、『東大寺南大門国宝木造金剛力士立像修理報告書　本文篇』（一九九三年三月）と『同図版篇』による。

25　注24『本文篇』の筒井寛秀「序」による。

26　引用は、図録『明恵上人没後七五〇年　高山寺展』（京都国立博物館、一九八一年）に掲載された「40夢記目録（本秘本入日六）仁真筆」の写真（八一頁）による。なお「菩提樹葉一」の「葉」の字は「菜」にも見えるが、「菜」では意味が通じないことから、「葉」と読んだ（『列品解説』にこの箇所の翻刻は掲載されていない）。

27　『涅槃会法式』の本尊は、中央・涅槃像、左（東）・十六羅漢

像、右（西）・菩提樹像、涅槃像と菩提樹像の中間に舎利を置く。それらは『四座講式』の涅槃、羅漢、遺跡、舎利の各講式に対応するものとされる。

28 奥田勲『明恵 遍歴と夢』「Ⅱ栂尾の上人―明恵の生涯（二）1高山寺草創」（東京大学出版会、一九七八年）を参考にした。「涅槃図之事」の引用は、『明恵上人資料第二（高山寺資料叢書第七冊）』（東京大学出版会、一九七八年）所収「夢記参考資料9」による。そこでは「明恵筆カ」とされている。

29 『高山寺明恵上人行状（仮名行状）』の引用は、『明恵上人資料第一（高山寺資料叢書第一冊）』（東京大学出版会、一九七一年）所収、施無畏寺蔵本による。明恵が紀州の糸野で活動した時期は、注28の奥田『明恵 遍歴と夢』や田中久夫『人物叢書 明恵』（吉川弘文館、一九八八年新装版）に、建仁元年（一二〇一）に糸野で『華厳唯心義』を著述したとあることから、その前後のことと思われる。

30 山本陽子「菩提樹像小考―ボストン美術館本を中心に―」（『仏教芸術』二百三十八号、一九九八年五月）。なお、「涅槃図之事」にも、「或ハ手ニ鉢ヲ持シテカタ手ニ木ノハヲモチテ菩提樹ニ水ヲソ、ケルモノモアマタアルベシ」とみえる。

31 西山厚「明恵上人の生涯と美術」（『月刊文化財』二百七十六号、一九八六年九月）

32 「遺跡講式」の引用は、『大正新脩大蔵経』八十四巻所収「四座講式」により、私に返り点を付した。

33 『喫茶養生記』の引用は、注15の『茶道古典全集』第二巻所収の初治本（寿福寺本）による。

34 注15『茶道古典全集』所収の『喫茶養生記』再治本は、底本は建仁寺両足院蔵板本であり、当該箇所の本文は「亦桑樹是諸仏菩薩樹」とし、校異にあげる東京大学史料編纂所影写永仁五年抄本は「薩」の字を「提」に作るとする。

35 「桑穀」は、桑と楮のことである。

36 『渓嵐拾葉集』の引用は、『大正新脩大蔵経』七十六巻による。「一、乳事」「一、散杖事」はともに巻二十二に載る。

37 谷流の祖である皇慶の伝記『谷阿闍梨伝』に「先是闍梨依レ病悶絶。帝釈天命曰、汝病尤重。雖レ違二禁戒一、毎日可レ服二桑落一杯一」（続天台宗全書）と、病に苦しむ皇慶が帝釈天に桑の服用を勧められた記事が載る。

38 このことは、拙稿「九州における栄西門流の形成と展開―禅宗形成史再考」（『中世禅への新視角―『中世禅籍叢刊』が開く世界』臨川書店、二〇一九年）で論じた。

39 三角柏については、伊藤聡氏と小川豊生氏にご教示いただいたが、本稿では検討する余裕がなかった。今後の課題としたい。

付記

本稿はラウンドテーブル「東アジアの〈環境文学〉と宗教・言説・説話」における口頭発表を文章化したものである。発表後に数多くのご意見を賜り、本稿の内容に直接かかわるものは注に示した。記して感謝申し上げる。

5 韓国の野談と〈環境文学〉

金英順（きむ・よんすん）
所属：立教大学兼任講師
専門分野：日本中世文学、東アジアの比較文学
主要著書・論文：『海東高僧伝』（編著、平凡社、二〇一六年）、「東アジアの入唐説話にみる対中国意識―吉備真備・阿倍仲麻呂と崔致遠を中心に―」（『アジア遊学』百九十七号、勉誠出版、二〇一六年）、『シリーズ日本文学の展望を拓く　第一巻　東アジアの文学圏』（編著、笠間書院、二〇一七年）、「仏伝の「降魔成道」にみる魔王親子の葛藤」（小峯和明編『東アジアの仏伝文学』勉誠出版、二〇一七年）など。
現在の研究テーマ：仏教と孝、東アジアの仏伝文学、ベトナムの古典文学、韓国の環境文学などについて研究中。

summary

『於于野談』は朝鮮中期の宣祖・光海君朝の文臣で書道家、文章家の柳夢寅（一五五九〜一六二三）によって撰述された漢文説話集で朝鮮時代の野談文学の始原として知られる。野談とは中国や日本にはない朝鮮半島特有の漢字語を用いた表現で、漢文学の筆記の形式に基づきながら広く民間に伝わる野史、巷談、街説などの口承説話を漢文で叙述した文学作品のことをいう。『於于野談』には著者の柳夢寅が十七世紀前後の壬辰倭乱（文禄・慶長の役）の大戦乱の時代を生きたこともあって激変する時代相を観察、批判、証言する形で叙述した記録が多い。さらに、記録だけではなく、詩話、人物の逸話、軍談、事件談、鬼神談、神仙談などの多様な性格の説話が混交され、題材の多彩さ、記録と説話の叙述方式の多様性などが特徴とされる。

『於于野談』は全十巻に及ぶ膨大な分量であったとされるが、残念ながら柳夢寅が仁祖反正の時に濡れ衣を着せられて処刑されたために、初稿がまとめられず、部分的に筆写された多数の異本が散伝する。その後、二十世紀に至って初めて後孫らの手によって収集、整理され、一九六四年に活字本として刊行された。柳夢寅の死後、『於于野談』はおよそ三百四十年に及ぶ長い年月の間に散伝されながら多数の異本が作られ、現存する異本は三十余種に及ぶ。これは野談集としては他の追随を許さない数の異本で、それほど広範囲な読者層が存在していたことをうかがわせる。『於于野談』に収録されている多様な説話の中には戦乱による飢饉や疫病に関する話や洪水、落雷、旋風など自然災害を描いた話が多い。本稿では『於于野談』にみる自然災害の描写を通して朝鮮時代の人々が災害の状況をどう形容して伝えようとしたのか、災害の捉え方を中心に考えてみたい。

1　はじめに

金英順と申します。よろしくお願いいたします。わたしは韓国の野談と《環境文学》をテーマに申し上げたいと思います。自然の異常現象による災害をめぐって韓国では、『高麗史』『朝鮮王朝実録』『増補文献備考』などの史料を中心に朝鮮半島で起きた地震、洪水、台風などによる具体的な被害やそれに対する救済方案、国家政策などについて歴史学分野での活発な研究が行われています。[1]しかし、文学の分野では朝鮮時代の個人文集に収められている日記類の記事を中心に災害と気候関係が論じられている[2]程度で、文学における災害記述や災害を題材にした説話などについてはほとんど注目されていないのが現状といえます。そこで、本発表では朝鮮時代の説話集の中で災害に関する説話を最も多く収録している朝鮮中期の『於于野談』を中心に、当時の人々が災害をどう認識していたのか、説話に登場する動物との関わりを中心に探ってみようと思います。

2　『於于野談』について

野談というのは日本ではあまりなじみのない言葉かもしれませんが、これは朝鮮時代に生みだされた漢文説話のことを指します。その最初の野談集が『於于野談』で、著者は壬辰倭乱（文禄・慶長の役）の戦乱の時代を生きた柳夢寅（一五五九～一六二三）という文人です。柳夢寅は自分の手で本集の初稿を刊行することができず、不運にも処刑されてしまいます。その後、三百余年を経て一九六四年に柳夢寅の後孫の手によって全羅道高興郡にある柳家の萬宗斎に伝わる写本が集められ、初めて刊行されました。この萬宗斎本を含めて『於于野談』の諸本は、現在、三十点以上の異本が伝えられています。

本発表でなぜ『於于野談』を対象にしたかについてですが、実は三年ほど前から月に一回、小峯和明先生が日本に滞在している間に（笑）、早稲田大学で河野貴美子さんと染谷智幸さん、他の大勢の先生方とともに「朝鮮漢文会」の研究会を行っておりますが、研究会では『於于野談』に注釈をつけながら輪読しております。そこで、今年、ちょうどわたしが担当した話が洪水に関する話であったことが切っ掛けとなり、さらに、『於于野談』の災害関連の説話に動物が多く登場していることがわかり、一層興味を持つようになりました。『於于野談』には、王室の人物をはじめ、士大夫、妓女、僧、奴婢、盗賊などさまざまな階層の人々の逸話や壬辰倭乱を背景とする軍談、神仙や鬼神などをめぐる怪談などが巷談、民譚などをもとに叙述され、当代の時代相を具現する説話集であるとともに朝鮮時代の口碑文学の受容面からも注目される作品です。本発表では『於于野談』の諸本の中で最も話数の多い、五百二十二話を収録する萬宗斎本を対象に考察してみようと思います。[3]

3　豪雨と山崩れの災害と龍・鰐

それでは、『於于野談』の災害説話に動物がどう関わって描かれているのかを見てみたいと思います。『於于野談』に最も多く登場する動物は龍となりますが、次の話では豪雨と雹が降り注ぐ異常気候が龍の戦いと関わって描かれます。

僧天然、有如過海西之殷栗、白晝無雲気、忽見中天、黄白両龍従東西卒起相遇、横空相闘。乍前乍却、乍低乍昂、白日照之、鱗甲燦爛相映。移時而後、流雲四集、如水之趁壑、霹靂電火、轟鞫碭磕、雨脚大如縄、飛雹随之、良久相与蔵身、解戦而散。乃知龍者飛物、不必従雲而動、龍既動、而雲自随也。韓子曰、「既曰龍、雲従之也。」真壮言也。

黄・白の二龍の激戦によって雲が集まり、豪雨と雹が降ってくるのを見た僧天然は龍が動けば雲はそれを追うことを知ったと語られています。ここで、僧が目撃した二龍の戦いとは雷のことであったと思われますが、末尾に柳夢寅は唐の韓愈が『周易』より引用して「すでに龍といえば雲がそれに従う」[4]と述べたことを取り上げて、この現象を龍と雲によるものとして捉えています。

龍は古くから火を吐き、地震を起こす霊獣とされてきましたが、たとえば一五一八年に中国の蘇州で起きた地震は火焰を吐く白・黒の二龍の出現による災害であったと伝えられ、[5]ある人はこの地震の時に海で五龍の戦いを目撃したとされます。[6]しかし、一方では『於于野談』の話のように龍は豪雨や洪水説話に登場することが多く、朝鮮中期の類書の『芝峯類説』にみえる一六〇五年の洪水災害を題材にした話では白龍が出現したと語られ、[7]一七三九年に黄海道を襲った洪水について語った朝鮮後期の類書の『星湖僿説』の話では、海の神龍の戦いによって洪水が起こり、甚大な災害を被ったと伝えられています。[8]

ところが、『於于野談』には龍だけではなく、次の話のように鰐も災害と関わって描かれ、注目されます。

興陽豊安洞、即余新開野農之所也。萬暦癸丑七月十三日、村人池石同・禹佐守、守禾于野中高架上、日初昏、暴雨迅雷、如張千炬烈火、自天冠山絶島之間、亘絶大海、駭天驚地而来。火焔之中、有黒物横空、大風駆之、於是、風拔両架、轉旋而上、不知其幾千萬仞、両人各在架上、隨風飄上神魂恍惚。俄頃風定、両架自中天、回旋而落、落于天登山巓千嶂萬樹之間、去豊安宿之地、数千餘里。禹佐守傷右臂、池石同全体無損、朝而視之、自海東截太山長谷、廣皆四五十尺、長数百里、西入于海。其間所経之地、百圍巨木、如以利刀刈葵蕩、然無纖楚。海辺黎老、皆莫知何故也。或曰、「龍怒移居、地行而不天行。」或曰、「龍之行、必登天、是非龍也。鰐魚之属為也。」

朝鮮半島の南にある全羅南道長興郡の天冠山から千本の松明を並べたような火焔が海をわたって暴風雨とともに興陽郡の天登山に落ちて山が割れ、巨木や草が切り倒され、長い谷のような道が西海まで伸び、火焔の中の黒い物体が起こした大風によって畑の見張りをしていた二人の男が飛ばされて天登山頂に落ちたと語られています。そして、末尾にはこの災害をめぐって海辺の老人たちが「これは怒った龍が起こした」、「いや、龍ではなく鰐の仕業だ」と言い合う様子が描かれています。この話にみえる天冠山から天登山までは海を挟んで三十二㎞も離れた距離になります。この長距離を渡って来たという火焔の中の物体は雷や雲であったと思われますが、当時の人々は天を昇る龍ととらえており、山崩れによって無数の巨木や草が切り倒された災害の状況を鰐が荒らしたと理解しようとしたのであります。

鰐は中国では南の地域の「珍怪異物」[9]とされ、家畜と人を襲う動物として恐れられていました。ところが、唐代に潮州に左遷された韓愈が祭文をもって鰐を退治した故事が広く知られるようになり、[10]宋・明代に至っては潮州といえば韓愈の鰐退治が自然につながる一つの文化現象として定着したとされます。そして、朝鮮半島でも韓愈の鰐退治の故事は高麗・朝鮮時代の文人の間に広く知られ、鰐を詠んだ漢詩の多くは鰐退治の祭文を前提に詠まれています。[11]また、柳夢寅は『於于野談』の中に韓愈の文章を多数引用しており、鰐退治の故事を熟知していたと推測されます。そうすると、この話において山崩れの災害を「鰐の仕業だ」といった人々の発言は鰐退治の故事を知っていた柳夢寅による加筆であった可能性が考えられると思います。そして、この話のように龍と鰐が災害に関わって描かれる話が『星湖僿説』にもみえます。ここでは京畿道抱川郡で起きた洪水による山崩れの災害を「洞窟に棲む蛟龍と鰐が怒って風を起こして雨を降らせた」と語っており、[12]龍と同様に鰐も風雨を起こす霊異な存在とされていたことがわかります。

4 飢饉の鳥と洪水の蛇

次は『於于野談』に語られた一五四五年の飢饉と一六〇五年に起きた洪水について見てみたいと思います。

嘉靖（一五四五）萬暦（一六〇五）乙巳歳飢、京外人民多餓死、時人之諺曰、「乙巳飢烏窺空厠。」言人飢鶏犬亦飢、厠中無遺矢也。至萬暦乙巳水災、東海白鴎為風所駆、遍於嶺西山谷数百里之外、人多手撲之。時西原県監李命俊、文壮元也、方坐衛中、有海鳥止於庭樹、命俊謂邑吏曰、「海鳥無故至山邑、不久必有大水。」戒邑吏備水災、未幾、嶺東西大水卒至、五台山一角崩、人民多流死。有一処子坐楼上、鶏犬乗屋危隨流而下、呼号乞救、江上人操舟而往、水中失穴之蛇、満楼如織、纏繞其身、舟人惧而不敢近、回棹而帰。有武人姜仲龍、前県監也、善遊不怕水、見江上棺材漂下、遊泳拯取之、連得四五板、力倦且休、又見一大板在中流、其妾強之、潦水寒冽如氷、波勢甚疾、仲龍挟板、未及岸淹而死、遂蘄其板、而棺之以斂之。命俊先水而備災、仲龍貪財而致死、無他、読書不読書之別也。

まず、一五四五年の飢饉によって多くの民が飢え死にした様子を当時の人々が「乙巳年に飢えた烏が空の厠をのぞき見る」といった俗諺を取り上げて表しています。これは飢饉で人が飢えているため、鶏と犬も飢えて厠の糞をすべて食べてしまい、残っている糞がないことを意味し、動物の姿を通して飢饉災害の悲惨さを描いています。この飢饉の話に続けて一六〇五年の洪水について語っていますが、この洪水は『朝鮮王朝実録』によると七月二十日から暴雨が降り続き、江原道の嶺東・嶺西地方が水没し、さらに京畿道、慶尚道地方まで洪水が発生し、前代未聞の甚大な被害を受けた洪水で、各地方から報告された水害状況は言葉では表せないほど凄惨で、壬辰倭乱の戦災より遥かに酷い状況であったと伝えられています。[13]

　このような洪水災害を『於于野談』は、東の海より嶺西地方の山奥に白鴎の群れが飛んで来たことから洪水を予測して水害に備えさせ、科挙を首席で合格して地方長官となった李明俊の話と、洪水のために流されながら無数の蛇に纏い付かれて死んだ悲運の女の人の話、そして、水の怖さを知らずに貪欲のために溺れ死んだ愚かな武人の姜仲龍の話など三人の話を取り上げて、自然災害がどれほど脅威なのか、また、このような脅威にどう対処すべきかを示すなど教訓的な話として伝えています。話の末尾にみえる李明俊と姜仲龍との対比をめぐる柳夢寅の評論は、読書を専門とする階層ではなかった武人層を下に見ているような印象も受けられますが、柳夢寅が学問と知識を自然の脅威に対処できる指針として考えていたことがうかがえます。

　この三人の話のうち、水に流される女の人が蛇に纏い付かれる場面の描写は日本の『発心集』巻四・九「武州入間河沈水の事」の話にみえる氾濫する川に飛び込んだ村の官首の身に襲った蛇の難の描写と似ており、水害による悲哀と恐怖を最もリアルに描出した場面と思われます。

　一六〇五年の洪水災害に関しては『於于野談』だけではなく、先ほど申し上げました『芝峯類説』にも語られ、ここでは白龍による災害とされています。[14]また、朝鮮後期の野談集の『天倪録』では、この洪水の前に樵が森の中で神将と僧との会話を盗み聞くと、神将が世界をすべて水浸しにすると怒り、僧が神将を宥めて範囲を少し減らしてもらう内容であったので、恐ろしくなった樵は妻を連れて村を逃げ出し、その間もなく暴雨が降って山が崩れ、村は水没し、樵の夫婦だけが生き残ったと語られています。[15]『天倪録』では、どのような理由で神将が憤慨したのかについては明らかにしていませんが、一六〇五年の洪水を神の怒りによって起きた災害として描いています。また、樵の夫婦だけが生き残ったという結末から大洪水神話に似た話型となっており、洪水を写実的な描写で伝えている『於于野談』に比べ、はるかに説話性の強い話となっています。

5 火災と鵂鶹(ふくろう)

次は『於于野談』に語られた柳夢寅の周辺で起きた火災をめぐる話について見てみたいと思います。柳夢寅は、先ず吉凶は天運によるもので人が増減させることはできないと述べて、世間に吉鳥とされる鵲(かささぎ)が家に現れても憂患が続いたことを挙げて鵲をめぐる当時の諺を否定し、続けて凶鳥(きょうちょう)といわれる梟(ふくろう)について語っていきます。

又聞俗称「梟至止于屋、必有火災出。」余方嘗僑明礼坊家、隣舎為別房而処焉。朝臥未起、家僮譁然云、「有物甚怪。」余起視之、有梟棲籠上梁頭、以杖叩之落地。其夜、大家外廊火災、至於自上伝教、「以不禁火責禁火司。」而余睡熟、不之知也。去年妻喪、卜葬加平、有梟坐于行祭奴妻胸上、喪主以為妖、逐其女、不令近喪次。其夜、火于山麓、山野半焼、延墓幕。及墓余会葬也、又有梟白昼触人、陪児擒之而視余、余曰、「曾有験、今宜慎火。」夜中疾呼火起、比隣半焼撲滅之。明礼洞別家之東、有鵂鶹来鳴且交尾、挙家皆慎有災、未幾、余為諫院玉堂之長、尋遷銓曹亞長、四年而遁。以此揆之、鵲一也、鵂一也、而或栄或辱、或災或福、白犢・塞翁之吉凶、鳥可必也。

柳夢寅は人々が「家に梟が止まると必ず火災が起きる」という俗諺をめぐって、自分の家とその周辺では実際に梟・鵂鶹の出現後に火災が起きたこともあったが、司諫院(サガンウォン)の長官職に昇進したこともあったと語って、話末に『淮南子(えなんじ)』に伝わる「塞翁之馬(さいおうのうま)」の成句を引いて鵲や鵂(みみずく)などによって禍福が決まるのではないと述べています。末尾にみえる鵂は、梟の異名である鵂鶹(きゅうりゅう)と同じくフクロウ類の名称の一つで、鵂鶹より体が大きく頭上に羽角を持つミミズクをいう場合もありますが、ここでは鵂鶹のことを指していると思います。

ところで、この話において最も目を引くのは、当時、鵂鶹がどうして火災を呼ぶとされたのかという所になります。鵂鶹をめぐる人々のとらえ方が注目されます。鵂鶹は中国では古くから「怪鳥」とみなされ、鳴き声が人の笑い声に似ており、その鳴き声に命を失う人がいると伝えられ、反逆者や凶悪な人を譬える際に用いられていました。▼16 朝鮮時代にも鵂鶹は聞きたくない鳴き声の「凶鳥」とされ、朝鮮初期の『太平閑話滑稽伝(たいへいかんわこっけいでん)』には鵂鶹の鳴き声が聞こえたら、その鳴き声の真似をして鵂鶹に勝たないと禍を被るという説話が伝えられています。[17] また、『於于野譚』には柳夢寅が経験した鵂鶹と火災に関する話の他に、黄海道白川郡の民が幕舎で稲の見張り番をしていた時に鵂鶹の声がして不吉に思い、稲束の中に身を隠したために幕舎を襲った虎の難をまぬがれたという話が語られています。[18] このように朝鮮時代の人々の鵂鶹に対する認識には災難、災害などがその前提にあったことがわかります。

　鵂鶹によって災害や災難が起きるという人々の考え方の背景には、単に忌まわしい鳴き声の鳥というイメージだけではなく、朝鮮時代における解怪祭という儀礼が深く関わっていたと思います。解怪祭は高麗・朝鮮時代に地震や落雷などのような自然現象を天による怪異とみなし、それを解消するために行った一種の祈禳儀礼で、消災道場、酺祭、醮祭などとも呼ばれます。解怪祭は初めは宮中で行われましたが、次第に災害地で怪異を鎮め、人々を慰める目的で実施されるようになります。『高麗史』『朝鮮王朝実録』などに伝わる解怪祭に関する記録を見ると、地震によって行われた解怪祭が最も多いですが、地震の次に多かったのが鵂鶹による解怪祭で一九回に及んでいます。[19] また、柳夢寅と同時代の文人による『敬齋遺稿』には鵂鶹による解怪祭の時に収めた祭文が伝えられています。[20] これらの鵂鶹に関する高麗・朝鮮時代の諸記録には、鵂鶹が現れ、あるいは鳴き声が聞こえて火災が起きたという内容はみえませんが、鵂鶹のために解怪祭が行われたという事実だけで、人々が災いや怪異を連想していたことは十分考えられると思います。

6　おわりに

　以上、朝鮮時代の人々が災害をどう認識していたのかについて、『於于野談』の災害関連の説話にみえる災害と動物との関りを中心に考察してみました。『於于野談』の災害説話に最も多く登場する龍は雲を従わせて豪雨を降らし、山崩れの災害を起こす霊異の動物として認識され、その背景に朝鮮半島における唐の韓愈の文章や故事の伝播が関わっていたことが確認できました。

　また、『於于野談』は災害を詳細に描き出すことだけを目的とせず、天登山の山崩れの話のように鰐の仕業まで思い浮かべながら状況を理解しようとしており、一六〇五年の洪水災害の話では、識見のある文人・蛇難に遇う女人、貪欲の武人などの三人の姿を通して、災害をリアルに描写するとともに学問と知識が災害に対処できる指針になると伝えるなど災害に対する現実的な判断と対応が焦点になっていたことがわかります。

さらに、柳夢寅が経験した火災をめぐる話に鵂鶹が災害を呼ぶ凶鳥とされたのは、当時、宮中で頻繁に行われた鵂鶹のための解怪祭のことが強く意識されていたと思われます。しかし、鵂鶹がどうして火災を連想する鳥とされたのかについては、まだ十分な考察ができたとはいえません。今後さらに鵂鶹をはじめ災害説話に登場する動物の生態学的な問題も含めて、文学における災害と動物との関係について深めていきたいと思います。ご静聴ありがとうございました。

注

1 元載榮「朝鮮時代の災害行政と一七世紀後半の賑恤庁（しんじゅつちょう）の常設化」（『東方学誌』百七十二号、二〇一五年）、李正浩「高麗末・朝鮮初期の自然災害発生と高麗・朝鮮政府の対策」（『韓国史学報』四十号、二〇一〇年）、金吾鎭「朝鮮時代済州島の気象災害と官民の対応様相」（『大韓地理学会誌』四十三・六号、二〇〇八年）。

2 呉龍源「日記類資料から見た朝鮮時代災害と古気候の復元方案」（『退溪学論集』二十一号、二〇一七年）。

3 萬宗斎刊行会編『於于野談』（萬宗斎刊行会出版、一九六四年）。伝統文化研究会編『於于野談』（伝統文化研究会出版部、二〇〇一年）。申翼澈編訳『於于野談』（トルベゲ出版、二〇〇六年）等々。

4 『唐宋八家文』巻一・韓愈・雑説「龍嘘気成雲。雲固弗霊於龍也（中略）易曰雲従龍。既曰龍、雲従之矣」。

5 李廷馨（りていけい）（一五四九～一六〇七）の野史集『東閣雑記』（とうかくざつき）上・本朝璿源宝録「赴京使臣聞見録、正徳戊寅（一五一八）五月十五日、蘇州常熟県、有白龍一黒龍二、乗雲而下、口吐火焰、随以雷電、風雲巻起、傍近民舎三百余戸、船数十隻、飄入半空、墜地粉砕云云。是日我国京外、地大震、太廟殿瓦飄落、闕内墻垣塌倒、民家或有頽圮者、男女老少皆出外露処、以免覆壓」。

6 『朝鮮王朝実録』粛宗八年（一六八二）一月二十四日条「謝恩正使昌城君・李佖・副使尹堦・書状官李三錫帰自清国。上引見、問彼中消息、堦曰、其国多変異、地震特甚、城郭宮室至於傾圮、五龍戦於海中」。

7 李晬光（りすいこう）（一五六三～一六二九）の類書『芝峯類説』巻二十・禽蟲部「萬曆乙巳（一六〇五）礪山地、有白龍自江而出、至一村家。時白昼無一點雲、忽風雨暴至霹靂交作、鱗甲閃鑠於雲霧中、騰空而上。数十里内人、皆了了見之、其村家大小人物、幷拔去飄落于數里外、或不知所之」。

8 李瀷（りよく）（一六八一～一七六三）の類書『星湖僿説』巻二・天地門・獰風「歳己未（一七三九）之夏、大風従南来、屋瓦皆飛起、自忠清道至西辺尤甚、黄海道大水有、一坪九百余戸尽渰死。余謂、此皆海中神龍之所為、其或怒闘拏空轉徙怙風暴雨、無所不至凡尋常移窟、莫不大風雨、况其怒気煽動耶」。

9 『水経注』巻三十七・泿水。

10 『宣室志』巻四・韓愈二。『旧唐書』巻百二十六・列伝一一〇・韓愈。『新唐書』巻百七十六・列伝一〇一・韓愈。『太平広記』巻四百六十四・水族三・韓愈（『宣室志』を出典とする）等々。

11 李穡（一三二八～一三九六）の詩文集『牧隠詩藁』巻七・詩・無馬行「…当時原道霈有余、徙鰐開雲垂史書、至今仰之如北斗…」。徐居正（一四二〇～一四八八）の詩文集『四佳集』巻四十六・詩類・次韻武霊見寄三首「…当日東門近南海、也応賦得鰐魚文…」。

12 『星湖僿説』巻五十六・題跋・趙氏家藏臚章帖跋「趙奉事正叔龍洲先生之曾孫、其諸父兄弟咸居抱川荘。一日忽暴雨、山剥野溢、一邑昏墊、趙氏殉者亦数人、廊廡什器、渰没殆尽。既而聞一小函漂轉数百里外、閣在長湍之岸上、為舟子所得。（中略）或謂、蛟怪鰐窟在岩穴、怒而起、鼓風駆雨。如是者有霊、霊則必有惜」。

13 『朝鮮王朝実録』宣祖三十八年（一六〇五）七月二十三日条「古之言大水者、或謂懐山襄陵、或謂之沈陸没崗、而恐未有如此之不可形言者、其殘滅之状、有甚於当壬辰賊火之焚蕩乎」。

14 前注7の『芝峯類説』巻二十・禽蟲部。

15 任埅（一六四〇～一七二四）による野談集『天倪録』樵氓海山脱水災「萬暦三十三年（一六〇五）宣廟乙巳七月大水、乃国朝以来大災也。其前関東前村氓、採樵於山中、忽見一金甲神将、騎白馬。横雕戈跨空而行、儀表暐然、望之可知其天人。又有一衲子、杖錫隨其後而来、形貌亦甚奇異。神人駐馬與相語、樵氓潜屏於林藪而聴之。神人怒気勃然、以戈指麾四方、曰、吾欲従某至某、崩山陥陸並為深淵、使此地所有、無復子遺。（中略）樵氓大驚駭、忙急奔還、率其妻孥遠走避之。自是日大雨成霖、五台山崩其地果陥為淵、数十里諸村尽没、而樵氓独脱焉」。

16 『本草綱目』禽之四・山禽類一十三種、附一種・鵄鵂「蔵器曰、鉤鵅、即爾雅鵋鶀也。江東呼為鵅鉤。其状似鵄有角、怪鳥也。（中略）訓狐声呼其名、両目如猫児、大於鴝鵒、作笑声、当有人死」。『太平御覧』巻九百二十七・羽族部十四・異鳥「後漢書曰、朱浮與彭寵書、曰、惜乎。棄休令之嘉名、造鵄梟之逆謀」。

17 徐居正（一四二〇～一四八八）による笑話集『太平閑話滑稽伝』巻二「俗言鵩凶鳥也。鳥一鳴人応一、声声相応鳥勝則凶、人勝規則則吉。安先生在村舎、日将昏黒、有鵩来止園林而鳴、安声声相応。夜幾半気竭如縷、鵩鳴轉数、勢不能敵。大呼家僮曰、吾不勝鵩、吾将死矣。爾其代之。家僮数人、相代而応、天既明乃止」。

18 『於于野談』「白川民方秋、刈禾積于郊、郊中結幕、夜守之、忽有鵂鶹鳴于屋上、其民心驚、遂離其幕、埋于積禾中。夜久不寐、有大虎潜伺幕下、攬其幕、幕空無人、遂怒毀其幕而去」。

19 『高麗史』巻五・世家巻五・顕宗十四年（一〇二三）五月十三日条「金州地震、始令震處、行解怪祭」。『朝鮮王朝実録』太宗十一年（一四一一）一月二十六日条「命曰、往者、鵂鶹鳴于正殿、避徙于東門之外。今於正月又鳴、宜祭以禳之」。

20 金是楨（一五七九～一六一二）の詩文集『敬齋遺稿』巻二・告文・弘礼門樑上鵂鶹鳴声解怪文「訓狐之鳴、実為異事、行潦是薦、庸展禳儀、庶垂顧歆、永錫扶佑」。

6 ベトナムの説話と〈環境文学〉——研究事情と課題

Nguyen Thi Oanh（グェン・ティ・オワイン）

所属：タンロン大学、タンロン認識・教育研究所、副所長

専門分野：ベトナム前近代における漢籍、漢文資料によるベトナムの漢文文学。漢文説話に関する研究。ベトナム・中国・日本の説話に関する比較研究、日・越の漢文訓読研究。

主要著書・論文：Di sản Hán Nôm trong đời sống văn hóa xã hội Việt Nam (Trịnh Khắc Mạnh-Nguyễn Thị Oanh- Vương Thị Hường), Nxb.KHXH, 2016.、「漢字・字喃研究所所蔵文献をめぐって」（『資料学の現在』笠間書院、二〇一七年）、「ベトナムの漢字」（『日本語学』明治書院、二〇一八年）。

現在の研究テーマ：ベトナムの漢文説話における鬼神世界、中国と日本との比較

summary

ベトナムでは「環境」はMôitrường（モイ・チュオン）「媒場」といい、自然環境と人間社会・文化の二つの分野を指す。この分野はアメリカから始まり、ベトナムでも最近発足した。二〇一七年、ベトナムの社会科学アカデミーの文学研究所を始めて、ベトナムの各大学はアメリカ、イギリス、オーストラリア、中国、マレーシア、タイ、フィリピンなど各国の研究所と大学と協力して、国際シンポジウムを開催した。それ以前は、人間と自然についていくつかの本が出版される程度で、古典文学の会議でも一部には見られるがベトナムの学界全般に浸透、定着しているとはいえない。漢字・字喃文献に豊富にみられる環境資料を利用して論文を書く試みはまだ少ない。漢字・字喃文献を対象とする研究者にも環境問題は新しい分野であるため、関心をもっている人は少なかったのである。漢文文化圏に属している各国（日本と朝鮮半島とベトナム）の古典文学、古典史料（実録、村落の俗例、公文書、地誌など）には環境文学から利用できるものが多いと思われる。ベトナムの古典文学でも、たとえば天体気象・四季と景観、災害（戦争などの災害）・公害・怪異現象、動植物・異類の形象などが対象になる。また、異文化の形象と言説（紀行、渡海、巡礼、遭難、漂流、拉致、亡命など）などもある。今回、ベトナムの環境文学研究事情について概括紹介し、ベトナムの古典文学や古典史料（漢字・字喃で書かれた資料）を中心に紹介したい。

1　ベトナムの環境文学研究事情について

二〇一七年十二月十四日、社会科学アカデミーと文学研究所が協力して、ベトナム社会科学アカデミーで「環境批判・現地の声、全地球の声」という国際シンポジウムを開催しました。国内外の研究者から百の論文を募集し、アメリカ、イギリス、オーストラリア、中国、マレーシア、タイ、フィリピンから十四人の研究者が出席しました。「ベトナムの文学における環境批判について」、「環境批判の角度から見た当代のベトナム散文における農民のすがた」、「南部の散文における環境精神」などの論文が書かれました。

会議の案内によると、現代と現代・近現代と2セッションに分かれて、次の九つの点に関するシンポジウムを展開しました。

①人間が地球の環境に影響を与える歴史段階でベトナムとアジアにおける哲学、宗教、考古、歴史、文学のテキストに環境問題がどのように反映するかを調べる。

②前近代の人々は環境問題に対して、どのように考え、対応、表現するかの方法を調べる。

③現代の環境批判をサポートできるかという点においてベトナムとアジアにおける前近代の環境保護の可能性を調べる。

④現代のテキストの中にある前近代の環境思想の関連テキストを調べる。

⑤文学、歴史、宗教、哲学、考古のテキスト分析をふまえ、現代と未来のベトナムと世界における社会制度は環境問題にどう対応、反応するかの方式と影響を討論する。

⑥文学がベトナムや世界の環境問題に対して、どのように現れているのか、どのように反応し、解決するかなどを検討する。また、文学がその問題についてどのような影響を受けたかを検討する。

⑦文献のテキスト、映画、ドキュメンタリー映画、舞台芸術などのテキストのタイプ間の相互作用の現実と可能性を調べる。さらに文学と教育とメディア間の環境に関する相互作用の可能性を調べる。

⑧ベトナムと世界の文学が、時代ごとに他の社会問題と関連して環境問題にどのように関わっているかを調べる。

⑨ベトナムの環境問題に関連させて、文学の環境問題が

どのように対応するかを話し合う。

文学研究所が開催した国際シンポジウムに続いて、二〇一八年一月にハノイ国家大学、社会科学・人文大学で、文学・環境東南アジア研究協力協会が「東南アジアの文学における生態学―歴史・伝説・社会」という第二回国際シンポジウムを開催しました。それに続き、一月三十日にホーチミン市の師範大学の言語・文学が「生態批判―理論と対応」という会議を開催するなど、環境批判は学界に波及しています。文学は人間の生活に影響を与える環境問題を深刻に描写しているので、文学研究は地球の人間生活を守るためにより強く批判をするべきです。この会議でチャン・ティ・アィン・グエト（Trần Thị Ánh Nguyệt―維新大学）は「生態批判（ベトナムの文学研究においてより適切かと思います）は可能性に満ちている」について言及しました。

環境文学は以前に『枯れる林、干上がる谷川、死んだ海』（著作：グェン・ティ・チン・ティ〈Nguyễn Thị Tịnh Thy〉社会科学出版社、二〇一七年）、『1975年以後のベトナムの散文における人間と自然』（著作：チャン・アィン・グエト、レ・リュウ・オアイン〈Trần Ánh Nguyệt và Lê Lưu Oanh〉、教育科学出版社、二〇一八年）、『生態批判とは』（文学研究所の翻訳、ホアン・ト・マイ〈Hoàng Tố Mai 編〉、未刊行、文学研究所の図書館でのみ閲覧できる）が出版されています。

上述の三つの作品の内、『枯れる林、干上がる谷川、死んだ海』は、ファン・スアン・ズン（Phạm Xuân Dũng）によって「労働新聞」（二〇一八年十月二十四日）に紹介されました。以下に、省略して紹介します。

二〇一七年に発行した文学作品『枯れる林、干上がる谷川、死んだ海』は世論に注目され、翌年に再版されました。再版することができたのは、このような作品にしては珍しい現象ではないかと思われます。作品名は新聞に近いタイトルでニュース的な文章であり、今後の方向性を示唆している。

作品は全部で五〇〇頁で、四章に分かれており、第一章は前提の各概念、第二章は生態文学、第三章は生態批判、第四章は研究実行となります。「地球に耳を傾ける」という序文には、「ベトナムは気候変化の影響を直接受ける国だ。生活や生産による環境汚染は人間と万物に対して解決を要する困難な課題となる。枯れる林、干上がる谷川、汚染された海、死んだ魚、洪水、旱魃（かんばつ）、決壊したダム、泥流など「禍無単至（かんむたんじ）」（災害は一回だけ起こるわけではない）という諺の如く、相次ぎ起こっている。研究者には責任がある、地球に耳を傾けるために生態の角度からみた環境文学研究をしなければならない（中略）。また、生態文学を研究する事業は環境を救う声を聞くため、文学科学からの回答を表現する」（一七頁）とあります。

この作品によると、生態文学が生み出されたのは一九七〇年代です。生態文学の機能は警告で、「人間の生活の仕方、価値に関する観念、自然に関する観念などを変えるべきである。生態の危機は環境に対する危機だけではなく、道徳、思想、文化の危機と言われる」（八〇頁）。生態文学の特徴は科学と文学を密接に結びつけるということです。作者は、「生態文学は科学性の非虚構文体と文学性の言葉芸術を結び付けている。作品を通して、読者は生きている世界をよく理解して、知識とするならば生存することを愛して守ることができる。それは理性から科学性の情感までの道である。その道は文章詩学の審美の橋をかけることが必要である。つまり文学性とは作者の文才を表現することであり、生態文学に魅力や新しい考えを与えることなのである」（九五頁）といいます。

生態批判理論を運用する際に自分の作品を通して、チャン・ズィ・フィエン（Trần Duy Phiên）という作家の生態文学が大きな貢献を果たしました。チャンによって書かれた『シロアリと人間』『アリと人間』『クモと人間』における人物は、自然に敵対し、自然を統治し、東方人の骨格に深く刻み込まれた「人間は万物の君主である」という観念をもって小さなシロアリ、アリ、クモと勝負します。自然と和気あいあいとして暮らすことの代わりに、さまざまな方法で自然を支配し蹂躙します。結局、人間は小さな生物に敗北してしまいました。

ベトナム現代文学で生態文学に関する作品は少ないです。生態文学の研究・批判・理論のシステムもまだ不十分ですが、グェン・ティ・チン・ティ（Nguyễn Thị Tịnh Thy）の作品「旱魃した時に雨が降る」のごとく、生態文学に関する創造精神を鼓舞するものもあります。本書は生態と生態文学に関する読みやすく分かりやすい本であり、読む価値があります。ここで強調したいのは、環境問題は社会の問題、人類の広範囲に関連する問題であるということです。ある教師に教示していただいた最後の言葉のように、「自然に丁寧にしよう」は現段階の情勢を共用するべきで、もちろん、文章も例外ではありません。

ズンが述べたように、ベトナム現代文学には生態文学に関する理論的な研究作品はあまり見えませんが、今後さらにベトナム生態文学の研究を進展することができるように、国内文学研究者をはじめ、さまざまに協力してゆく必要があります。とくにベトナム生態文学研究者は外国人研究者と互いに交換・交流することが大事です。生態文学という概念と研究内容を詳しく把握する以外にも、「環境理学」の知識も持たなければなりません。たとえば、ベトナムでは「人間中心主義」とか「人定勝天」（人間は天に勝つべきだ）として捉える考え方が一般的になりました。しかし、「環境倫理学」の専門家の鬼頭秀一は、「人間と自然との関係性ということでは、人間中心主義の反省の上に立った、それを逆転した人間非中心主義ということが主題化されるに対して、自然を前にした時の人間の社会関係における社会的公正、つまり、環境正義ということが問題となる。環境にかかわる「共生」ということは、人間と自然との「共生」ということに加えて、環境にかかわる社会的、政治的な関係性の中での「共生」ということを考えていく必要が出てきた」（鬼頭秀一「統合的な概念としての「共生」概念に向けて」、星槎大学紀要『共生科学研究』No.10、二〇一四年）と述べています。北村浩一郎も「このような共生社会を形成するためには、学校教育において、インクルーシブ教育システムを構築するための特別支援教育が推進されるべきであるとしている。このことは、単に学校教育関係者だけではなく、すべての国民が共有するようにしなければならない」と述べます。また、シラネ・ハルオ『Japan and the Culture of the Four Seasons; Nature, Literature, and the Arts』（コロンビア大学出版部、二〇一二年）は、小峯和明氏の概括によれば、「野生の自然よりも人工的な自然の「二次的自然」を中心に、文学、美術との関連を新しい角度から追究している。文芸ばかりでなく、絵画造型の視覚文化がかかわり、名所論に発展、見立てやパロディ文化にもつらなる。対象も詩歌、物語から俳諧、演劇、料理や和菓子など多岐に及び、きわめて幅広く射程が深い力作である」とあります。「環境文学」も環境に対して人間の精神、道徳、行為を教育揺籃するべきだと、わたしも考えています。

2 ベトナムの古典文献における環境資料について
——「治水譚」を中心に

2．1　ベトナムの古典文献における環境資料について

ベトナムには、古典文学における環境資料がたくさんありますが、利用できていません。国際シンポジウムが行われる際に、古典文学の分野でも一部に試みは見られましたが、ベトナムの学界全般には浸透、定着していません。漢字・字喃文献に豊富にみられる環境資料を利用して論文を書く試みはまだ少ないです。漢字・字喃文献を対象にして研究する研究者にも環境問題は新しい分野であるため、関心をもっている人は少なかったためです。

環境文学について小峯和明氏が「日本と東アジアの環境文学」で五点を柱にシンポジウムを展開しましたが（二〇一八年七月、立教大学）、環境文学の内容はベトナムの古典文学にも見られます。たとえば、天体気象・四季と景観、災害（戦争などの人災も）・公害・怪異現象、動植物・異類の形象などです。また、異文化の形象と言説（紀行、渡海、巡礼、遭難、漂流、亡命など）もあります。

たとえば、漢喃研究所が所蔵している「風水」に関する資料は、高駢の『安南九龍経（An Nam cửu long kinh）』（高駢をかたってベトナム人が編纂した作品という説がある）、左幼（ベトナム人グエン・ドク・チエン）の『左幼真伝集（Tả Ao chân truyền tập）』、無名の『重訂天南名地（Trùng đính thiên nam danh địa）』（一六七八年）、『天南地勢正法（Thiên nam địa thế chính pháp）』など、全部で九十八作で、どれも風水の核心内容である「看脈法（Khán mạch pháp）」、「定穴法（Định huyệt pháp）」などに関する本です。「帝王」「官職」「繁栄」などを発するように、山水と自然の形勢を観察して分別することから出発した風水・地理本です。夏の立教大学の国際シンポジウムでソウル大学の鄭炳説教授が「風水の環境論的反省と公共性―風水説話を中心に」というタイトルで発表したように、風水は環境と緊密な関係があり、相互に影響を与えていると思います。ベトナムでも上述のように風水に関する古典文献もたくさん残っていますが、他の史料、たとえば、村落の俗例（村落の法律）の中に天変地異や疫病流行などの災害を防ぐために、風水にかかわる占い丘、古塚などを犯してはいけないという規定が見られます。

また、「紀行」文学について、清華大学の王成教授が「中国紀行と環境表現―近代日本人の中国紀行文を中心に」で発表したように、紀行とは「旅行中の出来事、行動、見聞きした事、感想などを書いたもの」であり、自然と人間と

の交感を表します。ベトナムの古典文学の中には紀行資料が豊富に残っており、たとえば、ハノイの漢喃研究院に所蔵されているチュオン・ダン・クエー（Trương Đăng Quế 張登桂）が一八二八年に著した『日本見聞録』（A.1164）は、ベトナム人が日本について書いた本の中では初期の部類に属すると考えられています。これはベトナム語に翻訳されて、一九九〇年の『ハンノム雑誌』第一号に掲載されています。『日本見聞録』は、嘉隆十四年（一八一五）に暴風で日本に漂着し、筏でフエに護送されて帰還した五名のベトナム兵の話を、クエーがまとめたものです。兵士たちは日本に逗留している間に日本人から受けた厚情を心に刻みつけ、日本の暮らしぶりや風俗習慣を実際に体験しました。それを帰国してからクエーに報告したのです。クエーは、五名の日本への行程を暴風に巻き込まれた時点から、日本の一地方で庶民に救助されて帰国の方法を見つけるまでと、当時の日本の生活や風俗習慣を含めて、本人の文才や語り口も相俟って、極めて詳細かつ丹念に描写しています。

また、日越交流資料として、幕府の要職にあった近藤正斎が一七九六年に編纂した『安南紀略稿』が知られています。作品として大変価値が高く、ベトナムと日本の文化交流の一つの象徴と見ることができます。また、中・越交流資料における紀行作品として、よく知られている『越南漢文燕行文献集成（Việt Nam Hán văn Yên hành văn hiến tập thành）』もあります（漢喃研究所と上海の復旦大学と協力して、二〇一〇年に出版した）。

2.2　ベトナムの古典文献おける「治水譚」「洪水譚」について——『嶺南摭怪』を中心に

ベトナムは多雨地帯で、河川、湖沼、池などがたくさんあるので、雨季になると河川の水量が増加して、洪水で家屋、農産物などが水に掛かり、人間が亡くなる例も少なくありません。そのため、古くからベトナム人は堤防を作り、水と戦ってきました。洪水を退治する伝承は『嶺南摭怪』に初めて登場します。ベトナムの治水譚についてはじめて記載した本は、『嶺南摭怪』（A.2914）の「傘円山伝（Tản Viên sơn truyện）」です。「傘円山伝」はベトナム人の治水作業を反映する伝説です。内容を次にまとめます。

○治水の人物　傘円山大王で、貉竜君（Lạc Long Quân）と嫗姫（Âu Cơ）の百人の子供の中の一人であり、高い山の霊気が集まり、凝り固まって人間となった人物である。一方、同じ話に付いている『交州紀』によると、山晶(Sơn Tinh)は名字を持つ人間であるが普通の人間ではなく、「山を指さすと山がたちまち崩れた。岩に入ったり出たりするのに障害をなくすためである」という法術を持っている超人的な存在である。また、『傘円山伝』に詳細に描写してないが、後世に成立したベトナムの昔話の中の同じ話には、「洪水の水位がここまで上がると、山をそこまで高くする」と書いてある。

○洪水を起こさせる人物　水晶(Thủy Tinh)で、「水を吸いこみ、空に噴くと風、雲、雷、電に化した」という超人的な人間である。

○洪水が起こる原因　山晶は水晶と争って雄王(Hùng Vương)の媚娘(Mỵ Nương)という娘に求婚した。山晶は先に結納をして来たので、雄王は媚娘を嫁として与え、山晶は傘円山に迎えて帰った。水晶は遅れて来て機を失い、媚娘公主を娶ることができなかった。水晶は深い恨みを抱き、報復への思いが心に宿った。山晶は人々に尊敬されているので、山晶と水晶との競争で、雄王に要求された「九つの象牙の象、九つの蹴爪を持つ鶏、九つの紅い鬣の馬」という結納を山晶が簡単に手に入れて、早めに結納を納めて、媚娘を嫁にすることができた。しかし、水晶は水に住んでいるから、準備するのが難しくて、結納を遅く届けたので、嫁にできなかった。

○洪水が起こる時期　毎年、六月七月の間で、その時期には水晶は洪水を起こさせて、水族を引き連れて、山まで攻撃した。

○洪水が起こった地域　大河(紅河〈Hồng hà〉)(今のハノイ)、喝江(Hát giang)(今のヴィン・フー省)、陀江(Đà giang)(今のホア・ビン省)【次頁地図参照】。

○治水方法　①鉄の網を張らせる。「慈廉県(Huyện Từ Liêm)」(今のハノイ)から大河(紅河)まで鉄の網を張らせたので、水晶は行き来できなくなった」。②支流を造る(洪水を分かれさせる目的)「また別の小さな河の流れを作って、上は喝川から陀川まで、下は蒞仁(Lý Nhân)(今の河南省)江まで後ろから包囲して攻撃した」。③竹を編んで垣根を作る。「その後、彼(水晶)は傘円山の前まで川の支流を開き、甘麗(Cam Lệ)、車楼(Xa Lâu)、古鶚(Cổ Ngạc)、麻舍(Ma Xá)、禄山(Lộc Sơn)の洞窟まで流れていった。村の人々が見て、すぐに竹を編んで垣根を作って、水晶を制した。④軍隊と人民は洪水に反撃する。「軍隊と人民は太鼓と鉦を撃ち、危ないところを救った。水晶らが垣根まで流れるのを見ると人民が率領して皆殺しにした。⑤法術：「洪水の水位がここまで上がると、山をそこまで高くする」。⑥結果：水晶は失敗した。「殺した水族は蛇、蛟、魚、亀の死骸に化して河の水面に流れて、川をふさいだ」。

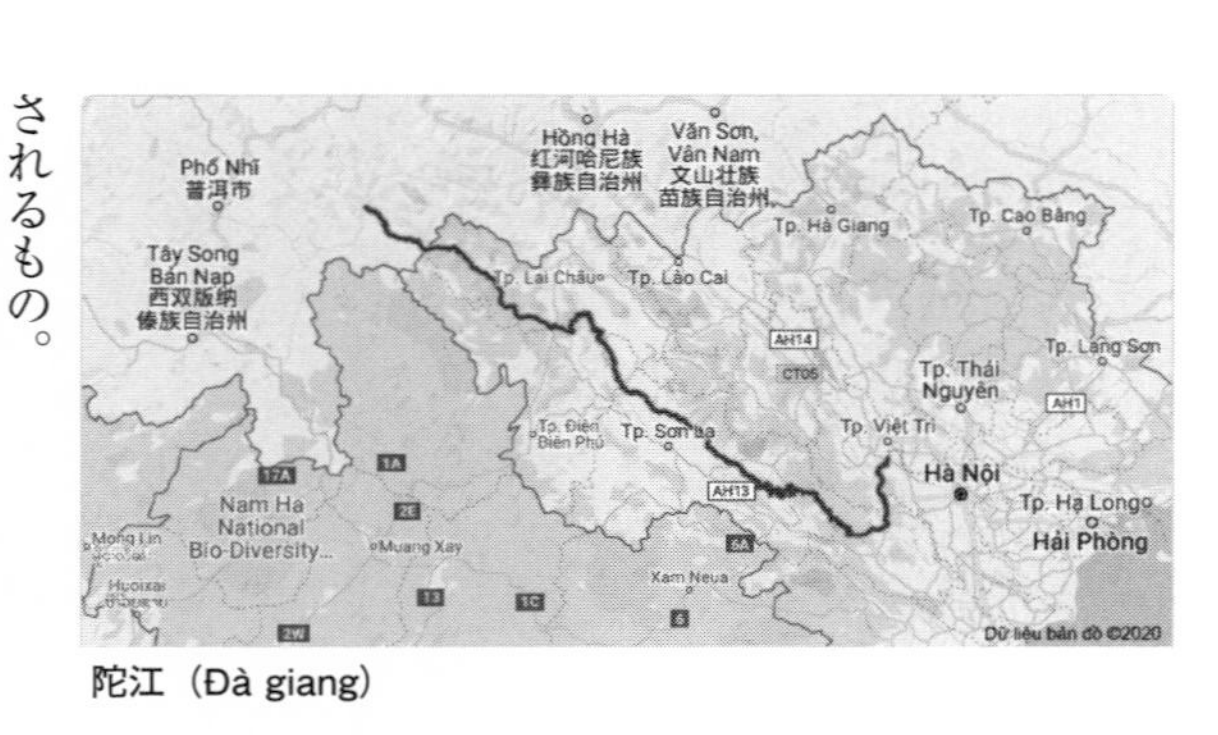

陀江（Đà giang）

○**治水の武器**　鉄の網、竹、刀など農業生活によく使用されるもの。

○**水晶の報復**　「水晶は怒りがおさまらなかった。毎年六、七月の間つねに洪水をおこし、山麓の人々や作物は損害を受けて、あちこちで被害を被った。今にいたるまで、水晶は山まで水を引き上げ、人民に攻撃されているのである」。

「傘円山伝」は神話と伝説を混用している文体で、怪異、神妙なモチーフがある以外、古くから伝えてきた洪水や治水の記事を反映する。伝説にある洪水が起こった地域は広がり、紅河を始め、沱川（sông Đà）、喝川（sông Hát, hay sông Đáy）などの流れが集中している地域である。沱川、喝川、瀘川（sông Lô）などの支流は紅河とも合流して紅河デルタを形成している。ベトナムの民衆は紅河の奔流や氾濫を水神の仕業と考えていた。また、ハノイを走る丘陵があり、その北端に傘円山が位置して、伝説のように洪水が起こる地域である。伝説には治水事業が生き生きと描写されている。神話的な脚色面を除けば、古くからベトナム人が毎年洪水と戦うのは事実である。治水の人物である山晶は超人的な人間であり、軍隊、人民の力を借りて、洪水と戦う。過去、治水の経験によって得られた教訓は今日まで治水方法に役に立っている。

また他にも、ベトナムの漢文説話の中に、自然災害を退治する人物が見られます。十八世紀の『公余捷記（Công dư tiệp ký）』（ヴー・フオン・デー〈武方提〉によって、編纂された説話的類書）の「強暴大王（Cường Bạo Đại vương）」です。梗概は次の通りです。

強暴は天本県（Thiên Bản huyện）の輩錦社（Bối Cầm xã）

の人。母親は、黒い顔をしている人が来て、「この山岳の神が降り、この一族を誕生させよ」という夢をみて妊娠し、子供が生まれた。大きくなると強暴になり、世人を軽視し、父母のことも忘れて、法事さえしないが、竈神を毎日朝も夜も祭っている。蝦を捕ってすぐに料理をして、供えとして祭っている。竈神が感動してよく庇護される。ある日、両親は彼の罪を上帝に訴えた。上帝は雷神を命じて、彼を懲罰する。（中略）彼は灶神に秘かに知らせてもらった通り、すぐに蕉を取って、筏を結び、葉を取って、旗にする。翌日、水が大きく起こって、村落が水没した。王（強暴）はすぐに筏に乗って、鼓を打ちながら鉦を鳴らせて、水上を堂々と行動し、天上まで振動した。彼は「僕は天と交戦する」と大きい声でいった。

筆者は二〇〇八年に「ベトナム漢文説話における「雷神退治」のモチーフについての比較研究」（『東アジアの文学圏―比較から共有へ』アジア遊学）という論文で、「強暴」という人物の出生、性格、武器、姿、雷神退治方法を分析しました。中国の『捜神記』『太平広記』と日本の『日本霊異記』における「雷神退治」と比較すると、雷神退治の人物は民衆に尊敬され、褒められますが、『公余捷記』の「強暴」は、李・陳時代から、尊敬されていませんでした。『公余捷記』が成立した一七三六年当時、ベトナムでは内戦と政権に対する抵抗運動が続き、経済は不景気で、難を避けるため故郷の村を捨てて移住したり、路上で餓死したり、また、強盗がはびこる不安定な社会だったため、尊崇するべき神霊像が崩壊してしまったのです。「強暴」は雷神と戦って勝ち、また、天に挑戦しましたが、竈神との約束を破って、結局雷神に殺されてしまいます。

また、同じ『公余捷記』に洪水に関する「崑崙三海記（Côn Lôn tam hải ký）」もあります。梗概は次の通りです

昔、南畝村（Nam Mẫu thôn）にあるお寺で祭りが行われて、大勢の人々が寄ってきた。疥癬の皮膚、ぼろぼろな衣服を着た老婆が、乞食をしに来た。人々は追い払って、乞食に恵まなかった。老婆は南畝村まで帰ると母と子供に会った。彼女は老婆にご飯をあげて、一泊宿泊させた。夜、大きくぐーぐーといびきをかくので、母親は起きて、部屋を見ると、老婆は蛟龍に変化していた。母親は怖くて、自分の部屋に戻る。翌日になって、老婆の部屋を見ると、蛟龍ではなくて、一人の老婆が寝ている。母親は老婆が普通の

人間ではないと思って、老婆の前に拝礼した。老婆は「祭りに参拝したが、人々は口は仏のようだが心は蛇のごとしで、だれも善を行わないので、近いうちに水没する禍に会う。あなたは良心があって、喜んで施しをしたから災害を教える。何か異変があったら、すぐに山へ逃げなさい」と言って姿が見えなくなった。祭りが終わらないうちに平地に水が出て、最初は手のひらぐらいであるが、すぐに池になって、一日たつと三つの大きな湖になった。彼女は泉が出てくるのを聞くと、すぐに山に逃げたが、他の人々は水に没した。後に山に家を建てて、子孫が生まれて、村になった。

ベトナムの漢文説話に鬼神は常に人間の世界を遊行し、亭、寺院、祠、宿屋などに宿泊し、人間の供え物を享受するため、鬼神が人間に頼み事をしたり、制御されたり、競争するべき際に人間のことを手助けするという話も少なくありません。ある研究者は「洪水は死や壊滅をもたらしたあとに、しかし肥沃な土を残していき、その後耕作物がよく育つことがあったのではないか、つまり、洪水は破壊と再生の側面を持っていたために、神が世界を作りなおす、というモチーフ、あるいは生死を支配する神、そこに善良なる人間のみを救う、といった考え方が出てくるのかもしれない」と述べています。

3　世界の洪水神話と比較

佐々木高弘氏の「伝承された洪水とその後の景観―カオスからコスモスへ」(『京都歴史災害研究』第三号、二〇〇五年、二一～三一頁)によると、

世界には洪水に関する神話が、非常に多く存在している。最もよく知られているのは、『聖書』創世記の「ノアの箱船」であろう(中略)。また、この著名な洪水神話は、聖書がオリジナルというわけではなく、メソポタミア、ギリシア、そしてインドや中国など、世界に数多く伝承されている。それら伝承には、おおよそ共通するパターンがある。話の筋としては、Ⅰ「人間の堕落とそれに対する神の怒り」、Ⅱ「神の怒りとしての洪水」、Ⅲ「残った人間の婚姻」、Ⅳ「人間や種族、あるいは農耕等の起源」があげられる。(中略)『聖書』を再度見てみると、そしてⅢの婚姻が欠如することと

なる。

とあります。日本の「洪水神話」について、佐々木氏があげた『日本神話事典』によると、次のように定義されます。

原初に起こった大洪水のために人々が死んだが、その時に奇跡的に助かった一対の男女が現在の人間の祖先となった、というタイプの神話」で、この神話には「兄妹婚始祖型」があり、日本ではイザナキとイザナミの国生み神話となる。ところが、日本の神話では、肝心の洪水が欠如する。欠如した筋や要素は、地域や時代の文化的特性となる、と指摘したが、ヨーロッパの多くで欠如している、Ⅲの「残った人間の結婚」が、日本やインド、あるいは中国でも「兄妹婚」である場合が多い。これはおそらく、キリスト教社会でタブー視される近親婚が、欠如の原因となっているのだろう。

しかし、洪水神話と呼ばれる伝承から、洪水が欠如している場合、そもそもその伝承を、洪水神話の範疇に入れてよいのだろうか。あるいは、日本には洪水神話が存在しない特異な地域なのだ、と断じるべきなのだろうか。

ベトナムの「傘円山伝」を世界の伝承と比較すると、「神の怒り」＋洪水というパターンがあります。また、婚姻はありますが、近親結婚ではありません。「人間や種族、あるいは農耕等の起源」の要素が欠如する山晶は、ベトナム人の始祖と言われる百人の子供の一人なので、人間や種族に関係があります。もちろん、ベトナムと日本の古典文学はインドと中国の仏教という共通の起源をもちつつ、それぞれの歴史的条件や風土に適した発展を遂げて行ったことがわかります。

また、ベトナムの漢文説話の中に自然災害を退治する他の人物、『公余捷記』の「強暴大王」には、世界の洪水に関する神話と比較すると似ているモチーフがあります。「強暴大王」が竈神を信仰しているのでよく庇護されたというモチーフは『聖書』にも見られます。

佐々木氏が挙げたように、『聖書』には、

その時代は、神の目にもあまるほど人々は堕落していたが、ノアだけは信仰心の篤い、正しい人だった。そこで、神は大洪水を起こし、人々をことごとく滅ぼそうと考えた。しかし、ノアだけには箱船を造り、家族とすべての生きものの雌雄一つがいずつを乗せるよう指示した。洪水がまもなく起こり、箱船は水の上を何

> 日も漂った。水が引き始めた頃、ノアは箱船から鳩を放った。ところが、休む土地のない鳩は、箱船に帰ってきた。さらに七日待って、彼はふたたび鳩を放った。すると夕方になって鳩は口にオリーブの若葉をくわえて帰ってきた。そこでノアは、水が地上から引いたことを知った。さらに七日後、鳩を放すと、もはや帰ってこなかった。そこで神はノアに、みんなが箱船から出るように告げた。ノアは神のために祭壇を築き、そこで動物の肉を焼いて捧げものとした。喜んだ神は、もう洪水で人間を滅ぼすようなことはしないと約束した。箱舟から出たノアの子らから、全地の民が別れ出た。

とあります。また、神が姿を人間に変え、人々の所行を視察する件は、世界の洪水伝説に数多く見られます。

中国にも似た伝承があります。世界の洪水神話比較で見た中国の伝承には、

> 太古、天神が人類の心の善し悪しを試すために、神仙を下界に遣わした。そこで神仙は杖にすがる猫背姿の乞食に身をやつし、各地を遊行した、とある。この伝承は雲南(うんなん)省のもので「阿晋多莫的故事(あしんたばくてきこじ)」と呼ばれている。乞食姿に身をやつした神仙が、亀岡の弘法大師のように、家々を巡るのだが、だれも善を行えない。しかし、一人だけが乞食に恵む。そしてその男だけが神の怒りとしての洪水をまぬがれ、船に乗り、生き残り、神婚し、人類の始祖となる。

とあります。上述したように、『公余捷記』の洪水に関する「崑崙三海記」では、乞食に身をやつした老婆にご飯をあげて、洪水をまぬがれました。生き残って、そこが村になったという世界の洪水神話と同じパターンの話があります。

今回、佐々木氏が挙げた「世界の洪水神話」を参照して、ベトナムの漢文説話における洪水に関する三つの伝説と比較して、共通点が明らかになりましたが、まだ十分ではないので、今後とも引き続き研究したいと考えます。

4 おわりに

ベトナムでは環境文学の研究は新しく入ってきたテーマです。アメリカとヨーロッパから理論的な本などの資料を輸入、翻訳、出版し、共に国際シンポジウムを行いました。世界各国から研究者が来て、お互いに意見を交換し、古典

文献を対象として、どう研究すればいいか課題になりました。今後、環境文学の研究を発展させるために、漢文文化圏に属している日本、中国、韓国、ベトナムなどの東アジアの各国と欧米の研究者と協力して、全地球の観点から共同研究を展開し、国際ネットワークを作り、研究協力体制を構築することが期待されています。

参考資料

・小峯和明「〈環境文学〉構想論」小峯和明監修・宮腰直人編『文学史の時空』シリーズ日本文学の展望を拓く4、笠間書院、二〇一七年。
・佐々木高弘「洪水とその後の景観―カオスからコスモスへ」（『京都歴史災害研究』第三号、二〇〇五年、二一～三一頁。
・北村浩一郎「共生社会と日本の伝統思想」、星槎大学紀要『共生科学研究』No.10、二〇一四年、二二～二八頁。
・高津茂「傘圓山神話について―ヴェトナム民間信仰について」、星槎大学紀要『共生科学研究』No6、二〇一〇年、四六～六〇頁。
・鬼頭秀一「統合的な概念としての「共生」概念に向けて」、星槎大学紀要『共生科学研究』No.10、二〇一四年。
・Nguyễn Thị Oanh（グエン・ティ・オワイン）「ベトナム漢文説話における「雷神退治」のモチーフについての比較研究」（『東アジアの文学圏―比較から共有へ』勉誠出版、二〇〇八年、二二〇頁、七〇～八二頁。
・Nguyễn Thị Oanh（グエン・ティ・オワイン）「ベトナムの漢文説話における「鬼神退治」のモチーフに関する比較研究―『嶺南摭怪』を中心に」『世界文学の中の日本文学―物語の過去と未来』国文学研究資料館、二五二頁、六五～八一頁。

付録

1・「傘円山伝」（『嶺南摭怪』、A.2914）

傘円山は南越国の都京城、李朝の昇龍城の西にある。その山は高くそびえ立ち、丸いかたちは傘のようである。そのために傘円山という。昔、貉竜君は嫗姫を娶り、妊娠して、胞を産み、胞にある百の卵があり、破れると一つの卵は一人の男となした。竜君は五十の男児を連れて海に帰り、五十の男児は母の嫗姫とともに山洞に帰り、同居して天下を分ち治め、雄王と号した。つまり傘圓山大王は、海に帰った男児五十人のうちの一人である（中略）。

王（山晶）は水晶と争って雄王の媚娘という娘に求婚した。王は水晶よりも先に結納を納めて来たので、雄王は媚娘を嫁として与え、王は傘円という山に迎えて帰った。水晶は遅れて来て機を失い、媚娘公主を娶ることができなかった。水晶は深い恨みを抱き、報復への思いが心に宿った。毎年、六月には洪水を起こして水族を引き連れて、山まで攻撃した。最初は不意を突かれ、王は驚いた。王は雄王に告げて、慈廉県から大河（紅河）まで鉄の網を張らせたので、水晶は行き来できなくなった。また、別の小さな河の流れを作って、上は喝河から陀河まで、下は蒞仁江まで後ろから包囲して攻撃した。その後、水晶は傘円山の前まで川の支流を開き、甘麗、車楼、古鶡、麻舍、禄山の洞窟まで流れていった。村の人々が見て、すぐに竹を編んで垣根を作って、水晶を制した。軍隊と人民は太鼓と鉦を撃ち、危ないところを救った。水晶らが垣根まで流れるのを見ると、人民が率先して皆殺しにした。殺された水族は蛇、蛟、魚、亀の死骸に化して河の水面に流れて、川をふさいだ。水晶らは敗北したがまた戻ってきて、怒りがおさまることがなかった。毎年六、七月の間つねに洪水をおこし、山麓の人々や作物は損害を受けて、あちこちで被害を被った。今にいたるまで、水晶は山まで水を引き上げ、人民に撃たれているのである。

また、『魯公交州記』といくつかの伝説によると、大王はもともと山精の気で、姓は阮で水晶と峰州の嘉寧で争っているという。周郝王朝の時、雄王第十八代の王は越に都を封じて、文郎国と号した。雄王には娘がおり、名前は媚娘といった。美しい人で、その噂は遠い南国まで伝わっていた。媚娘に求婚する男性は多く、雄王は婿選びの数日を経て、二人の男が求婚にやってきた。一人の名前は水晶といい、もう一人は山晶という。王は二人の才芸を試み、競争するように要求した。山晶が山を指さすと山がたちまち崩れた。岩に入ったり出たりするのに障害をなくすためである。水晶が水を吸いこみ、空に噴くと風、雲、雷、電に化した。それをみた雄王は、「二人の才芸は両方とも神通力に優れているが、朕は娘が一人しかいないから、どちらに嫁がせるべきか分からない。どちらか先に結納を納めたら勝利とし、娘を嫁がせよう」といった。山晶は先にやって来て、媚娘を嫁にし、傘円という山に迎えに行って、夫婦になった。水晶は遅く来たために、嫁にできないことを怒って、水族を連れて、山まで攻撃した。この後、二人は敵同士となった。今でも、六、七月には、水晶が洪水を起こして山晶を攻撃すると語り伝えられている。

「傘圓山者乃南越之京都，李朝昇龍城之西門也。其山屹立圓峰如蓋形，故曰傘圓山焉。昔貉龍君之時，娶歐姫胎孕，生得一胞之中有百卵，胞中開出一卵一男。龍君將五十男歸東海。歐姫將五十男歸山峒，同居分治天下號為雄王。傘圓山大王從歸東海五十男之數也。高山精浩氣之神。王往自海門由神符，海口而歸，尋其高爽，清光之地，民俗沌朴之風而居焉。遂沿大江至龍神龍肚之地，次震津欲留之。有不滿意遂去之，復沿自瀘江而上，至福祿縣畔蕃津邊，望見傘圓之山崇高秀麗，三峰羅列，嚴然如蓋，兼有山下之人尚有殺牛釃酒，日用飲食。厭厭晝夜歌沉醉朴素而已。王如是作一條路其直如弦，自蕃津向傘圓之陽，行衛洞作殿以慰息焉。又行山岩泉原野之處，並作殿以休息。又行過石津雲夢之原上山頂以居之。王或時游小黃江以觀魚網之人，經過村落皆作殿以休息之。民見其前有殿跡遂作祠廟以奉事。

王與水晶爭娶雄王之女曰媚娘公主。王預備聘之物先到雄王殿前。雄王嫁媚娘公主于王，王乃迎歸傘圓之山。水晶後至失期而不得娶媚娘公主。水晶乃萌心仇讎懷怨，係遞年至六月間，每進洪水薄潦山邊而糾率水衆共擊王。前年不意，王驚之。王告雄王，鐵網橫截慈廉縣，大江兩邊。水晶往來不得。又別開小江一帶，上自喝江入陀江，下至菹仁江以擊圍之後。後，岐開小黃江以向傘圓之前，所至甘麗，車樓，古鶚，麻舍，綠山之峒谷，村下之人見之即編竹為疏籬以護水族之精。軍民之人相擊鉦鼓以救之，始見水晶之衆流入疏籬之邊傍率斷斬，遂化蛇蛟魚鱉之屍流塞江河之水面。水晶衆屬敗散退而復還未曾息怒。係六月七月間常常有之，山下之人禾穀損壞，遍被其害，至于今年水晶常引水上山邊，人民擊之焉」。

又按魯公交州記并數事相傳，大王本以山精之氣也。姓阮，與水晶相争於峰州，嘉寧山焉。周郝王時，雄王十八世主都封之越地號文郎國。雄王家有女名媚娘，容顔美，遠聞南國。時南國主各泮求婚不得。雄王之時與擇佳媚數日，忽見二人，一稱曰水晶，一稱曰山晶，二人皆求為婿。雄王請試法術，山晶乃指山山崩，出入石中而無礙。水晶以水空，化為風雲雨雹。雄王曰：〃二君各有神通，然朕尚有一女不識嫁誰，有聘禮先至者勝，吾即嫁之〃。山晶乃得媚娘遂迎歸傘圓山上結為夫婦。水晶後到不得娶媚娘，水料率水族衆迫擊傘圓山大王。至今二主為仇讎也。六七月間山下附近之民常被大風潦水之害」。

2.「強暴大王」（『公余捷記』〈武方提〉A.44）

強暴は天本県の輩錦社の人である。母親は黒い顔をしている人が来て、「この山岳の神が降り、この一族を誕生させよ」という夢をみて、妊娠し、子供が生まれた。大きくなると強暴になり、世人を軽視し、父母のことも忘れて、法事さえしないが、竈神に毎日朝も夜も祭っている。蝦を捕ってからすぐに料理をして、供えとして祭っている。竈神が感動されたのでよく庇護される。ある日、両親は彼の罪を上帝に訴えた。上帝は雷神を命じて、彼を懲罰する。彼は灶神に秘かに知らせてもらった通り、「甜蒿（俗名夢思）」という野菜を細かく砕いて、油と水を入れて、そして、雷神が来る日に、屋上に塗って、暗いところに隠れて待っていた。俄かに風が吹いて、雨が降って、雷神が天から屋上の脊上に降りようとすると、滑って地に落としてしまった。強暴大王は中から突然出し、杖を揮って打ち、雷神は突然見えなくなった。かれは赤い銅縄を奪って、清潔なところに埋めたその時、打たれた雷神は天に戻って、その事を奏上し、昊天は怒って、雷神と霹靂を懲罰に行かせた。また、その日に水を上げて、あの賊を捕まえ、魚の餌として、殺すように秘密に水神と約束した。灶神は又彼に告げた。王はすぐに蕉を取って筏を結び、葉を取って旗にする。翌日、水が大きく起こって、村落が水没した。王はすぐに筏に乗って、鼓を打ちながら鉦を鳴らせて、水上を縦横し、天上まで、振動した。彼は「僕は天と交戦する」と大きい声でいった」（省略）。

3.「崑崙三海記」（『公余捷記』〈武方提〉A.44）

「昔、南母村にあるお寺で祭りが行われて、大勢の人々が寄ってきた。疥癬の皮膚、ぼろぼろの衣服を着、乞食に来た。皆に追い払われて、乞食できなかった。南母村を抜けると二人の母と子供に会った。老婆から話を聞くと、持参したお昼のご飯をあげた。また、一泊宿泊させた。夜、大きくぐーぐーといびきをかくので、母親は寝られなかった。起きて、部屋を見ると、老婆は蛟龍の体に変化していた。母親は怖くなって、自分の部屋に戻ってきた。翌日になって、老婆の部屋を見ると、蛟龍ではなくて、老婆が一人寝ている。母親は老婆が普通の人間ではないと思って、老婆の前に拝礼した。老婆は「祭りに参拝したが、大勢人々が来たけれど、皆「口仏心蛇」（口は仏で心は蛇のごとし）で、だれも善を行わないので、近いうちに洪水を起こし、人々が水没する禍にあう。母親たちは良心があって、喜んで施しをしたから母親たちのために秘密を教えよう。何か異なることがあったら、すぐに山へ逃げなさい。何も考えないでよい」と言い終わってからすぐ姿が見えなくなった。祭りが終わってない時に平地に水の脈が出て、最初は手のひらぐらいであるが、すぐに池になって、一日になると三つの湖になった。母親たちは泉が出てくるのを聞くと、すぐに山に逃げたが、他の人々は知らずに皆、水に没した。後、山に家を建てて、子孫が生まれて、住居が密集した村になった（省略）。

セッション

竹村信治（司会）　それではラウンドテーブルの議論に移っていきたいと思います。テーマは「〈環境文学〉と宗教言説ネットワーク」ということですが、最初の劉さんは〝鼠の嫁入り〟を事例に、陰陽の宇宙観に関わる習俗、信仰の問題を、染谷さんは二次的自然としての遊郭、歌舞伎小屋の性を事例に、〈性〉をめぐる言説の問題を、樋口さんは『延慶本平家物語』『塵袋』『古今著聞集』の説話的記事を事例に、動植物をめぐる記号化された言説の問題、さらには説話語りにおける言説を越えた人間と動植物の関係性認知の可能性についての問題を、米田さんは栄西による仏法興隆の象徴としての〝菩提樹〟将来を事例に、信仰世界における言説の実体化の問題を、金さんは朝鮮中期の野談における自然災害（豪雨、山崩れ、飢饉、洪水、火災）説話を事例に、そこでの動物表象についての問題を、オワインさんはベトナムの〈環境文学〉研究のご紹介とともに、研究資料としてのベトナム古典文献の治水譚、洪水譚を話題にしていただきました。本セッションのテーマ、宗教・言説・説話にかかわる問題を広く具体的に論じていただきましたが、これからの協議では、ご発表の具体に関わるご質問もあるかもしれませんけれども、〈環境文学〉をテーマにしておりますので、どうぞ〈環境文学〉という観点からのご質問・ご意見をいただければと思います。

ラウンドテーブルですから、お聞きになった方々からの質問だけでなく、ご発表になった方からもご意見をいただければと思います。ではよろしくお願いします。

馬駿　北京第二外国語大学の馬駿です。劉先生のご発表を聞いて鼠に関する『日本書紀』の記載が思い出されます。『日本書紀』の洪水・災害の記録を中国文学との比較、それから記載内容の変異、記載様式の変異の三つの方角から書いたシリーズの論文がありますが、記憶が定かではなくはなはだ恐縮ですが、確実に言えるのは鼠が『日本書紀』では二つのイメージで記されています。

一つ目は劉さんの言われた通り、鼠を陰と見ることです。

『日本書紀』によりますと、鼠が馬の尻尾で子を産むという記載ですが、鼠は子と陰の属性で、馬は陽の属性で、子は北、馬は南をさします。戦争では百済が日本に抗戦すると『日本書紀』に記載されている、道顕というお坊さんの解釈によるのです。

二つ目のイメージですが、『日本書紀』では鼠は穴をあけっぱなしにしてぞろぞろと出てくるというイメージですが、それが何を意味するかというと、都を遷すという意味です。『日本書紀』では、記憶では八例以上を数えることができるかと思います。劉先生が示された写真ですが、出てくる鼠はほとんど一匹ではなく、六匹とか、結構いますので、その意味では群れをなして動くというのも鼠の一つの特性ではないかと思います。ご参考までに、大変失礼しました。ありがとうございました。

竹村信治　劉さんよろしいでしょうか。それではどうぞ。

劉暁峰　鼠という動物はすごく面白くて、小さいですけどものすごく賢いです。人間の生きるところに必ず鼠がいます。人間と住んでいて危ないという気配を、鼠は人間よりも早めに感じるということが、たびたびあるんです。

たとえば、船が沈む前に鼠が先に逃げるということは、皆さんご存じだと思います。『日本書記』には、鼠が群れになって移動することは「遷宮の兆」という記事があります。中国でも戦さあるいは引っ越しの「兆」と呼ばれたことがあります。

鼠は人間に親しい部分もあるし、暗い部分もあります。いろいろな側面がありますが、今回のわたしの発表の内容は、主にお正月あたりの日本の初子の日の習俗ですが、ちがう角度からも鼠に関するさまざまな資料を集めて、一つ文章にまとめることも課題だと思っています。ご提起ありがとうございます。

前田雅之　米田さんのご発表で非常に感動したのが『興禅護国論』における三国仏法の中で日本仏法だけが栄えているという話です。これは九世紀の安然で著作にあるものと思いますが、これが菩提樹がらみで復活している。さらに、「かくの如き勝地、今に豈に仏法無からんや」というかたちで、玄奘の天竺における仏法が滅ぶという言説を否定していくというところですね。つまり、環境保全と菩提樹が同時に存在するということが、栄西の基本的な認識なのだろうという感じを受けました。私は昔から三国のことをやってまして、三国仏法が全部栄えるという、『今昔物語集』

と同じくらいの、全部滅ぶのは末法そのもので日本の仏法にとってもよくないのですが、栄西の言説には三国の仏法が菩提樹を通して栄えている（滅びることなどない）とある。この指摘は知らなかったので、勉強になりました。ありがとうございます。

荒木浩　関連でよろしいでしょうか。うまく言えるかどうかわからないのですが、インドの菩提樹というのは、ごく普通の木で、たとえばデリーのネルー大学のキャンパスには、あちらこちらに生えています。その隣には、ブッダが生まれるとき、母が右手を伸ばしたアショーカ（無憂樹）という木が並んでいたりするのです。つまり、インド菩提樹という、木のそのものの属性には、聖性が全然ないわけですが、ブッダがたまたま、その木の下で悟りを開き、菩提樹という名前が聖化していく、というわけです。ご発表の資料を見ると、ブッダが成道して悟りをひらいた、まさにその菩提樹自体が日本に来た、というわけではなく、天台山から運ばれたり、インドから来た、ということ自体に意味がある。そういうことのようですね。それは、広くエコクリティシズムの問題に関わる、面白いテーマのような気もするのです……。たとえば、こうした菩提樹と類似した──もしくは似て非なる──ものに、舎利（しゃり）があるわけですが、舎利の場合は、そのモノ自体にブッダとの独自的な同一性（identification）がないといけないわけですよね？興味深い対比性を感じます。まあ私の疑問はともかく、小峯さんが『アジア遊学』（二百八号、勉誠出版、二〇一七年）に書かれた「天界の塔と空飛ぶ菩提樹」という論文の議論と、どのように関わるのか。唐突ですが、ちょっとうかがいたい気がするのですけれども。

小峯和明　米田さんの報告を非常に興味深くうかがいました。今、荒木さんに紹介していただいたように、私が仮に名付けた「空飛ぶ菩提樹」はインドからスリランカに仏教が伝来する神話的な話題で、『経律異相（きょうりついそう）』に長い話が出てくるんですが、まさしく菩提樹が空を飛んだり、龍宮まで行ったり、いろいろあってスリランカまで運ぶんですね。これはたぶん実際そういう儀礼をやっていたと思うんですけど、それは必ず舎利とセットになっています。だから、菩提樹の伝来は同時に舎利の伝来でもあり、それが仏法伝来の象徴になっていて、途中で龍王と奪い合いになったりする。双方、セットで考えたほうがいいのではと思います。「空飛ぶ菩提樹」では全然わからないままスリランカの話を取り上げたのですが、まさしく米田さんの日本版の菩提樹なども結びついてくると思いました。

小島裕子　鶴見大学仏教文化研究所の小島です。あざやかなご発表でとても勉強になりました。鯖売りの翁の杖の話が大仏開眼供養のことにちなんで『今昔』などの説話に出てきますので、それに関わるあたりで少し話しますならば、開眼の筆を執った菩提僊那が天竺から遥々持ち来った品々を、日本の伝承世界がいまなお保っている、ということがあります。「元興寺小塔院師資相承記」という記録があって、これは『東大寺要録』に引かれる逸文ですが、そこに「鍮石の香呂五具、菩提子の念珠十貫、多羅葉の梵字百枚、仏舎利二千粒」と、ここにもインドゆかりの菩提樹のことが舎利とともに伝えられています。いずれも実際は失われて今は存在しない宝蔵のなかに納められていると言われるものばかりですけれども、こういった遺愛の品々を語り継いでいくというのが至極重要なことなのだと思います。また東大寺内にはこの鯖の木のほかにもいろいろ象徴的な木がありまして、たとえば良弁が鷲にさらわれて空に棲んだという、後に良弁杉の由来として歌舞伎にもなってゆく杉が、本来は櫟の木であったと語る説話や縁起には、櫟にまつわる霊木信仰の流れが認められます。同様に、鯖を担った杖の木が枯木の相を呈し、後の平家の炎上で焼けた跡に栄西が天台山から請来した菩提樹を移植するという、いわゆる塗り替えられる霊木神話。その背景に、それが最澄の師事した道邃ゆかりの木と語られる点で、鯖に象徴された奈良朝開眼期の八十華厳を凌駕する、鎌倉復興期の天台教学の勢いが象徴されているのではないか、菩提樹の種子の念珠でなくて、樹木自体が生い茂るというのが興味深いところです。

米田真理子　まず舎利の問題は、峰定寺の釈迦像について論じた瀬谷貴之氏が、釈迦像の胎内に菩提樹が納められていたことから、菩提樹は舎利と同体とみなされると述べておられたと思います。それから前田先生がおっしゃってくださった安然のことは、栄西は『興禅護国論』にも安然を引いていて、とにかく栄西にとって安然は神さまのような存在だったと思います。栄西の三国観がほかとどう違うかは、『興禅護国論』がなぜ書かれたかという問題と関係させて考えなくてはいけないと思っています。栄西は禅を中国から持ってきたときにかなり批判をされ、その弁明のために、禅について説明するというより、自分のやっていることは正しいと主張しようとして、中国にも仏法はある、インドにもある、日本の仏法は禅が欠けているから伝えて補うんだ、という理屈を言います。そこに安然を持ち出すあたり、栄西の面白い点だと思います。そして奈良時代の話は、鑑真(がんじん)が菩提樹の実をもたらしていますし、また平安時代には、円行(えんぎょう)が入唐して菩提樹の葉っぱを一枚持ち帰っていますので、菩提樹への関心は、栄西より前の早い時期からありました。それが、いま小島さんがおっしゃったように、鎌倉時代に樹木へ変容した背景には、時代の現実的な変化、たとえば、採取した枝を、商船に乗せて運搬できる時代になったことなども影響していたのではないかと思います。いろいろありがとうございました。

河野貴美子 早稲田大学の河野です。どなたかへの質問ということではないのですが、今日は環境文学とはどのようなことをどのように捉えていくものなのかと考えながら参りました。お話をうかがっていて、人間と人間でないいろいろなもの、また現象というものとの関係が、人間によってどのように言葉として語られていくのか、また、人間と人間ならざるものや現象を深く観察していくと、あるいはそこに宗教的な意味や信仰が見出されてくる、ということかと考えました。そこで今日は「東アジアの〈環境文学〉」ということで、日本、中国、韓国、ベトナム、インドの話題が提示されましたので、もしよろしければ発表者のなかから、今日のそれぞれのご発言のなかで響きあうところ、重なり合いとか、あるいは東アジアという視野から考えてみるとどうかといったことなど、お考えが出てきた方がいらっしゃいましたら、おうかがいしたいと思います。

竹村信治 五十周年のときにも最後に河野さんからのご発言があって(笑)それがまとめの言葉になりましたが、五十五周年でもそれが再現されたと思いながらうかがっていました。ようやくラウンドテーブルの主題に近づいたところなのですが……。

鈴木彰(司会) すみません、今の河野さんのご発言を受けて一言私なりに付け加えさせていただきます。今日の発表はさまざまな現象や、自然に起こる事柄などについて、そこに意味を見出していく、それを解釈していく人の営みを考えるものでした。それが当然文学ということになるのだと思うのですが、一方で、表現しきれないもの、言葉ではあらわせないもの、少し大げさに言えば文学の限界、そういうものの議論も一方でおさえておかなくてはいけないところだと思います。そうすると、どういうふうに言葉が立ち現れてくるのか、という始発のところをおそらく問うことができて、それがあえて環境をテーマにする意義の一つじゃないかと、私自身は思っています。東アジアの観点で、それぞれの国や地域の中から問題化していければいいなと思っています。

小峯和明　今回の仕掛け人として最初にメッセージをお送りすればよかったと思っているんですが、〈環境文学〉という分野は一九八〇年代から九〇年代くらいに、アメリカから始まったんですね。基本的には人間対自然というかたちの、いわゆるネイチャーライティングという分野から始まり、英米文学の、しかも近代文学から広まっていって、中国でもその分野での研究は盛んです。韓国や台湾でもそうですね。日本でも文学環境学会という学会がありますが、やはり近代中心なんですね。だからそれをもう少し古典、前近代のほうにまで広げて、なおかつ、この東アジアの漢字漢文の文化圏から見直したいというのが、わたしの問題意識です。

今日のテーマはやはり動物や植物や災害などの問題になっていくわけですが、以前、吉川弘文館で刊行した『日本文学史』に「環境と文学」という章を立てましたが、テーマ的に考えると、まずは「四季」ですね。四季の問題は第一に欠かせない。あとはそれに関連して天体や気象の問題もある。それから、災害や動物、植物など、さらに空間的な次元で考えると景観ですね。風景とか、場の問題でいえば、聖地や名所なども当然関わってくる。つまり、環境は人間と自然だけではなくて、社会環境との関わりも当然視野に入ってくるので、そういうものを通して文学を追究することによって、今までの文学史や文化史のパラダイムを変えようという目論見があるわけです。

立教大学には環境研究所があって活発に活動していて、英文学の野田研一さんたちが始めて、同僚だった近世の渡辺憲司さんなどがそれに乗っかって、『アジア遊学』でも環境文学のテーマで特集号を組みました。わたし自身のきっかけは、食文化ですね。われわれは結局、動物と植物を食べているわけで、そのまま環境の問題につながる。

日本の近代の環境文学の古典と言っていいのは、石牟礼道子の『苦界浄土』ですが、熊本の水俣市で、突然病気で猫が狂い出して踊り出したところから始まって、チッソの工場が水銀をそのまま垂れ流しにしていたことが原因で、汚染されたその魚を人間や猫が食べて、水俣病が起きたわけですね。それを告発したのが石牟礼道子の『苦界浄土』で、大きな社会問題にもなりました。彼女は今年亡くなりましたが、〈環境文学〉の象徴といえるものです。

とくに日本列島は最近とみに災害が多くて、毎年のように被害が出ているので、この災害の問題をわれわれ人文学や文学をやっている側からどういうふうにとらえていくのか、非常に切実で根源的な問題があります。

もう一つには、今の学問状況が理系中心の実学主義になっていて、人文学がどこの社会でも片隅に追いやられつつあるわけで、なんとかそれを死守して、盛り返していくためには、逆に実学系とつながっていかなくてはいけない。それで一番ヒントになるのは、やはり生命学ですね。生命科学や遺伝子などが最先端の分野になっていますが、そういうところとつながりうるのが人文学としての生命学ではないかと思います。昨年清華大学で、劉暁峰さんを中心にシンポジウムを開きまして、そのときは「生命と環境」というテーマでやりました。南方熊楠などもそういうところに関わってくるので、いろいろ進めていきたいと始めたところで、今回の学会にあわせてラウンドテーブルを組ませていただきました。

今年の七月に、立教大学で環境文学の大掛かりなシンポジウムを開き、そのときは人類学など他分野の人たちもきて、われわれの文学研究がかなり挑発されまして、人間中心主義だと批判されました。野田さんが言っているように、自然をいかに他者化するかという、他者概念を持ってくるとか、樋口さんも指摘した、歴史学の北條勝貴さんが主張している森林伐採による負債の論理、自然を破壊することによって起きる祟りなど人間側の問題をはじめ、さまざまな視点がありますので、これからわれわれも方法論を作っていかなければいけないと考えているところです。

二年前に人民大学でも環境文学のシンポジウムをやりまして、その時は『釈氏源流』の読書会のメンバーが中心だったわけですが、とにかく古典のほうからいろいろ開拓していこうということで、古典中心のシンポをやりました。それで昨年は清華大で「生命と環境」。それで今回は、北京で三回目ということになります。来年の三月にはソウル大学でもやる予定ですので、まとめて論集を作りたいと思っています。アドバルーンをあげ始めたところです。

渡辺麻里子　弘前大学（当時）の渡辺と申します。日本からきているグループの中で、北日本からの参加者として、災害に関する発言を少し許していただこうと思います。

先ほど金さんのお話のなかで、洪水の話は出てくるが地震の話は少ないというお話がありました。日本では、二〇一一年に東日本大震災という未曾有の地震と津波の災害が起きました。いま日本は東京オリンピックモードになっていますが、実は北日本の復興はまだまだ進んでいません。今回は環境文学ということで「環境」がテーマになっていましたが、災害の話も環境と深く関わるのではないかと思いながら話をうかがっていました。

災害研究に関しては、理系や社会科学系の分野が動き始めていて、例えば、過去の記録を読み直そうという研究も、理系の方から猛烈なスピードで進んでいます。こうした研究には歴史学がタッグを組むなどしていて、わたしは文学の分野も何かできないかと思うようになりました。

たとえば津軽には弘前藩の藩日記があります。これは毎日毎日天気や地震、飢饉の様子など、さまざまなことを細かく書いた約四千五百冊の記録となっています。そこで理系の研究者が江戸時代の貴重なデータとして注目し、研究を進めています。古記録の情報に理系研究者からの関心が寄せられ、近年はくずし字をみんなで読むぞ、古文書を解読するぞという動きにもつながっているようです。

東日本大震災は、日本人にとって大変ショックなものであり、さまざまな見直しの契機となって社会全体も動こうとしています。研究の上でも、災害に注目した研究が、今後ますますさまざまな分野を越境し連携した形で進められていくことになると思います。文学研究もこうした連携に積極的に関わっていけたらと思っています。

小峯和明　少し補足です。まさしくアーカイブスの意義の問題で、前近代をやっている意義はわれわれにとってそういうところにあるのだなと、再認識しているところですが、あと東アジアで言い忘れていたことは、オワインさんが指摘されていた風水とか、米田さんご指摘の本草学ですね。東アジア共通の学問の基底の領域から掘り起こしていく必要があるだろうと思います。

竹村信治　そろそろ予定の時間がまいりました。〈環境文学〉について、われわれ司会の方であらかじめ考えておりましたのは、〈環境文学〉というテーマには、非文字を含むテキストが環境にかかわるどんなことをどのように取り上げているかという具体的な問題と、「アジア遊学」のタイトルにもなったように〝〈環境文学〉という視座〟という問題がありますが、このセッションでは後者の方、つまり、その視座に立つことで何を問題化できるのか、というところを問題意識として共有したいということで、それを皆さんと一緒に考えたいなと、そういうきっかけの場になればいいですね、ということを話しておりました。

今日のご発表のなかで、樋口さんのお話もそうですが、類書のように文化的に体系化されたもの、そうした体系化され制度化された言説の中であらたに説話が語られるときに、あらためて〈環境〉の存在性、その他者性が立ち上がってくる、そんな局面の発見とかですね。あるいは、劉さんのお話にあった、鼠の爪の数が陰陽の宇宙観でとらえられたこと、それがまた世界の変転、その変化とともにある人間の生といったことの認識にささえられていたなどのご指摘は、まさに〝〈環境文学〉という視座〟に立つ習俗の探求が人間の営みや自然とのかかわりをあらためて問い直していく契機になることをお示しいただいたものと思います。いずれも〝〈環境文学〉という視座〟の有効性を確かめさせるものとうかがいましたが、そういう〝〈環境文学〉という視座〟の問題を忘れないようにしないと、ここにも環境を素材とする話題がある、ここにもこんな言説があると、環境を言葉などのメディアで所有、再生産した人間の歴史を集積していくだけのことになってしまう。それでは、せっかくの〈環境文学〉というテーマの意義が見逃されるのではないか、といったことを思いながら今日は司会を務めましたけれども、今日ご発表の皆さんすべて、この視座の可能性を具体的に拓くかたちでご発表いただきました。多くの示唆をいただきましたことに、あらためてのお礼を申し上げます。

さて、一方的にお話しておしまいということですが、これでラウンドテーブルを閉じさせていただきます。発表者ならびにご参会のみなさま、どうもありがとうございました。

それでは最後に、事務局の名古屋大学近本謙介さんから閉会のお言葉をいただきます。

閉会の辞

近本謙介

事務局の立場で閉会の言葉を述べさせていただきます。大変充実した二日間の学会を北京で開かせていただくことができました。ご講演・ご発表いただいたみなさま、司会やコメンテーターとしてそれぞれのセクションを運営してくださったみなさまに、お礼を申し上げます。

今回の学会につきましては、何より中国人民大学の李銘敬先生と小峯和明先生が、ほんとうに一からすべて取り仕切ってくださったおかげで、このような素晴らしい会場で、しかも大変充実したおもてなしまでいただきまして、説話文学会としましてはこの上ない喜びでございます。会を代表して深くお礼を申し上げます。

この記念大会の企画は、学会の事務局をお預かりすることが決まっていた、およそ二年ほど前に北京に参りまして、李先生と小峯先生にお願いしましたところ、すぐにご快諾いただいたのが始まりでございます。こちらとしましては遠慮気味に、ちょうど説話文学会が五十五周年ということで、李先生のおられる北京で二回目の海外での学会をやらせていただけないでしょうかということを申しましたら、ここが李先生・小峯先生のありがたいところで、すぐに「よっしゃ」というかたちでお引き受けいただきました。事務局としましては、あとは大船に乗ったつもりでお任せすることができました。説話文学会は、もちろん若い研究者の新しい力を結集することが大切で、今回の記念大会もそのようになっていました。その一方で、李先生や小峯先生のようなヴェテランにいつまで経っても頼っているわけですが、このように世代を超えて学会を盛り上げていこうとする機運が継続されているのが、説話文学会の素晴らしいところだと思っております。

先ほどうかがったところ、小峯先生は東奔西走どころか、日本に月に一度滞在するくらいということで（笑）、もう戻ってこられないんじゃないかという気さえいたします。そういう点では、説話文学と深くかかわる仏教の伝播を考えるにあたり、東アジアもその一部であって、アジア全体に視野を広げていくべきことを提唱する場として、ここ北京で特別大会を開けましたことを、たいへん有意義でありがたいことだと思っております。今回取り上げられた「環境文学」というテーマも、そうした視野と深く切り結ぶ点があると考えます。

今回の学会の話題は「擬経」のことから始まっておりましたが、これは仏教を考えるときには大変重要な問題だと思っております。昨日小峯先生もおっしゃっていましたが、「偽経」ではなく、「才」のほうの「擬」で書くべきだというのは、わたくしにとっても大変古いテーマです。『撰集抄』研究から言いますと、中村幸彦さんが近世文学の立場から日本文学は「擬作論」という視点で考えていくべきテーマを持っているということを古くに書いておられて、まさにその通りだと考えてきましたが、それをこういうふうに展開させていくことができるのだという点が、今回示されたように思います。

『土左日記』も「擬作」であるわけですし、その伝統を考えていくと、源流が「擬経」のような仏教にあるという点は、仏教と文学の世界を非常に深い次元で結びつけていく、まさに漢字文化圏および仏教を礎にして考える文化圏に対する大きな視座を与えていただいたような気がしています。

五十五周年という区切りの年の記念大会を、学会の今後につながる、このように充実した内容で成功裡に終えることができましたことを、慶ばしく思います。今回は、中国を始めアジア諸地域の多くの研究者の方々と共にこの会を開催することができました。これを次のステップへの出発点として、説話文学会は歩んで参りたいと思っております。

今後とも、説話文学会のためにさまざまなご助言やご鞭撻を賜ればありがたく存じます。簡単ではございますが、これをもちまして閉会の挨拶とさせていただきます。どうもありがとうございました。

近本謙介（ちかもと・けんすけ）●所属：名古屋大学大学院教授●専門分野：中世日本宗教文芸●主要著書・論文：『ひと・もの・知の往来 シルクロードの文化学』（共著、アジア遊学二百八、勉誠出版、二〇一七年）、『天野山金剛寺善本叢刊第一期 第二巻：教化・因縁』（共編、勉誠出版、二〇一七年）、「南都における浄土信仰の位相―貞慶と『春日権現験記絵』をめぐって―」（『國語と國文学』九十二巻五号、二〇一五年五月）など。●現在の研究テーマ：中世南都における寺院文芸。

栋
梁

II これからの説話文学研究のために

日本文化史と説話研究
――戦後歴史学が失ったもの

井上亘

平成元年春、私は学部で首席の評価をいただいた卒論「源　順　伝」をひっさげて意気揚々と大学院の門戸を叩いた。この年に大病から復帰された古代史の黛弘道先生に平安文化史を専攻したいと申し出ると、先生は「文化史は歴史ではない」とにべもなく言われた。

少々血の気の多い学生であった私は、ならばと先生のご専門に挑みかかって、修論では壬申の乱がその後の政権に与えた影響を「殯宮儀礼」などからよみ取り、持統から聖武に至る王権は「天武系」ではなく近江朝廷を基盤とする「天智系」なのだというような政治史を書いて、ちゃんとした歴史もできることを見せつけた（つもりでした）。この客気が災いして、博論では当時学界の主流であった「律令」一尊の法制度史研究に「礼」（身体言語と場の秩序）を対置するべく「マツリゴト（祭政）」の研究に手を伸ばし、大学院を出てからは急速に進展する高度情報化に歴史学として対応するべく「漢字文化の情報技術史」という新しい分野を開拓して、中国の出土文献研究に親しむうち「いま追いかけないと追いつけなくなる」と腹を決めて本場中国へ飛び出したところ、北京五輪の年に北京大学で日本古代史を（中国語で！）教えることになり、聖徳太子とか大化改新とか遣唐使といった古代史の王道に行き着いて現在に至る。ずいぶんとまわり道をしたものだが、私が本当にやりたいのはいまも平安文化史だったりする。

このように私を路頭に迷わせた「文化史は歴史ではない」という呪文（？）は、なにも黛先生の偏見に出た言葉ではない。それは以下のような「日本文化史」の盛衰に由来する。

福沢諭吉の『文明論之概略』（一八七五）や田口卯吉『日本開化小史』（一八七七〜八二）により西欧の「文明史」が将来したのを皮切りに、教育勅語が出された年には『古事類苑』の編纂を手がけた佐藤誠実が師範学校の教科書として『日本教育史』（一八九〇〜九一）を書き、大正期になると津田左右吉『文学に現はれたる我が国民思想の研究』（一九一六〜二一）や内藤湖南『日本文化史研究』（一九二四）、和辻哲郎の『日本精神史研究』(一九二六)などが次々に現れて黄金期を現出し、昭和に入ってからも竹岡勝也『近世史の発展と国学者の運動』(一九二七)や柳田国男『明治大正史 世相篇』(一九三一)、家永三郎『日本思想史に於ける否定の論理の発達』(一九四〇)など特色ある仕事が世に出たが、戦前の高等文官受験の参考書として数十万部も売れたという西田直二郎『日本文化史序説』(一九三二)あたりから「皇国史観」の匂いが漂いはじめ、やがて亘理章三郎『日本魂の研究』(一九四二)のような「日本精神」史へと凝り固まってゆく。

戦後、皇国史観から解放された歴史学がマルクス主義的な社会経済史へと傾斜するなか、大著『日本仏教史』を書き上げた辻善之助も『日本文化史』(一九四八〜五六)は全く振るわず、その後、歴史家が手がけた日本文化通史としてはわずかに家永三郎『日本文化史』(一九五九)や尾藤正英『日本文化の歴史』(二〇〇〇)、大隅和雄『日本文化史講義』(二〇一七)などを数えるばかりで、近代では色川大吉が『明治の文化』(一九七〇)で発掘した「民衆文化」がいわゆる日本文化論との接点を切り出すなど、比較的活況を呈したものの(成田龍一「『日本文化』の文化論と文化史」『日本研究』五十五号、二〇一七)、総じて「実証」に堪えない文化史は人物史とともに戦後歴史学からうち捨てられた荒野となり果てていた。これが黛先生の一言の背景であるが、皮肉なことに、小学校の歴史は文化遺産(文物)と人物を中心に教えることになっており、史学科はその担い手を養うことができない(もとより史学科では小学校教員免許は制度上とれないが)。これが教育現場と学界の乖離を促す原因ともなっている。

私が中国で担当した講義のなかで最も好評だったのは「日本文化史」であったが(当時の北京大学は学外からの聴講も自由であった)、中国の学生たちがこの講義に求めたのは日本の伝統文化のクールさなどではなく、世界に冠たる日本のサブカルチャーがいかなる歴史的背景のもとに発達したかの説明であった。私はこの機会に日本の文化が中国や欧米のそれを正統カルチャーとするサブカルチャーにほかならないことに気づくのであるが、なにしろ上記の問いに答えるには一から日本文化史を組み立て直さねばならなかった。

たとえば、事典の東京堂から出ている『日本文化史ハンドブック』(二〇〇二)は二十世紀の日本文化史研究の目録ともいえる本だが、上記の問いに答える参考にならないばかりか、高校の山川『日本史』で時代ごとに政治・外交・経済・社会の用語を詰め込まれたあと、オマケ程度に文化を習ってきた若い読者に文化史をやってみようと思わせることができるのか、はなはだ疑問である。ちなみに、この文化の記述を隅に寄せる形式は『史学雑誌』の回顧と展望でも同様で、岩波講座『日本歴史』では文化史を老大家にお願いするならいといい、実際、私が博士課程に進学した年に東大を退いて学習院に来られた笹山晴生(はるお)先生は、一九九〇年代に出た講座『日本通史』で「国風文化」を担当させられて辟易しておられた。

この九〇年代後半には有馬文相が主導したポスドク一万人計画や大学院重点化とともに、全国の大学で学科再編の嵐が吹き荒れた。その象徴ともいえる事件が二〇〇三年の都立大騒動(闘争)であるが、世に文学部不要論が巻き起こり、あれほど隆盛を極めた外国文学科も語学だけ残して本体の文学を手放す仕儀となり、数多くの実学系カタカナ学科が林立するなか、国文科はひっそりと日本語・日本文化学科として生まれかわり、史学科の捨て子を拾う格好となった。やがて小泉長期政権の禅譲を受けて第一次安倍政権が「美しい国」というスローガンとともに登場し、あっというまに教育基本法をも書きかえて、伝統文化を「國體の精華」といわんばかりの教育政策を展開すると、「日本文化」は俄然脚光を浴び、かつての国文科は「伝統日本」の学びを独占して上昇気流に乗る一方、五〇年代の『昭和史』論争や六〇年代以降のマルクス主義の退潮と官学アカデミズムの復活をへて人物史の衰退とともに歴史叙述の貧困化が進み、著しく発信力に乏しい史学科は今世紀に入っていよいよ凋落の一途をたどっている。そして、この新しい日本文化学科で中心的な役割を果たしてきたのが中世文学、とりわけ説話研究なのではなかろうか。

もとより中世史は日本文化史の主導的な地位にあった。文化史のみならず人物史のお手本ともすべき「東山時代に於ける一縉紳(しんしん)の生活」を収めた原勝郎(かつろう)『日本中世史の研究』(一九二九)をはじめとして、林屋辰三郎『中世芸能史の研究』(一九六〇)や横井清『東山文化』(一九七九)、黒田俊雄『日本中世の国家と宗教』(一九七五)や網野善彦の『無縁・公界(くがい)・楽』(一九七八)など、戦後停滞する文化史研究にあって、中世は近代とともに特異な時代ともいえた。これらの中世史家たちは文学その他の隣接諸分野にも出入りし、文学研究にも一定の影響を与えていたことが、日本文化学科を立ち上げた際に中世文学が主導権を握る一つの前提となったのではないか。かつて一世を風靡した「江戸学」は九三年設立の江戸東京博物館などを背景にもつとはいえ、在野の力がつよく、近世史と近世文学が緊密に連携した運動ではなかったように思うし、古代では新元号「令和」の出典となった『万葉集』が注目を集めたが（ちなみに「令和」は普通「和せしむ」とよめるのであって、「同調圧力」に苦しむ現代日本をよく体現した年号だと思う）、もとより文化史に占める中世や近代の業績には遠くおよぶまい。

また明治の田口卯吉編『国史大系』に『今昔物語集』『宇治拾遺物語』『古事談』『十訓抄』『古今著聞集』といった説話集や『栄花物語』『水鏡』『大鏡』『今鏡』『増鏡』という歴史物語を収め、昭和の新訂増補版ではさらに『本朝文粋』『本朝続文粋』『本朝文集』といった漢詩文集をも収めたように、説話文学などはもともと日本史の史料とされていた。この資料の共有ということも、説話研究が文化史を担ううえで大きな利点となったことは想像に難くないであろう。つまり、戦後歴史学が放擲した「日本文化史」のフィールドへ流入するのに、中世説話文学研究は最も条件に恵まれていたといえる。

ただしそれは客観的な条件というか進入経路が確保されていたということであって、そのコンテンツの開発は全く中世文学研究の自主性によらねばならない。その意味でも、説話研究は大いに成功しているとみられるのであって、たとえば集英社新書の「本と日本史」シリーズに入っている小峯和明『遣唐使と外交神話』（二〇一八）は、日本史が捨てて顧みない『吉備大臣入唐絵巻』の多面的考察を通じて見事に「遣唐使の文化史」を描き出している。吉備真備や阿倍仲麻呂ら遣唐使のイメージの再生産工程を古代から近代までたどるという手法は、新川登亀男『聖徳太子の歴史学』（二〇〇七）と共通するが、中世史家が絵巻を「絵画史料」として扱うのに対し、この本は「絵解き」の素材として説話をふくらませてゆく「よみの快楽」が感じられる。絵解きは講会とならぶ説話の本源であるから、これは説話研究ならではの方法といえよう。

また、同じ著者が主編の『日本文学史』（二〇一四）も、通例の時代やジャンルによるタテ割り・輪切りの掟を破って、アジア・メディア・戦争・宗教・ジェンダー・家族・環境といったテーマ史を経糸として日本社会と文化の通史を織り出すことに成功している。こういう大胆な試みは本来、歴史学が先行すべきもので、この一例をとってみても歴史学にはもはや日本文化史を担う能力も柔軟性もないといわれても文句はいえないだろう。

ここで白状しておくが、私はもともと国文に甘く、国史に辛い。大学院で儀礼研究などを始めたのも当時制度史研究が行き詰まって儀式書の細かい考証に流れ込んだ若手研究者のコースとは一切関係なく、ただ桜井秀の『平安朝史下』（一九二六）や池田亀鑑『平安朝の生活と文学』（一九五二）などをこよなく愛読する学生であったからというにすぎない。いまも私は池田亀鑑の文献学と石田穣二の注釈学を尊敬し、これを出土文献研究や中国文史哲の最高学府で学んだ清朝考証学の方法論にくらべても一向遜色ないものと思っている。この漢文和文の最高レベルの「よみ方」を日本文化史や情報技術史に活かしてゆくことが目下、私の抱負であるが、この方向性は文化史の新たな展開にとっても有為な指針になると思う。

説話研究の寄与は以上のような日本文化史の再生だけにとどまらない。最近の出土文献研究は史書の成立を考えるうえで、「説話」が重要な鍵となることを明らかにしてきている。

『春秋左氏伝』『戦国策』『国語』『史記』といった経史の書が実は歴史説話集であるということは、つとに津田左右吉や宮崎市定などの先学が気づいていたが（平勢隆郎「中国古代における説話（故事）の成立とその展開」『「八紘」とは何か』汲古書院、二〇一二）、近年中国各地の古墓から出土した短篇の内容が『戦国策』などに収める対話を基調とした説話篇に対応することから、先学の「よみ」の確かさが裏づけられた。ただし宮崎は説話が都市の劇場などで語られ演じられたものと推測したのだが、これが古墓から出たことからすると、教科書ないし読み物として流布したとみるべきであろう。古墓に副葬される書物は一般に墓主が生前愛読したものか、死後ないと困るような知識や教養と考えられるからである。

重要なのは説話が短篇（単行本）の形で流布していたことであり、『戦国策』や『史記』などはそうした短篇を収集して適宜配列し手を加えた史書ということになる。かつて私は出土文献を利用して『礼記』四十九篇の成立を論じたことがあるが（『東方学』百八輯）、紙が普及する以前は竹木の札を編綴して冊書（簡策）に仕立て、編綴のあまり紐で冊書を連結して巻物にした。後漢の王充は「其れ篇を立つるや、種類相従い、科条相附す。種殊なり類異なり、論説同じからざれば、更めて別に篇を為す」といい（『論衡』正説篇）、「伝書を采掇」し「篇章を連結」する者を文人・鴻儒と称したが（同超奇篇）、このように古代の著作は同じ種類の記述を並べて一篇とし、これを適宜連結する形で編集された。

津田が中国人の思惟方法について、「多く連想によつて種々の観念を結合することから形成せられ、その言説は比喩を用ゐ古語や故事を引用するのが常であつて、それに齟齬と矛盾とがあるのも、相互に無関係な、或は相反する、思想が恣に結び合はされてゐる」と非難したのは（『シナ思想と日本』岩波新書版、二五頁）、紙以前の著作の方法に由来する物理的な制約をそのまま古代中国人のものの考え方と断じた憾みがある。

また説話が対話を基調とする点は当時の指導法と関係が深い（拙稿「古代のアクティヴ・ラーニング」『常葉大学教育学部紀要』三十九号）。古代の講学（授業）は「請業」（読誦）と「請益」（問答）からなり、この問答は古くから記録された。『論語』は孔子門下の問答の語録であり、もっといえば甲骨文による占いの記録も問答体であった。もちろん宮崎がいうように演劇の脚本に近い説話もあるが、むしろ学生の理解を深める「訓話」のような形で流布したものではないか。『礼記』学記篇で問答は思考力を伸ばす指導法とされる。対話篇の説話をまねびの手本としたわけで、そう考えると、これらの説話が古墓から出てくる理由も説明しやすい。つまり、説話は古代の教育現場で語られたということである。

宮崎はまた『史記』が説話を多用するのに対して『漢書』はこれを嫌う傾向があることを指摘しているが、これは漢代文書行政の著しい発達により説明できる。私は漢代の書府（書庫・図書館）について調べたことがあるが（『東洋学報』八十七巻一号）、当時の漢字文化はすでにコピー文化であって、受信文書を書庫に保管するだけでなく、発信文書の写しも書庫に保管する決まりであった。こうして発信・受信者双方が同じ文書を持ち合うことで過失や偽造を予防する一方、集積した行政文書を分類整理して先例集やマニュアルなども作られた。これを「故事」といい、史書編纂の材料ともなったが、司馬遷が取材した秦漢以前の史料には、説話はあっても故事がない。漢代史を編纂した班固は故事を使うことができた。この『史記』と『漢書』の編集材料の違いが文体の差として表れたわけである。
先秦古籍はみな劉向・劉歆父子の「校書」をへて現代に伝わるが、漢王朝の書府に集積された諸本を校合して本文を定める仕事の余技に作られたのが劉向の『説苑』『新序』や『烈女伝』といった説話集であり、経史子集の本文は違えど、編集方法は同じであった。

こういうふうに見てくると、これは日本の修史事業とか著作史にも一定の示唆を与えるように思われる。班固が取材した故事は『続紀』以降の六国史や信西入道の『本朝世紀』などにはあてはまるが、記紀や六国史以後の私撰国史の類および歴史物語などは、やはり司馬遷が取材した説話に相当するものを素材としていたのであろう。その意味でも史書と説話集は同じ家の娘たちというべき関係にあり、こうした「説話」が一体どういうふうに動いていたのか。興味は尽きない。しかし、これは歴史学者が説話を研究しなければならないという話で、歴史と文学のあいだは思うよりずっと近いのである。

井上亘（いのうえ・わたる）●所属：常葉大学教授●専門分野：日本古代史・出土文献研究●主要著書：『日本古代の天皇と祭儀』（吉川弘文館、一九九八年）、『偽りの日本古代史』（同成社、二〇一四年）、『古代官僚制と遣唐使の時代』（同成社、二〇一六年）

説話の背後に広がるもの
——説話が機能するためには

水口幹記

『日本霊異記』下巻第十二縁「二つの目盲ひたる男の、敬みて千手観音の日摩尼手を称へて、以て現に眼を明くこと得し縁」（新全集による）は、次のような話である。

奈良の都・薬師寺の東辺の里に、両目が見えない者がいた。彼は観音を信じ、日摩尼手の呪文を唱え、視力の回復を祈願していた。昼には薬師寺の東正面の門前に座り、礼拝していた。往来の人びとは彼を哀れみ、様々な物を施した。彼は日中（正午）の時に、寺の鐘を打つ音を聞いては寺に行き、僧たちに食物を乞い、生きながらえ数年が過ぎていた。称徳天皇の時代になり、ある時見知らぬ人が二人来て、「お前が哀れであるから、私たち二人がお前の目を治療してやろう」と言った。そして、二人は左右の目をそれぞれ治療して、「我々は二日後に必ずここに来る。決して忘れないで待っていなさい」と言った。その後しばらくして、両目ともに開き、目が見えるようになった。約束の日に待っていたが、二人はついに現れなかった。

本話は、『霊異記』中に見られる目盲説話三話のうちの一つであり、本話最後に挙げられた賛には、観音の功徳と盲人の信心の深さによって目が見えるようになったのだ、と記されている。目盲説話については別稿を参照していただきたいが、▼1ここで注目したいのは、「日中（正午）の時に、寺の鐘を打つ音を聞いては寺に行き、僧たちに食物を乞い」という部分。ここからは実に多くの情報を受け取ることができる。

まず、本話の主人公は目盲であるため、聴力を頼りに生活していたということである。奈良時代には、目盲が数多くいたことがわかっている。七五七年に施行された養老令では、一目盲が残疾、両目盲が篤疾と規定され（戸令7目盲条）、税負担などで優遇されている（戸令8老残条・賦役令1調絹絁条・19舎人史生条・戸令5戸主条）。そして、現存する当時の籍帳（戸籍・計帳）を見てみると、随所に「二目盲」「一目盲」「左目盲」などの記載が確認でき（『大日本古文書』巻一収載の「御野国戸籍」や「山背国愛宕郡雲上里計帳」など）、『霊異記』に現れる「二目盲」「一目盲」は、当時現実に数多く存在していたと思われるのである。また、「皇后宮職移案」（天平三年九月二十五日。『大日本古文書』巻二十四、一三頁）には、散位従七位下辛由首が「眼精迷矇にして、筆を取るに堪え」ない状態であったため、九月の上日（出勤日）日数が七日、夕（宿直）は六日であったことが記されており、「請暇解」（神護景雲四年八月十一日。『大日本古文書』巻十七、五六三頁）には、写経生の刑部広浜が目病の治療のために暇乞いしている姿が確認できる。これらの文書からは、「目盲」とはならずとも、眼病で悩んでいる人たちが相当数いたことがうかがえるのであり、一定数、聴力を頼りに生活していた人びとがいたことがわかるであろう。『霊異記』の目盲説話は多くの人びととの関心を呼んだことと思われるのである。

　そして、本話で主人公が頼りにしていたのが、薬師寺の鐘の音であった。鐘の音を合図に、寺院へ入り食事を施してもらっている。現代風に言うならば、薬師寺の鐘の音は、主人公にとっていわば「給食のチャイム」の役割を果たしていたことになる。となると、この鐘の音は定時であるはずである。本話ではその鐘の音が聞こえた時間を「日中」と記している。一見、この用語は一般名詞のようであるが、実は仏教用語でもある。それは「六時」と呼ばれるもので、一日を六分割し、それぞれ「日没」「初夜」「中夜（平夜）」「後夜」「晨朝（平旦・旦起）」「日中（午時）」と名づけられている。仏教において、これらの時間に鐘を撞くのは、六時行法（六時ごとに行う仏道修行）のためである。六時行法は、中国では六朝・隋唐時代の間に儀礼が盛行し、その時代状況の中で善導によって六時行法が整備完成したものである。日本においては、六時行法のことが記されている善導撰『往生礼讃偈』は奈良時代には確実に日本に伝来しており、そのころには六時行法が伝わっていたのである。本話の記述から、当時薬師寺では実際に六時行法が行われていたであろうことが想定でき、それによって六時の時間分節をもって行動していた人びと（そうした時間意識を持っていた人びと）もいたということが明らかとなるのである。▼[2]

　さらには、ここには仏教の規律が反映されてもいる。本話では、日中（午時）になると、僧は食事を配布し、主人公はそれをもらっている。それ以上のことは本話には記されていないが、前提として僧は乞食を午前中に行っているということが隠されているのである。仏教には、在家の信者が一日一夜の期限を限って、出家者と同様に身心の行為動作を慎む「八戒」（八斎戒・八戒斎とも）があり、そのうちの一つに正午以降食事をとってはいけないという「離非時食戒」がある。在家信者は特定日であるが僧は毎日行っているのであり、本話は、こうした決まりと合致する内容となっている。仏教説話としては当然の展開とも言える。

しかし一方で、これは単に宗教的な意味だけをもっているわけではないことに注意しておきたい。養老僧尼令5非寺院条（以下、本条）には、次のような規定が見える。

凡そ僧尼、（中略）。其れ乞食する者有らば、三綱連署して、国郡司に経れよ。精進練行なりといふことを勘へ知りなば、判りて許せ。京内は仍りて玄蕃に経れて知らしめよ。並に午より以前に、鉢を捧げ告げ乞ふべし。此に因りて更に余の物を乞ふこと得じ。

京内外で届け出る箇所は異なるものの、僧尼（官僧）は勝手に行動をすることは許されず、僧侶にとって重要な仏道行為である乞食すらも政府の許可が必要であることが明記されている。つまり、本来は仏教の決まりであった乞食が、法律によって規定されている姿が確認できるのである。それは、どうやら大宝令からの決まりであったことが、『令集解』当該条所引「古記」からもうかがわれる。「古記」は、天平十年（七三八）頃に作成された現状判明する限りでの大宝令唯一の法令注釈書である。関連箇所を列挙すれば、

古記云ふ、精進練行とは、謂ふこころ、行基大徳の行事是れなり。

古記云ふ、告乞とは、謂ふこころ、主人に告知せしめて乞ふ。故に告乞と云ふなり。

古記云ふ、余物とは、謂ふこころ、衣服財物の類。

となる。少なくとも「精進練行」「告乞」「余物」という用語は大宝令に含まれていたことが判明する。

そして、すでによく知られていることであるが、日本の僧尼令は、唐の道僧格を基に立法されたものである。道僧格は道士と僧尼に関する法令なのだが、日本には道教が正式には伝来しなかったこともあり、そのまま利用することはできず、日本の実情に合わせて変更して作成された。道僧格はすでに佚しており、『令集解』に残された道僧格佚文などから各条文の復原が、諸賢によりなされている。本条にも、延暦期頃の編纂とされる養老令の注釈書「令釈」の中に、道僧格が引用されている。それは、「余の物を乞

ふこと」に対して、

道僧格、余の物を乞ふこと、僧教化に准じて論ず。

とある部分である。ここにある「僧教化」とは、僧尼令23教化条（僧尼らが俗人を教化する場合の刑罰規定）のことを指している（教化条の道僧格は復原されている）。本条の乞食に関する部分は復原はされていないものの、上記した道僧格が本条に引用されていること、『唐大詔令集』巻一百十三所引の唐玄宗開元十九年四月（七三一）の誡励僧尼勅に、州県・村郷を巡り教化することを「今より以後、僧尼は律を講じるの外を除き、一切禁断す」とし、さらに「六時礼懺は、須く律議に依り、午夜は行はず、宜しく俗制を守るべし」とあり、六時行法の「俗制を守ること」が命じられていること、そもそも上記したように仏教戒律を基本としていることから、唐においても午前中に乞食することは常識であったと思われる。つまり、本話の大きな背景として、東アジア地域における仏教のあり方、また、それに基づく社会制度や社会の実態が存在しているのであり、本話もその視点から読み解くことも可能となっているのである。

さて、すでにお気づきかとは思うが、筆者は養老令・『大日本古文書』・『令集解』所引「古記」「令釈」・道僧格など、あまり説話研究では見かけない用語をあえて使用している。これらは、歴史学においてはごくごく基礎的な用語であり、その手法も歴史学的である。これはもちろん意図的にそうしたのであるが、その狙いは、説話は社会の制度・法令・常識などと切り離して成立できるものではないと考えているからであるし、また、そうしたものを見つめないと、説話の読解も時代から切り離されたものとなってしまうと筆者が考えているからである。逆に歴史学も説話から「史実」を抜き出そうとするあまり、それを単なる素材としか見ていない場合もあるが、それもまた説話を扱う際には気をつけなくてはならないだろう。果たして、筆者がそのようなことをうまく融合させているかどうかは、甚だ不安だが、少なくとも、そのように考えて今後も説話の研究を続けていきたいと思っている。

注

1 拙稿「『日本霊異記』所載の目盲説話をめぐって―その〝政治的〟側面について―」（小山聡子編『前近代日本における病気治療と呪術』思文閣出版、二〇二〇年）。

2 こうした時間意識については、拙著『古代日本と中国文化―受容と選択―』（塙書房、二〇一四年）参照。なお、筆者はこうした時間意識を「鐘音文化圏」という名称で論じている。

水口幹記（みずぐち・もとき）●所属：藤女子大学教授●専門分野：日本古代文学、日本古代史、東アジア文化史●主要著書：『古代日本と中国文化―受容と選択』（塙書房、二〇一四年）、『古代東アジアの「祈り」―宗教・習俗・占術』（編著、森話社、二〇一四年）、『前近代東アジアにおける〈術数文化〉』（編著、勉誠出版、二〇二〇年）

文学に内包された絵画、あるいはテクストの図像学

山本聡美

1 はじめに

文学と絵画の密接な関係については、改めて言うまでもないことであろう。たとえば、屏風歌や歌絵、名所絵に見られるような歌と絵の親密な共存関係がすぐに思い起こされる。また、『源氏物語』や『枕草子』に備わる強い映像喚起力からは、書き手と読み手が有していたであろう豊かな絵画鑑賞経験がうかがわれる。物語文学の生成が絵と不可分であったことを論じた佐野みどりは、「絵によって与えられる視覚的イメージは、重層的にプロットに投影され、それをより豊潤なものとしていったと思われる」と指摘し、絵画とテクストが双方向的に呼応しながら構築される文学のありように論及している。[1]

そうであるならば、文学作品の行間には、特定の絵画によってもたらされた視覚的イメージが内包されているはずである。テクストの中に埋め込まれた絵画情報を探索することで、美術史の側からは、作品受容史の解明や、今は失われた作品についての復元的考察の可能性が拓かれる。また、探索の範囲を説話文学に広げることで、仏画や仏像といった宗教性を帯びた視覚的イメージと文学との、一層幅広い共存関係を掘り起こすこともできるであろう。

2 説話の中に絵画を探索する

このことについて、文学研究の側から先駆的な取り組みを蓄積してきたのは、説話文学会の功績の一つである。五十五周年に際して改めて学会誌『説話文学研究』をひもとくと、早い時期の論考として、原田行造「慶政上人と仏画―『閑居友』所収説話から明恵上人の信仰圏へ―」（『説話文学研究』十四、一九七九年）がある。

原田は、密教の観法を励行し彩色豊かな仏画にも親しんでいた慶政を「視覚的・構図的人間であった」と評し、その著述や詠歌、思考に絵画的構図が抜きがたく存在することを鋭く指摘する。さらにその傾向が、慶政にとっては年上の法友であった明恵との交渉を通じて増幅されたと

の観点から、論は明恵周辺で制作された「華厳宗祖師絵伝」や「明恵上人樹上坐禅像」等の制作背景へと展開する。時に推測を交えた伸びやかな議論には、現時点においても刺激的な示唆が多く含まれている。たとえば、慶政作と目される『閑居友』上巻第二話所収の如幻僧都の説話に、如幻往生後に残された絵姿について「木のしたに石をしきものにて、桧笠と経ぶくろばかりをき給ひたるすがたとぞきき侍し」と記されることに着眼し、慶政が「樹下石上の坐像」に強い関心を抱いたことと、明恵自身の肖像である「明恵上人樹上坐禅像」との交点を読み込む。▼2

慶政が、明恵を通じて「如幻上人像」の情報を得ていたのではないかという原田の推論に関連して、近年、中世美術史を専門とする伊藤大輔が他の傍証も挙げつつ肯定的に継承し、「明恵上人樹上坐禅像」制作の際に「如幻上人像」が一つの先行作例として具体的に想起されていた可能性を指摘している。▼3 説話文学から、失われた中世絵画（「如幻上人像」）の情報を引き出し、さらに現存作例（「明恵上人樹上坐禅像」）の制作背景論に結びつけることのできる好例と言えよう。

絵画とテクストをめぐる説話文学会のもう一つの功績として、絵解き研究の領域を確立したことも挙げておきたい。一九八二年に開催された「絵解き」シンポジウムでは、このテーマの開拓者である林雅彦を座長に、漢文学を専門とする川口久雄、中世美術史を専門とする宮次男の三名でパネルが組まれた。宮は、法華経絵を中心とした仏教説話画研究に機軸を置きつつも、合戦絵、高僧伝絵、寺社縁起絵、六道絵、御伽草子、奈良絵本など多岐にわたる作品についての研究を手がけ、今日の美術史学における仏教説話画研究の基礎を築いた。その守備範囲の広さの一端は、このシンポジウムがそうであったように、文学研究者との協働をきっかけに関心が拡張されていった結果でもあっただろう。宮による絵画史研究の基調には、常に、経典や文学、絵解き台本など、絵画とテクストの相関関係についての深い関心が存在していた。

絵解き研究という領域は、その後も順調に発展を遂げ、名古屋大学（CHT文学科研究科附属人類文化遺産テクスト学研究センター）を拠点にした一連の「絵解きフォーラム」では、古い絵解きテクストの発掘や分析だけではなく、新たな絵解き台本や縁起絵の創案、絵解きの実践、絵解き文化を伝承する地域との連携など、次なる局面を迎えつつある。

このような研究成果から予測される今後の展開について、以下では、文学と絵画をめぐるやや広い観点から考えてみたい。

3 イメージ記譜としての文学──田中弥生の仕事

新進気鋭の文芸評論家として注目されつつ、二〇一六年に早逝した田中弥生が遺した最後の評論に「『三四郎』の富士」（『すばる』二〇一五年二月号）がある。夏目漱石『三四郎』をはじめとする近現代文学において、富士山、しかも現実の山ではなく、歌川広重「東海道五十三次」や葛飾北斎「富嶽三十六景」など、前近代の日本で繰り返し描かれ名所として図像化された富士山のイメージがいかに利用され、いかなるメタファーを担っていたかを分析し、特定の絵画鑑賞経験が作者と読者の間で共有されることで成立する物語の構造を明らかにした。

田中の、この最後の評論の骨子は、当時わたしが勤務していた共立女子大学で彼女が行った「イメージ記譜としての文学─流れる風景を記録する」（二〇一三年十二月十九日）という講演内容に基づく。▼4 そこで田中が用いた「イメージ記譜」という用語は、文学を、視覚的イメージ・特定の経験・感情が、あたかも楽譜のように表記された媒体として捉えるための彼女自身による造語である。そして、文学が「記譜」であるからには、テクストの連なりの中から、その材料となった視覚的イメージを再び呼び起こす（演奏する）こともまた可能なのだという、田中が用いる文芸批評の方法であった。東京藝術大学美術学部芸術学科で美学・美術史学を学んだ後、一時期は声楽の道へ進み、さらに文芸批評に転じた田中ならではの文学へのアプローチである。

間近でこの講演を聞いたとき、わたしは、まさに自分自身が中世絵画、中世文学を通じて取り組みたいと考えはじめていた論点が、近現代文学にも連綿と受け継がれていることを知り大いに視界が開けたのだが、さらに田中の関心はシェイクスピアの戯曲へと飛躍し、十六世紀のイギリスに生きた作者が、どのような絵画鑑賞経験から舞台の構想を得ていたのかを探究する論の展開を目指していた。急逝を惜しみつつ、わたし自身がその問題意識やテクスト分析の方法論を受け継ぎ、自分自身の課題として展開することができる最適な場が、説話文学会なのではないかと考えている。先に、『閑居友』や「絵解き」に関連する先行研究を通じて見てきたように、テクストが内包する絵画的イメージの分析に取り組んできた成果が、すでにこの学会には豊かに蓄積されているからである。

4 「ムネモシュネ・アトラス」から、テクストの図像学へ

さらに発想の飛躍を試みて、テクストを対象とした図像学的分析[5]の可能性を探ってみよう。

図像解釈学（iconology）の基礎を築き、エルヴィン・パノフスキーやエルンスト・ゴンブリッチら二十世紀の美術史学を牽引する後継者を育成したアビ・ヴァールブルクによる、「ムネモシュネ・アトラス」というプロジェクトがある。一九二四年、ヴァールブルクは記憶の女神の名「ムネモシュネ」を冠した「アトラス（地図帳、方位図）」の作成に着手するが、一九二九年に心臓発作で急逝、プロジェクトは未完のまま、断片的に撮影されたネガ、そのネガに基づく合計六十三枚のプリントが彼の思索の軌跡として残された[6]。

その制作目的や意義を簡単に説明するのは容易ではないが、「ムネモシュネ・アトラス」とは、木枠に黒い布を貼ったパネルに、美術作品の写真、ポスター、チラシ、切手、雑誌の切り抜きなどの視覚資料をピンで留め、図像同士の関連や共通性、系統を見いだすための思考の場であった。この、ムネモシュネ（記憶）のアトラス（地図帳）という装置を用いて、ヴァールブルクが最も熱心に取り組んだ分析対象が、人間の感情に直結する身体の身振りや表情であり、それらが原初的表現を経ていかに定型化し、「象徴」として造形語彙の中に取り込まれていくのかといった図像化のプロセスについてであった。一見すると断片的で歴史的連続性を見いだしがたい視覚資料を、不断に並べ替え、表層的な「かたち」の奥にある情念や原初的衝動を掬い取ろうとしたヴァールブルクの視覚的冒険は、本人の死によって長らくの中断を余儀なくされることとなり、その一部のみがパノフスキーら次世代の美術史家によって、図像解釈学として体系化された。

しかしながら、ネガフィルムに焼き付けられた「ムネモシュネ・アトラス」のかすかな印影には、現在の美術史学が方法論の根幹に据える、図像学、あるいは図像解釈学として整理・体系化される以前の、一層複雑で重層的な図像分析を可能とする方法論の姿が見え隠れする。それはもしかすると、絵画だけでなく、文学として「定型化」されたテクストの分析にも有効かもしれない。さらに言うなら

ば、先に紹介した田中弥生が目指した文芸批評の方法は、ヴァールブルクの試みた視覚的冒険に、わずかながら手が届きかけていたのではないか。もっと控えめに言うならば、その強い影響下で発想されたものであったのではなかったか。

西洋美術史を専門とする佐藤直樹が、この「ムネモシュネ・アトラス」について論じる中で、「ヴァールブルクの精神にならって日本美術史を見つめることを考えたとき、仏教図像学とは異なる文学的な図像学、たとえば「和歌のイコノグラフィー」という冒険は可能だろうか。」という興味深い提言を行っている。[7] 佐藤は、このような観点を、二〇一四年一月に東京文化財研究所において開催された国際シンポジウム（「「かたち」再考　開かれた語りのために」）において、和歌研究者である渡部泰明とのディスカッションを通じて得たと記す。[8] 文学と美術史、日本と西洋を横断して議論を重ね、互いの研究成果や関心を交差させることの成果が、現在進行形でこのようなところから芽生えている。

5 おわりに

本稿では、説話文学研究に関する展望に代えて、日ごろ自分自身の今後の課題として考えつつも、なかなか明確な像を結べないでいるいくつかの論点を、断片的に並べることを試みた。身の程をわきまえず「ムネモシュネ・アトラス」のひそみに倣うならば、パネル上に並べたアイディアのつながりの中から、今後の説話文学研究に益し得る何がしかの道筋が見えてくることを期待しながら、暫定的な見取り図を示してみたものである。

注

1 佐野みどり「歌と絵と物語と」（『名宝日本の美術（一〇）源氏物語絵巻』小学館、一九八一年、同『風流 造形 物語 日本美術の構造と様態』スカイドア、一九九七年に収録）。

2 原田行造「上巻第二話に投影した明恵の世界」（『中世説話文学の研究（上）』、桜楓社、一九八二年）も併せて参照。

3 伊藤大輔「『明恵上人樹上坐禅像』の主題をめぐる考察」（『美術史論叢』十四、一九九八年、同『肖像画の時代 中世形成期における絵画の思想的深層』名古屋大学出版会、二〇一一年に収録）。

4 講演内容の一部は、田中弥生「シェイクスピアの絵 文学作品読解における図像的解釈の可能性」（山本聡美編「平成25年度総合文化研究所研究助成「日本・東洋美術史に関する多言語教育の基盤整備」に関する報告」『共立女子大学・共立女子短期大学総合文化研究所紀要』二十一、二〇一五年）に掲載。なお、主著である田中弥生『スリリングな女たち』（講談社、二〇一二年）掲載の評論においても、文学から視覚イメージを抽出する分析方法が、随所で萌芽的に用いられている。

5 ここで筆者が想定する「テクストを対象とした図像学」とは、ある文学作品において「定型化」した表現から、特定の絵画情報を読みとくことが可能なのではないかという試論である。なお、美術史学で作品分析の基本的方法として用いる図像学とは、作品に描かれた形のパターンを抽出し、現実の風景や形象、文献史料、典拠テクストなどとの照合を通じて「何が描かれているのか」という意味を読みとく方法である。いったん成立した図像はいわば造形語彙として定型化し、後継の作品に受け継がれてゆく。一方の図像解釈学は、図像学的な分析から発展し、ある図像、または図像同士の結びつきによって明示される意味内容だけでなく、それを制作・受容する人間の精神や社会状況なども踏まえ、暗示や象徴としての意味をも含めて深層まで掘り下げて分析するもので、ひとつの図像が重層的・多義的に読みとかれる場合も生じる。また、ある図像のパターンが受け継がれてゆく中で、時としてその図像が意味するところが変化し、異なるコンテクストへと読み替えられたり、重層的な意味を獲得したりする場合があり、そのような「意味」のダイナミズムを視野に入れる場合、図像学は図像解釈学へと展開することとなる。

6 「ムネモシュネ・アトラス」についての詳細な解説は、田中純『アビ・ヴァールブルク　記憶の迷宮』（青土社、二〇〇一年）参照。また残されたネガに基づく六十三枚のプリントについては、伊藤博明・加藤哲弘・田中純『ムネモシュネ・アトラス』（ヴァールブルク著作集別巻一、ありな書房、二〇一二年）に全てが掲載されている。

7 佐藤直樹「「かたち」をめぐる日本美術史の可能性―西洋美術史からの視点―」（『美術研究』四百十五、二〇一五年）。

8 渡部泰明「歌の〈かたち〉―源俊頼の方法」（『「かたち」再考　開かれた語りのために』東京文化財研究所編、平凡社、二〇一四年）。

山本聡美（やまもと・さとみ）●所属：早稲田大学文学学術院教授●専門分野：日本中世絵画史●主要著書：『九相図をよむ―朽ちてゆく死体の美術史』（KADOKAWA、二〇一五年）、『闇の日本美術』（筑摩書房、二〇一八年）、『中世仏教絵画の図像誌―経説絵巻・六道絵・九相図』（吉川弘文館、二〇二〇年）

鑑真伝記の変容と説話

丁 莉

1 はじめに

日中文化交流の象徴的人物である鑑真が苦難の末渡日してから約一二〇〇余年、鑑真ゆかりの宝物がこのごろ上海で公開された。「滄海之虹：唐招提寺鑑真文物と東山魁夷隔扇画展」と題して、二〇一九年十二月から上海博物館で開催され、展示品として唐招提寺が秘蔵する『東征伝絵巻』（【図1】。今回上海博物館でも展示された第二巻の、鑑真の出航準備の場面と出航した船が狼溝浦において難破した場面である）、金亀舎利塔、東山魁夷の障壁画など貴重な文化財の数々が選ばれた。

『東征伝絵巻』は鑑真の伝記を描いた絵巻であるが、『唐大和上東征伝』という現存最古の漢文伝記をもとにしている。さらにさかのぼると、鑑真が天平宝字七年（七六三）に唐招提寺で亡くなって間もなく、弟子の思託は三巻本の伝記『大唐伝戒師僧名記大和上鑑真伝』を著した。一般的に『広伝』と呼ばれるものである。残念ながら、『広伝』の完本は現在に伝わらず、断片的逸文が諸書に散見されるだけである。その後、日本の文章博士である淡海三船こと真人元開が思託の依頼を受け、宝亀十年（七七九）に、一巻本『唐大和上東征伝』（以下、『東征伝』と称す）を成した。いわば三巻もの長大な『広伝』を一巻本の『東征伝』に縮約したものである。

それから約五百年の歳月を経て、鎌倉極楽寺の高僧忍性の企画によって、『東征伝絵巻』（以下、『絵巻』と称す）が作られた。永仁六年（一二九八）に完成し、唐招提寺に施入された。鑑真の生涯の行状を記述した『東征伝』を絵巻物にしたのは、初めてのことであった。その詞書は『東征伝』の漢文を翻訳・縮約した和文である。

図1　上海博物館で展示された『東征伝絵巻』巻二の難船場面（滄海之虹の報道記事 https://www.sohu.com/a/363764452_157906?scm=1002.44003c.fe017c.PC_ARTICLE_REC より）

和文に翻訳した詞文では、『絵巻』以外に、華厳宗僧侶の賢位が元亨二年（一三二二）に作った和文の『唐大和上東征伝』（以下、和文『東征伝』と称す）が知られている。この作品は片仮名まじりの文で記され、漢文訓読体となっている。上巻の第一段の末尾に「聊丹青ニ課セテ粗始終ヲ注ス」[1]とあり、段落の間に「絵アルベシ」という注記も見えることから、当初絵の作成が計画されていたようである。

　このように、鑑真の伝記は『広伝』から『東征伝』、そして『絵巻』や和文『東征伝』など、漢文から和文、そして絵画という変容の過程をたどってきたのである。

2 『東征伝絵巻』と和文『東征伝』の般若仙説話

『絵巻』の詞書と和文『東征伝』はいわば真人元開の『東征伝』を和文化したものであるが、漢文から和文への翻訳の過程では、縮約だけでなく、『東征伝』にはない、新たに加えた内容も少なからず見える。

たとえば、鑑真講律の際に、三目六臂の般若仙が姿を現し、邪見の者を降伏させたという霊験説話は、『東征伝』には見えないが、『絵巻』と和文『東征伝』に取り入れられている。

　この話は鑑真の孫弟子豊安が天長八年（八三一）に淳和天皇に上表した『鑑真和上三異事』（以下、『三異事』と称す）に拠るものとされている。[2]『三異事』は鑑真の事跡を三か条にして記述するものであり、上記説話の該当部分は下に掲げる内容である。

　時沙門在揚州大明寺。為衆僧講律。其先所造石塼浮図忽然放光。又現菩薩。三目六臂。自称般若仙。以為講説之霊験也。種種変現。其事繁広。不可具述。[3]

ところが、『絵巻』と和文『東征伝』にみえるこの説話は必ずしも『三異事』に拠るものとは限らないと思う節がある。

『東征伝絵巻』[4]	和文『東征伝』
又大明寺にして経論を講讃せられし時石の塔婆よりひかりをはなちたまひき。あるときは集会の中の邪見のともからを降伏したまはんために、三目六臂の身を現して般若仙となのりましましき。行化の奇特凡聖はかることをえんや。	和上大明寺ニシテ。経論講讃ノ砌ニテ。石之塔婆ニ入テ忽然トシテ光明ヲ放テ。集会ノ信仰ヲ勧メ。或時ハ邪見之輩ヲ伏センカタメニ。菩薩ノ三目六臂之身ヲ現シテ。般若仙トナノリ給ヒシカバ。邪見速ニ降伏シテ。行化ノ奇特凡夫ノハカルヘキニアラザルヲヤ。

比較してみると、『絵巻』と和文『東征伝』の表現は極めて近い。しかし、両者に共通して見える、下線部の「集会」、「邪見之輩」、「降伏」、「行化の奇特」、「凡聖（凡夫）」などの表現は『三異事』には見えない。

和文『東征伝』は『絵巻』よりやや遅れて成立したので、「集会」、「邪見之輩」などは『絵巻』の詞書を参考にした可能性もなくはないが、内容を見ると、和文『東征伝』のほうがより詳細に記述してあり、「集会ノ信仰ヲ勧メ」、「邪見速ニ降伏シテ」など『絵巻』にない表現もある。しかも、「経論を講讃せられし時」と「経論講讃ノ砌ニテ」、「邪見のともからを降伏したまはんために」と「邪見之輩ヲ伏センカタメニ」、「般若仙となのりましましき」と「般若仙トナノリ給ヒシカバ」、「行化の奇特凡聖はかることをえんや」と「行化ノ奇特凡夫ノハカルヘキニアラザルヲヤ」のような細かい相違は、いかにも漢文訓読の際に生じた違いと思われ、同じ漢文の底本をふまえていると考えたほうが自然であろう。

3 『東征伝絵巻』と和文『東征伝』の共通語句

ほかにも、『東征伝』には見えず、『絵巻』と和文『東征伝』に共通してみられる語句がある。

たとえば、栄叡が大明寺の鑑真を訪れる場面では、『絵巻』は「或とき栄叡等揚州の大明寺にして和尚の年齢ようやく五篇にして戒香けふり薫し慧焔ひかりかゝやきて」とあり、和文『東征伝』では「年齢漸ク五篇ニ闌ケ。徳行殊ニ七聚ニ長ジテ。戒香煙リ薫シ。恵炬光リ耀ク」となっている。

また、栄叡の死について、『東征伝』は「栄叡師奄然遷化、大和上哀慟悲切、送喪而去」とあるだけだが、『絵巻』と和文『東征伝』には栄叡の長い遺言が記される。そのなか、たとえば「懇志をぬきいて給といへとも時のいたらさる歟機の熟せさるかいまた本意をとけす」（『絵巻』）と「懇志ヲ抽テ給ヘトモ。機ノ熟セサル歟時ノ至ラサルニャ。本意未タ遂ケスシテ。」（和文『東征伝』）、「骨はたとひ土中の塵埃となるともこゝろさしは猶海東の戒法にあるへし」（『絵巻』）と「骨ハ縦ヒ土中ニ朽ルトモ。神ハ海東ノ戒法ニ可有」（和文『東征伝』）などを見ると、両者は同じ漢文を訓読したものと思われる。

ほかに、二十四沙弥が鑑真を送別する場面では、「三衣たもとをうるほし孤舟ともつなをおさへて江のほとり浪のうへにして戒をさつけ」（『絵巻』）、「三衣ノ袂ヲ湿シ。孤舟纜ヲサヘ。江ノ頭リ浪ノ上ニシテ戒ヲ授ケ」（和文『東征伝』）など、やはり共通語句がみられる。

こうした共通語句には「戒香」、「慧炬」、「懇志を抽」、「孤舟纜ヲサヘ」など、漢文に由来する独特な表現がみえる。「戒香」は持戒の徳を、芳香のかおるのにたとえていう語。「慧炬」とは智慧のともしび、智慧を悟りへと導く灯火に喩えた語。思託には「五言傷大和上伝灯逝日本」と題する先師を偲ぶ詩があるが、「戒香」、「慧炬」の語を用いる「戒香余散馥、慧炬散流風」の一句がある。また、元禄十四年（一七〇二）成立の、能満方丈義澄による『招提千歳伝記』の「扶桑律宗太祖鑑真大師伝」にも「孤舟按纜」の表現が見える。『招提千歳伝記』はだいぶ後世の成立ではあるが、『絵巻』の「孤舟ともつなをおさへて」も和文『東征伝』の「孤舟纜ヲサヘ」も「孤舟按纜」のような漢文を和文化したものであると思われる。

では、般若仙説話をはじめとして、『絵巻』と和文『東征伝』に見られる共通部分は一体どんな資料をふまえて書かれたのだろうか。

4　和文『東征伝』の霊亀龍王説話

和文『東征伝』にはほかにも霊験説話が多く取り入れられており、とりわけ仏舎利の霊験や功徳をめぐる話が多い。たとえば、金剛が牛となって木を引く話、七層の塔に彩雲が結んだ二層を加え、九重塔になった話、梵僧が将来した舎利五千粒のうち二千粒は塔上に供養されるが、神人が塔の四辺に立ち、風からそれを守る話など、いずれも思託の手になる『延暦僧録』の「高僧沙門釈鑑真伝」にも見える話である。

また、「随身供養」する舎利三千粒をめぐる話は和文『東征伝』の上下巻にそれぞれ記される。上巻では蛇海を渡るときに、舎利が龍に奪われ、「思託命ヲ捨テ海ニ入リ。龍神ニ追ヒ懸テ奪返シ奉リ」となっている。この話は『日本高僧伝要文抄』に引く『延暦僧録』「思託伝」にも見え、「思託没命、所得舎利、并救得真和尚」[5]とするところである。

一方、下巻には舎利をめぐるもう一つの霊験説話が見える。鑑真一行が薩摩国秋妻屋浦に到着した後、舎利がまた龍王に奪われた。各自懇祈すると、霊験が起こり、霊亀が舎利を背にして浮かび上がった。霊亀が老翁と変じ、「三千大千世界龍首無辺荘厳海雲威徳輪蓋龍王」と名乗り、自分が仏前に舎利擁護の誓いをしたので、先に海中に持って

図2　国宝　金亀舎利塔　14世紀
（唐招提寺公式サイト https://www.toshodaiji.jp/about_koroh.html より）

行ったのは霊瑞を示すものと話し、後に青色の大石となり、舎利を鎮護する身となったという内容である。

この霊亀龍王説話は現存する『延暦僧録』の逸文には見られない。『招提千歳伝記』「扶桑律宗太祖鑑真大師伝」に見え、「時有金亀負之而出。俄化為老翁。持以授師曰。我是請雨会上無辺荘厳海雲威徳輪蓋竜王也。従今已往此舎利之所在我当衛護。言訖倏然不見」[6]とあるように、和文『東征伝』より簡略であるが、内容はほぼ同じである。王勇氏によると、乾元二年（一三〇三）成立の『建久御巡礼記』前田家本にも亀が舎利を背負って返還した話が見え、後に鑑真が亀形の台座を作ってその上に舎利を収める瑠璃壺を安置したことも記されるという[7]（【図2】は唐招提寺で秘蔵される国宝金亀舎利塔で、台座には舎利三千粒を収める白瑠璃壺が置かれている）。霊亀を龍王とする和文『東征伝』の話は『招提千歳伝記』のほかには見当たらない。

『招提千歳伝記』は後世の成立とはいえ、この漢文の話は和文『東征伝』をふまえて書かれたとは考えにくい。やはりほかに漢文の底本があるのではないかと思われる。

5　和文『東征伝』と『広伝』逸文

興味深いことに、和文『東征伝』には『広伝』の逸文と内容が全く同じである部分が数か所あることに気づいた。しかも、『東征伝』にはない内容である。

たとえば、『平氏伝雑勘文』下二に引く逸文に「本国昔上宮太子云。二百年後。日本律義大興。然皇太子以玄聖之徳生日本国苞貫三統纂先聖之宏猷。恭敬三宝救黎元之厄。実是聖人也。又舎人王子広学内典。兼遊覧経史。敬信仏法慈愛人民。毎悕求伝戒師僧来至此土」とあるが、和文『東征伝』は「依之太子懸ニ記シテ曰ク。今ヨリ二百年ノ後日本ノ律儀大ニ弘マルヘシト。聖人ノ事ヲ記スル敢テ無違。今此ノ運ニ当レリ。況ヤ我朝ノ皇帝ハ。先聖ノ宏猷ヲ集テ三宝ヲ恭敬シ。黎元ノ苦厄ヲ救テ。衆生ヲ慈憐シ給フ。又舎人親王ト云人有。広ク内典ヲ学シ。兼テ経文ヲ遊覧ス。仏法崇重ノ心深ク。人民慈済ノ恩厚シ。殊ニ伝戒之師僧ヲ求メ」となっている。特に傍線部について、和文『東征伝』は逸文の漢文を訓読した感がある。

ほかにも数か所内容が全く同じであるところが見える。[8]谷省吾氏は、『広伝』の逸文は法空著『聖徳太子伝雑勘文』、『上宮太子拾遺記』、凝然著『四分戒本疏賛宗記』、『梵網戒本疏日珠鈔』に見られること、二人の引用態度は決して孫引きとは思われぬことから、『広伝』の完本が鎌倉時代まで存在したことはほぼ確実だと、指摘した。[9]

そうだとすると、賢位が和文『東征伝』を著す際に、真人元開の『東征伝』だけでなく、直接思託の『広伝』を利用した可能性も考えられる。

6　おわりに

先に挙げた、三目六臂般若仙の話は、『三異事』には「其事繁広。不可具述」とあり、『三異事』自体はもっと詳しく書かれている漢文資料をふまえ、縮約したのではないかと考えられる。また、『絵巻』と和文『東征伝』の共通語句は同じ漢文の底本をふまえていると思われるが、想像を逞しくすれば、その漢文の底本は思託の『広伝』ではないかと思うのである。

一方、和文『東征伝』に見える霊亀龍王の説話はどのように生まれたのか、後世の『招提千歳伝記』の同じ話はまたどのような漢文の底本をふまえているのか。思託著の『延暦僧録』各伝に渡海中の異常体験が多く記され、舎利が龍王に奪われる話も「思託伝」に見えるが、霊亀龍王の話も果たしてあったのだろうか。

般若仙や霊亀龍王のような霊験説話はそもそも『広伝』や『延暦僧録』に記される話なのか、それとも鑑真伝記の和文化もしくは再創作の過程で加えられたものなのか、残念ながら今日は『広伝』も『延暦僧録』も逸文しか見られず、確認することもできない。しかし、伝記と説話の関係も案外近いので、今後研究を深めるには、説話は一つの大事な切り口になるかもしれない。

付記　上海博物館の展示会は新型コロナウイルスの「おかげ」で行けなくなり、『東征伝絵巻』と金亀舎利塔を見る貴重な機会を失った。遺憾極まりなかった。しかし、これも新型コロナウイルスの「おかげ」だろうか、日本から湖北省への支援物資に印刷された「山川異域、風月同天、寄諸仏子、共結来縁」の句は、いまでは知らない人がいないほどの名句になった。これは「繍袈裟衣縁」と題する偈で、長屋王が唐に贈った千枚の袈裟に刺繍されていた。『全唐詩』に収められ、『東征伝』をはじめとする鑑真伝記にも記述されている。この句はかつて鑑真の心を動かし、渡日を決意させる要因の一つだったが、今日では多くの中国人を感動させ、感染症との戦いで両国のきずなを象徴する句となった。

注

1 『唐大和上東征伝』(『大日本仏教全書』第百十三冊「遊方伝叢書第一」、仏書刊行会編纂、名著普及会刊、一九八〇年)、以下の引用はこれによる。

2 亀田孜「東征伝絵巻について」(『日本名僧論集第一巻 行基 鑑真』、吉川弘文館、一九八三年)、三五〇頁;藤田経世「詞とその筆者など」、新修日本絵巻物全集『東征伝絵巻』、三四頁など。

3 『鑑真和上三異事』(『大日本仏教全書』第百十三冊「遊方伝叢書第一」、仏書刊行会編纂、名著普及会刊、一九八〇年)、一四九頁。

4 新修日本絵巻物全集21『東征伝絵巻』角川書店、一九七八年。以下の引用にこれによる。

5 蔵中しのぶ『「延暦僧録」注釈』、大東文化大学東洋研究所、二〇〇八年、七九頁。

6 『招提千歳伝記』巻上之一、伝律篇、《続々群書類従》第十一、三五四頁。

7 王勇「鑑真和上と舎利信仰—高僧伝の史実と虚構」、揚州大学学報(人文社会科学版)、二〇一〇年三月、八三頁。

8 詳細は拙文「〝漢〟、〝和〟与〝絵〟之間:从鎌倉時代两部和文伝記看鑑真事迹在日本的伝播」(《国際漢学研究通訊》第十六期、北大出版社、二〇一八年六月)をご参照いただきたい。

9 谷省吾「鑑真和上広伝の逸文その他(上下)—凝然自筆「律宗祖師伝」断簡に関する研究—」、『芸林』、一九五五年、三十七、三六九頁。

丁 莉(てい・り)●所属:北京大学教授●専門分野:平安物語文学、最近は絵巻、「絵画物語論」に関心あり●主要著書:『伊勢物語とその周縁—ジェンダーの視点から』(風間書房 二〇〇六年)、『永遠的唐土—日本平安朝物語文学的中国叙述』(北京大学出版社、二〇一六年)

医事説話と〈学説寓言〉

福田安典

標題の用語はいずれも新しく使用され始めたものなので、まず定義を確認しておく。

医事説話は医学の領域で扱う素材のうち、文学研究にも必要な視座を提供するものを「医事」として把握し、医学書に記される医師の事績を説話と捉え直すもので、つとに美濃部重克が提唱し、徐々に市民権を獲得している。[1]もちろん、医学史研究の方面でも使用されるタームとなっている。

〈学説寓言〉は飯倉洋一によって提唱された文学理論で、江戸中期の上方小説の一部が「奇談」と分類されるが、それらのうちの一部に見られる特徴的な、古典にかかわる学説を登場人物の語りによって開陳するというものである。[2]このタームも広く使用されつつある。

飯倉はおもに「国学」を想定しているが、本稿ではその「学説」に医事説話を嵌入させ、そこから見える新たな説話世界を紹介してみたい。扱う素材は飯倉が〈学説寓言〉が見られるとされた菅翁某作『垣根草』（京・梅華堂刊、明和七年〈一七七〇〉）第十話「藪夢庵鍼砭の妙、遂に道を得たる事」で、次のような話である。

北条時頼の時、藪夢庵が異人より鍼術を受ける。まず隣家の孕婦の難産を治し、時頼の愛妾を治す。金澤原思なる人物が弟子入りを乞うので二荒山に連れて行く。術を受けた金澤は鎌倉で富貴になる。師を訪ねた金澤に夢庵は試練を与える。師の力に懼れた金澤は夢庵を殺そうとするも失敗。夢庵は山中の石室に籠もる。

この話の原話が宋代小説『斉東野語』「鍼砭」であることを武田時昌氏から教えていただいたことを最初に感謝申し上げたい。[3]そこで両者を併置してみれば、

（斉）古者鍼砭之妙、真有起死之功。蓋脈絡之会、湯液所不及者、中其兪穴、其効如神。方書伝記所載不一。

（垣）昔より鍼砭の妙、誠に起死回生の功あり。脈絡の会、湯液の及ばざる所、その兪穴に中る時は速効神のごとし。伝記の載するところ少なからず。李洞玄、龐安が類ひ、その聖といふべし。（本文は用字を一部改めた）

とあって、ほぼ直訳に近い。では『垣根草』が『斉東野語』

の翻案かといえば、そうではなく、引用文最後の「李洞玄、龐安が類ひ、その聖といふべし」という原典にはない文辞に明らかなように、『斉東野語』は李洞玄、龐安常、曹居白、老張総管という四人の事績を連ねて一章としているものを、『垣根草』では架空の夢庵という鍼灸師一人のこととして再編成しているのである。

その再編成で消されたものは、医師の名前だけではなかった。『斉東野語』の、

李行簡外甥女適葛氏、而寡。次嫁朱訓。忽得疾如中風状。山人曹居白視之曰、「此邪疾也」。乃出鍼刺其足外踝上二寸許。至一茶久婦人醒曰「疾平矣。始言毎疾作時、夢故夫引行山林中。今早夢如前。而故夫為棘刺足脛間、不可脱。惶懼宛転、乗間乃得帰」。曹笑曰「適所刺人邪穴也。此事尤渉神怪。余按千金翼、有刺百邪所病十三穴、一曰鬼宮、二曰鬼信、三曰鬼壘、四曰鬼心、五曰鬼路、六曰鬼枕、七曰鬼床、八曰鬼市、九曰鬼病舎、十曰鬼堂、十一曰鬼蔵、十二曰鬼封臣、十三曰鬼封然。則居白所施正此耳。今世鍼法不伝。庸医野老、道聴塗説、勇於于嘗試惟無益也」。

とある箇所が（傍線、引用者）、

その頃、時頼の愛妾久しく中風のごとくにして、諸医手をつくせども効なし。夢庵を召して視せしむるに、夢庵笑つて云、「是邪疾なり。湯薬及ぶべからず」とて、鍼を出してその足踝二寸ばかりを刺す。暫くありて、婦人醒覚するがごとくにして云、

「気力常にことならず、はじめ疾起こる日より、一人の装束したる男来りて、城外又は山林の間に誘ひ行く。今日しも伴はれて出づると思ふうち、かの男、路のほとりの棘刺に足を刺されて動くこと能はず。我その隙に走り帰りたり」

といふに、時頼大に褒賞してその術を問ふ。夢庵いはく、

「刺す所は人邪穴なり。奇怪に似たりといへども、百邪の祟、その穴十三処あり。鬼宮・鬼信塁のごとき是なり。近世の医、みだりに術を試みて生民を視ること芥のごとく、百邪は刺すべし。庸医のあやまりたるは、我術又施す所なし」

といふに、人皆術に妙なることを信じ、業を受る者多し。

と翻案される段階で、傍線部の『千金翼方』という医学書名が消されているのである。この箇所は明らかに『千金翼方』の「扁鵲曰。百邪所病者。針有十三穴。凡針之體。先

従鬼宮起。次針鬼信便至鬼壘又至鬼心。未必須並針」をもとに構成されているにもかかわらず、『垣根草』はその基本医学書名を抹消することで「奇談」へ転じたのである。しかも、『千金翼方』が引くのは名医扁鵲である。その正統を隠匿し、「奇怪に似たりといへども」の文脈で語られる「人邪穴」は一見「奇談」に見えるが、これは「奇談」でも「文学」でもない。医療現場で使われる純然たる医学療治である。その医学療治が、出典を伏して提示される〈学説寓言〉となったことで医事説話へと変じたのである。

もう一例、『垣根草』の、

北条時頼の時に、藪夢庵といふもの異人に逢ふてその術を伝べしとて、往々不測の功ありて、その名ますます著れたり。隣家の孕婦、数日産に臨みて分娩せず。

夢庵云、

「児已に胞を出づといへども、母の腸を執へて放たず。時を経ば母子ともに救ふに術なからん」とて、児の手の在るところを捫して虎口に鍼す。児、手を縮めてすなはち生る。児の虎口、果たして鍼痕あり。誠に一事の権、六百四十九穴の外にいづるもの、常理を以て論ずべからず。

という一節は、『斉東野語』の、

龐安常視孕婦難産者、亦曰「兒雖已出胞、而手誤執母腸胃、不復脱」、即捫兒手所在鍼其虎口、兒既痛、即縮手而生。及観兒虎口。果有鍼痕。近世、屠光遠、亦以此方、治番易酒官之妻。三人如出一律、其妙如此。蓋医者意也。一時従権、有出於六百四十九穴之外者、脞説載。

を翻案したものである。時代を北条時頼執政に取り、龐安常を藪夢庵に置き換え、胎児の虎口に鍼するという荒唐無稽な「奇談」に転じたものと見なされるかも知れない。しかしながら、この龐安常の施術は決して荒唐無稽なものではない。宋代の医学書『医説』の鍼灸部「捫腹鍼兒」に見える正統な医療なのである。

朱新仲祖居桐城、時親戚間有一婦人妊孕、将産七日而子不下、藥餌符水無不用、待死而已。名醫李幾道偶在朱公舍、朱引至婦人家視之。李曰「此百藥無所施、惟有鍼法、吾藝未至此、不敢措手爾」遂還。而幾道之師龐安常適過門、遂同謁朱。朱告之故、曰「其家不敢屈公、然人命至重、公能不惜一行救之否」。安常許諾、相與同往、才見孕者、即連呼曰「不死。令其家人以湯温其腰腹間」。安常以手上下拊摩之、孕者覺腸胃微痛、呻吟間生一男子、母子皆無恙。其家驚喜拜謝、敬之如神。而不知其所以然。安常曰「兒已出胞、而一手誤執母腸胃、不復能脱、故雖投藥、而無益、適吾隔腸捫兒手所在」鍼其虎口、兒既痛、即縮手、所以遽生、無他術也。試令取兒視之、右手虎口有鍼痕。其妙如此。（泊宅編）

すなわち、医学書を介在させずに『垣根草』を読み解くことは不可能で、一見荒唐無稽な治療も、正統な医学書に由来する「医術」であることを無視しては〈学説寓言〉は成り立たない。そこが医事説話の魅力でもあり、難解さでもある。

そもそも『斉東野語』自体が、読んで字のごとく斉の東という胡散臭い話の生まれる場で書き留められた「野語」である。それゆえに医学書ではなく宋代小説に分類されることが多い。しかし、その『斉東野語』に記された火鼠の皮衣、別名火浣布は、『竹取物語』を例に出すまでもなく、その当時は空想の産物であった。しかし、その後に平賀源内が火浣布作成に成功した段階で、火浣布は現実のものとなった。それを記した『斉東野語』は、「野語」の資格を剥ぎ取られ、「実用書」となったのであった。『斉東野語』を利用した「文学書」の世界は新たな知の交差する空間である。

以上、医事説話と〈学説寓言〉を組み合わせ、文学研究に取り入れてみれば、従来の扱う資料、得られる結論ともに、新領域の展開が見られる、その一コマを提示した。

注

1 美濃部重克「「鬼」と「虫」―医事説話研究の視座」（『伝承文学研究』五十三号、二〇〇四年三月）、拙稿「「医事説話」の誕生と成長」（『近世文学史研究』一号、二〇一七年一月）、「医事説話の行方―孫思邈説話をめぐって」（『説話文学研究』五十三号、二〇一八年八月）他。

2 飯倉洋一「上方の「奇談」書と寓言―『垣根草』第四話に即して」（『上方文芸研究』一号、二〇〇四年五月）、『「奇談」書を手がかりとする近世中期上方読物史の構築』（二〇〇四―二〇〇六年度科研研究報告書）、「前期読本における和歌・物語談義」（『近世文学史研究』二号、二〇一七年六月）他。

3 但し、菅翁某は直接に『斉東野語』に拠ったのではなく、『五朝小説』に拠ったことを劉菲菲が指摘しており（「『垣根草』新論」『近世文芸』百三号、二〇一六年一月）、本稿の引用は内閣文庫蔵林羅山旧蔵の『五朝小説』に拠る。

福田安典（ふくだ・やすのり）●所属：日本女子大学教授●専門分野：日本近世文学●主要著書：『古典は本当に必要なのか、否定論者と議論して本気で考えてみた。』（共著、文学通信、二〇一九年）、『医学・科学・博物＝Medicine Science Natural History：東アジア古典籍の世界』（共著、勉誠出版、二〇二〇年）

見える呪術とみえない占い
――説話の故事性を考える

Matthias Hayek（マティアス・ハイエク）

説話は史実を伝えるものではない、というのは現代の我々にとって当たり前のことであろう。しかしながら、小峯和明が指摘するように説話に史実を求めることは無意味でも、フィクションの歴史性を否定することもまた意味を成すことではない。[1]私は説話と出会ったころ、『今昔物語集』のような説話集と、『大鏡』のような歴史物語はその性質上、区別すべきだと考えていたが、受容史の観点から、歴史物語も説話も近代まで「故事」として扱われてきたのも事実である。それをもっとも顕著に物語っているのは『古事類苑』であろう。私は卒業論文で陰陽道関連の説話を収集し、仏訳を付けて検討してみた。その際、長野甞一編の『説話文学辞典』に頼りながら集めてみたが、後から『古事類苑』の方技部にそのほとんどがすでに引用されていたことに気づき、大きな衝撃を受けた。今のようなデータベースはおろか、目録や辞書類さえもなかった時代にこれだけ網羅的で精密な収集ができた『古事類苑』の編集者に感服するほかないが、同じ項目に史書、歴史物語、そして『今昔物語集』などのような説話集が同じレベルで引用され、その性格を問わずにどれも過去の風習や教訓を伝える立派な「故事」とされていたのである。

＊

ところが、これらの故事では、具体的に描かれている行為と、そうではない行為がある。陰陽師や相人が登場する説話は、視野を広げると特定の技術に長けている人物を話題とする「職能説話」とでも言うべき種類に属している。つまり、故増尾伸一郎が指摘したように占いや観相ばかりでなく、音楽から医術、算数などを得意とする「諸道の達者」が中心となる話柄である。[2]これらの説話では職能者の相貌の活写がみられるが、陰陽師の場合、少なくとも二つの技術が強調されている。一方はもちろん、病気の原因を見抜き、あるいは未来を予知する占いで、もう一方は人の生死をもものとする厭魅・呪術である。ところが、『今昔物語集』、『宇治拾遺物語』をはじめ、いわゆる中世説話集において、この二つの技術の描写は大きく異なっている。

つまり、占いという行為は、呪術に比べて、あまり詳しく描かれていないのである。『今昔物語集』、『宇治拾遺物語』では、陰陽師が占いで呪詛や神の気といった病気の原因を見切ったり、相人は未来を予言するという場面はよくみられるが、「占い」の内実が明記されることはほとんどない。にもかかわらず、『古事類苑』ではそれらの説話が「占例」として取り上げられたのである。安部晴明が登場する説話のうち、たとえば「三井寺の泣き不動」系統の説話の初出である『今昔物語集』巻十九「代師入太山府君祭都状僧語第二十四」では、安倍晴明は「太山府君祭」という延命の術を使って某寺の某僧の病気を治癒するように依頼を受けるが、寺に呼ばれた晴明は「この病を占ふに、極めて重し」と告げる。後に「太山府君祭」が大々的に描かれ、実際の使い方に違いはあってもこの祭で重要な役割を果たす「都状」という書類がちゃんと話に組み込まれている。それに対して、占いの場面はただ「占う」という、曖昧な動詞のみで表され、占いの方法、根拠、そして結果を連想させるような語彙が用いられていない。

同じく巻二十四に、陰陽師関係の説話が数点収録されているが、「天文博士弓削是雄占夢語第十四」でも、是雄の占いはただ「占ひて云く」という簡素な表現に終結する。また、『宇治拾遺物語』第一八四「御堂関白の御犬晴明等奇特の事」でも、犬の異常な行動を不審に思った藤原道長が、ことの真実を確かめるべく晴明を召喚するが、晴明は「しばしうらなひて申しける」と、占いの詳細がまったく表現されない。

当時の陰陽師が主として使用していた占いは「式盤」を使った「式占」だが、『今昔物語集』などの説話集ではこの「式」は占いの方法とその道具よりも、そこから派生した「式神」という、陰陽師が従う童子姿の鬼神、もしくは人や動物を殺すための呪法と結び付いていることは、紹介を要しない[3]。先の是雄の話の古形を伝える『政治要略』に引く三善清行の『善家異説』では「式占」と明記され、是雄が「式を転がして」占うとあるが、『今昔物語集』ではその占いの部分がぼやかされている。

「式占」は軒廊御卜のような朝廷で行われていた、天皇家と関係のある公の怪異占だけではなく、個人の公卿の病気や出産などの「私事」にも使用されていたと思われるが、説話ではその具体的な描写はおろか、その語彙すら見当たらない。

＊

この状況は、難解な「式占」に限ったことではない。江戸時代以降、占いといえば誰しも「易占（えきせん）」を思い浮かべるであろうが、説話ではこの易占もほとんど描かれていない。『宇治拾遺物語』第八「易の占（うらない）して金取り出（いだ）す事」という話がある。自分の家に旅人を一夜泊めた女の人は、旅人が自分の千金を持っているはずだと言い、その金を渡せと迫る。旅人は最初わけもわからず、自分たちの荷物を取り寄せ、周りに幕を引きめぐらし、しばらく何かをしたあと、女の人を呼び事情を問いただす。

　旅人、問ふやうは、「この親は、もし、易の占ひということやせられし」と問へば、「いさや侍りけん。そのし給ふやうなることは、し給ひき」と言へば、「さるなり」と言ひて、「さても、何事にて『千両金負ひたる、そのわきまへせよ』とは言ふぞ」と問へば、「おのれが親の失せ侍りし折に、世の中にあるべき程の物など得させ置きて申ししやう、『今なん十年ありてしに月にここに旅人来て宿らんとす。その人は我が金を千両負ひたる人なり。それにその金を乞ひて、耐へがたからん折は売りて過ぎよ』と申ししかば、今までは親の得させて侍りし物を少しづつも売り使ひて、今年となりては売るべき物も侍らぬままに、『いつしか我が親のいひし月日の、とく来（こ）かし』と待ち侍りつるに、今日に当りてあはして宿り給へれば、『金負ひ給へる人なり』と思ひて申すなり」といへば、「金の事はまことなり。さる事あるらん」とて女を片隅に引きて行きて、人にも知らせで柱を叩かすれば、うつほなる声のする所を、「くは、これが中にのたまふ金はあるぞ。明けて少しづつ取り出でて使ひ給へ」と教へて出でて往にけり。

　この女の親の、易の占の上手にて、この女のありさまを勘へけるに、「いま十年ありて貧しくならんとす。その月日、易の占する男来て、宿らんずる」と勘（かんが）へて、「『かかる金ある』と告げては、まだしきに取出でて、使ひ失ひては、貧しくならんほどに、使う物なくてまどひなん」と思ひて、しか言ひ教へて、死にける後にも、この家をも売り失なはずして、今日を待ちつけて、この人をかく責めければ、これも易の占する者にて、心を見て。占ひ出だして、教へて、出でて去にけるなりけり。

易の卜は、行く末を掌の中のやうにさして、知ることにてありけるなり。（強調引用者による）

話の流れから、旅人は女の親と同じく易の占いの名人で、幕を引きめぐらした後その占いをして事情がわかったように思われる。旅人の「易の占い」についての問いに対する女の人の「そのし給ふやうなることは、し給ひき」から、小林保治と増古和子は日本古典文学全集で女の人の目の前で「『易経』をひもとき、算木や筮竹を並べて易の判断をし」▼4たと解釈したが、この話の中に「易」という語以外、その内実がわかるようなことがまったく書かれていない。強いていうならば、女の親の占いが「勘ふ」で表現されていることから、室町時代以降みられるようになる「算置き」の占いをもさす「算勘」を連想して、数を使った占いであるということぐらいしかこの話から読み取れない。

ところが、この話の原拠と擬せられる『捜神記』巻三の話では、

使者、沈吟良久而悟，乃命取蓍筮之卦成，抵掌歎曰：「妙哉隗生！ 含明隱跡，而莫之聞。可謂鏡窮達而洞吉凶者也。（強調、引用者による）

とあり、すなわち、使者は筮竹をとりよせて占いをたて、卦ができたと、はっきり「蓍筮（筮竹）」という道具と「卦」という占いの用語が明記されている。

ここの「卦」は『周易』の陽爻と陰爻を六つ組み合わせた六十四卦のどれかをさすと思われるが、「式占」の結果をはじめ、中国の説話・小説・奇譚では広く「形となった占いの結果」を意味している。『捜神記』巻三の他の易占関係の話に使われており、たとえば宋代の『夷堅志』にも多くみられる。しかし、この「卦」という言葉は管見の限り、『宇治拾遺物語』の話にも、『今昔物語集』のどの占い関係の説話にも使われていない。

私事での易占の使用例や卦についての言及は、十二世紀の藤原頼長の『台記』に多くみられ、易の知識が朝廷においてある程度広まっていたことは間違いない。にもかかわらず、説話では易占の描写とその用語がまったくみえない。

この占いの曖昧な描写とは対照的に、陰陽師が登場する説話の中には呪術が活写されている。先の太山府君の祭もそうであるが、『今昔物語集』、『宇治拾遺物語』ともに収

録される、安部晴明が「草の葉を摘み切りて、物を読むようにして」蛙を殺す場面、あるいは道長の犬の話の中にある、二枚の土器に朱で数を書き、その土器を合わせて埋めるという厭魅の法など、呪いの手法が生々しく語られ、現実味を帯びている。

*

このように、同じ職能者の使う二つの技術は、説話の中でまったく違う方向性で描写されている。この描写の差には編集者の意図、読者（受容者）の期待などを読み取ることができるのではないだろうか。この状況は陰陽道史の観点から、山下克明が指摘するような儒教的な技術官僚より、次第に呪術・祈禱師へと変化していった陰陽師の活動内容の変化を裏付けるようにみえるが、それでも流行していたはずの易が、中国の説話・小説と比べて存在感が極めて薄いということは奇妙である。古代・中世の易占について、まだ不明な点も多く、筆者には果たしてこの問題を解き明かす技量があるかどうかわからないが、これからの説話研究にはこのような視点が必要になるのではないかと思う。

注

1　小峯和明編『今昔物語集を読む』（吉川弘文館、二〇〇八年）。

2　増尾伸一郎「諸道の達者―職能者の群像」、前掲小峯編二〇〇八年。

3　説話の中の式神の形成過程は、近年の山下克明、中島和歌子の精力的な研究によって決定的に明らかにされたと思われる。山下克明「式神の実態と説話をめぐって」（『東洋研究』二〇四号七月、二〇一七年、一～二五頁）、中島和歌子「陰陽道の式神の成立と変遷再論：文学作品の呪詛にもふれつつ」（『札幌国語研究』二十二号、二〇一七年、一～四〇頁）。

4　『宇治拾遺物語』日本古典文学全集50（小学館、二〇〇八年、四五三頁）。

Matthias Hayek（マティアス・ハイエク）●所属：パリ大学教授
●専門分野：歴史社会学、知識社会学●主要論文：「算置考―中世から近世初期までの占い師の実態を探って」（『京都民俗』二十七、二〇一〇年）、「『安倍晴明物語』の中の占術と占い師像―江戸前期占書の視点から」（『説話文学研究』五十二、二〇一七年）、「異形と怪類―『和漢三才図会』における「妖怪的」存在」（橘弘文・手塚恵子編『文化を映す鏡を磨く―異人・妖怪・フィールドワーク』せりか書房、二〇一八年）

説話研究の地域貢献
——「月の兎」説話と地名伝承

趙 恩馤

1　はじめに

現代社会を生きる人々が前近代の説話に接するもっとも身近な媒体とは、インターネットであろう。とくに、旅先の情報を得るために、観光情報サイトや個人ブログなどを検索すると、まず目につくのが、各地域の地名由来や史跡・人物・事件などに関連した説話である。人々は旅行関連の情報として説話を共有し、また旅行記録として個人ブログや書き込みなどを残すことで、現代社会に説話が伝播していく。このような状況に対応するように、自治体の公共事業の一環として、地名由来や伝承などを蒐集し、広報資料としてホームページなどで提供している場合もでてきている。

近年、韓国では「韓国郷土文化電子大典」（http://www.grandculture.net/）という、政府と地方自治体の主導による、自然地理・政治・経済・歴史・生活民俗などの多様な郷土文化資料を、全国規模でデジタル化する大規模な文化コンテンツ事業がなされている。さらに、人文知識と情報技術の学際的研究として、文化コンテンツの開発に関する研究事業が、大学の研究所や文化コンテンツ学として活発に進められている。これらの事業においてもっとも重要視される資料は、歴史書や古典文学（野談・説話集）そして『世宗実録地理志』、『新増東国輿地勝覧』などの地理志、口承資料としては『韓国口碑文学大系』などであるが、それらの中で、説話は、各地域の情報を「お話」の形式として伝えるもっとも基本的な資料として活用されている。

とくに、地名由来説話は、風水や地形的な特色、そして地域に関連した人物の事蹟といった内容が多い。しかし、古地図や地理志といった過去の文字資料で地名が確認できる場合は、説話の内容と本来の地名の漢字表記を対応させて理解することができるものの、文献資料に載っていないような地名、たとえば小さな村の名称の場合、これを文字化（とくに漢字表記）する過程で、問題が生じることがある。韓国語では同音の漢字が多数存在する場合があるため、本来の宛て方とは異なる漢字や違う意味の漢字をその地名に宛ててしまうことが起こりやすい。すると、その漢字の意味が説話の内容をうまく反映できないことになる。あるいは、いくつかの地域がひとつの行政区域として統合されることで、村の名前とともに説話が消えたり、変化したりする場合がしばしばみられる。

　そうした事例のひとつとして、ここでは、「月の兎」の説話を背景にする、韓国の「ブント（분토）村▼1」の地名由来についてみていきたい。

2　「奔兎洞（ブント）」の地名由来と「月の兎」

　全羅北道の南原市は、韓国の古典文学である『春香伝（しゅんこうでん）』や『金鰲新話（きんごうしんわ）』の「万福寺樗蒲記（マンボクサジョポギ）」の舞台として広く知られており、古典芸能のパンソリの本拠地でもあることなどから、古典文学と芸能の町として、観光振興に力を注ぐ地域である。前述した「韓国郷土文化電子大典」の内容も充実しており、さらに、南原市にある七十九の村ごとに、定住する氏族の定着史や地名由来などを記した看板を村の入口に設置する事業がなされ、それが新聞に紹介されたこともあった▼2。

　ここでとりあげる南原市の「奔兎洞（ブント）」は、現在は、徳果（トクカ）面龍山里（ミョンヨンサンリ）（行政地区合併の時、龍珠里と葛山里から一文字づつをとる）に編入されたが、地域の人々の間では未だに「奔兎洞」と呼ばれ続けている。その名は、兎が満月の日に集まり、その年の豊穣を月に祈願して奔（はし）って別れた場所であることに由来するという。月と兎の組み合わせは、「月の兎」を連想させるものであるが、現在では、なぜ兎が集まり、「奔って」別れたのかについては伝わっていないのである。

　月と兎の組み合わせについては、中国の『楚辞（そじ）』（ヒキガエルの説もある）をはじめ、『五経通義（ごきょうつうぎ）』、『淮南子（えなんじ）』、『山海経（せんがいきょう）』などの文献に見られ、韓国でもこれらの伝承が伝わっている。そして、もっとも特徴的な点は、「玉兎望月形」という風水的に吉地とされる明堂の地に関わる「風水説話」として伝わっていることである。「玉兎望月形」とは、風水的に地形を解釈すると、月を望む兎の形勢をした地と月を見る形勢の地が対になっている（隣接している）地形をいう。月を望む兎とは、「月にいる兎」のことではなく地上にいる雌兎のことで、月にいる雄兎を見る（望む）ことで孕むことができるという俗説▼3を背景にしている。そして、多産であるという兎の特性が豊穣または子孫繁栄につながるため、この地を吉地というのである。「玉兎望月形」とされる地は全国に分布しており、村の風水や墓地の選定に深く関わっている。全羅南道光州広域市にある無等山（ムドゥンサン）一帯は、風水的に「玉兎望月形」の地とされ、近くの「望月洞」の地名もここからきており、その北側には、南原市の「奔兎洞」と同じく「奔兎村」の地名が確認できる。この地域では、風水だけでなく、仏教の「月の兎」の説話も伝わっており、「無等」は仏を意味し、月に譬えられる仏に向かって「奔る」兎として解釈されることもある。

南原市の「奔兎洞」の村長の話によると、地名の由来の意味はよく知らないとのことだったが、月に関する地名や場所はあるかと尋ねてみると、村の入口にある月の地形をした松林を昔から村の人々が大事に管理しているということであった。[4] まさに、「玉兎望月形」の風水説話を背景にした地名といえる。ただし、「奔兎洞」は、漢字にすると「奔退洞」と考える人もいるそうで、「兎」という重要な説話要素までもが消えつつある状況にあることがわかる。韓国語で「兎」という漢字は「ト（토）」、「退」は「トォイ（퇴）」と発音するが、全羅道の方言では兎（トキ〈토끼〉）を「トォイキ（퇴끼）」というそうだ。こうした音通によって、「兎」が「退」と置き換わることになるのである。口承の地名が文字化されることで、説話の内容までもが失われていくという典型的な例である。

3 〈ブント村〉と漢字表記の多義性

「奔兎洞」の事例でみたように、口承の地名に漢字を当てることで、地名の意味が変わってしまうことは多く、とくに、一九一四年に朝鮮総督府が実施した行政区域改編以降の地名に多くみられる。[5] 人口も少なく、地図で表記されていない村を「自然村」というのだが、そうした村の現在の「村の由来」では、行政区域改編の「記録」を残すという必要性があって、その名に漢字が当てられたと記述されることが多い。そして、「ブント（분토）」という地名には、「分土・粉土・奔兎」といった漢字が当てられている。「分土」は分岐点や土地を二分したところを意味し、「粉土」は粉のような土が出る地を、「奔兎」は兎が奔った地と説明されているが、詳細をみると「奔兎」が「分土」や「粉土」に変わってしまうこともある。

小さな村落である「自然村」の地名は、行政地域の地名として使用されなくなることで消えつつあったが、近年の

ブント村の地名表記例

行政区分	地名表記	内容
全羅南道咸平郡月也面龍岩里	奔兎洞→分土洞→殷岩	本来、村の裏山が兎の形をしていて、「奔兎洞」の意味だったはずが、一七八九年に、音だけとって「分土洞」を宛てるようになる。現在の「殷岩」という地名は、この村出身の漢学者である朴漢標の号からきている。
江原道神林面九鶴里	粉土村→分土村→善鶴洞	粉土が出るから「フント村」と呼ばれていたが、村人の間の紛争が多く、その理由は、村名の「ブント」の音が「分土」の意だからだということで「善鶴洞」に改名した。
全羅南道光州広域市北区望月洞	奔兎村→粉土村	「玉兎望月形」に由来して「奔兎村」であったが、一九一四年の行政区域改編で「粉土村」となる。[6]
忠清北道沃川郡沃川邑郡西面上中里	分土村	本来、東五里に属した自然村で、上中里と下東里に分けられた時に上中里に入る。土地を分けたことから分土村という。
慶尚南道河東郡玉宗面大谷里	奔兎（分土の可能性もあり）	一九一四年の行政区域改編で北平面、大洞、楸洞（追洞）、正守面桐谷洞が統合し、玉宗面大谷里となる。楸洞は、玉宗と昌村の分岐点となる地で、さらに、兎が裏山に逃げる地勢から「奔兎」という。なぜ兎が逃げたかは説明されていない。

地域文化調査で拾い上げられ、また、地域の観光情報として必要とされる状況にもなってきた。そこで、もともと文字表記の必要がなかった自然村の名称にも、「記録」するために漢字表記が必要となり、その由来に従って漢字が当てられるようになる。すると、地名を文字化することによって、「粉土」と「分土」が混用されていたことに気づいたり、「粉土」を「奔兎」に戻すべきであるという主張が出てきたりするようになってきたのである。そして、「ブント」という地名の由来を説明するために、古い文献が参照され、人々の記憶から地域の伝承を改めて呼び戻そうとする動きが起こっている。

こうした動向に、説話研究はこれからさまざまな形で関与していくことができるだろう。たとえば「奔兎」という地名の場合、「なぜ兎は奔ったのか」を追究・解明したり、全羅南道光州の「奔兎洞」のような、仏教由来の「月の兎」説話を背景にする稀な事例を採集し、その意義をその地域に伝え残したりして行くことは、説話研究が地域に貢献するひとつの形なのではないかと思う。

注

1　「村」は、韓国語で「マウル（마을）」、「コル（골）」といい、ここでは日本語として「村」と表記するが、「マウル」や「コル」は、漢字表記にした時、「洞」となる場合が多い。そこで、「ブント・マウル（분토마을）」、「ブント・コル（분톳골）」、「ブント洞（분토동）」などの名称が使われている。

2　二〇一七年九月六日『新しい全北新聞』記事「南原市、村の由来、観光商品として活用」。http://www.sjbnews.com/news/articleView.html?idxno=548579（閲覧日：二〇一九年六月三十日）。

3　俗説であるが、文献としては宋時代の博物誌である『爾雅翼』巻二十一の「兎」の条に、「兎視月而有子」また「八月之望是夜深山大林中百十為列延首月影中月明則一歳兎多月暗則兎少是稟顧兎之氣以孕也」（『欽定四庫全書』による）とある。日本でも、「野生の兎を飼い慣らしていても、月夜の晩には決まって逃げだしてしまうとの俗信が広く分布」しているのも関係があると思う。天野武「兎をめぐる民俗」（『月刊文化財』二八〇、第一法規出版、一九八七年、七頁）。

4　二〇一九年二月、龍山里（奔兎洞）の金ブシク（김부식）里長と通話、採録。

5　この地方行政制度の改編の特徴は「従来の郡と面を統廃合し、その数を減らして面を末端組織として統制を強化し経費を節減しようとした」ことだという。孫禎睦、「日帝侵略初期、地方行政制度と行政区域に関する研究」（『地方行政』三十二〈三六〇〉、大韓地方行政共済会、一九八三年、七九～九二頁）。

6　二〇一〇年十月二十七日、『市民の声』記事「月を見て奔った兎が住む村」には、「この村は本来、玉兎望月形に由来した望月洞と深く関わりがあり、漢字は「奔兎」が正しい。しかし、植民地時代に行政再編の過程で、「粉土」洞になってしまった。（中略）韓民族の共同体の情緒を根こそぎ消し去ろうとする意図があったのではないか」と批判している。http://www.siminsori.com/news/articleView.html?idxno=64435（閲覧日：二〇一九年六月三十日）。

趙恩馤（ちょう・うね）●所属：崇実大学校助教授●専門分野：比較説話文学●主要著書・論文：「植民地時代における朝鮮説話集と博物学―三輪環『伝説の朝鮮』を中心に―」（『日語日文学研究』九十八号二巻、韓国日語日文学会、二〇一六年八月）、『東アジアの仏伝文学』（共著、勉誠出版、二〇一七年）、「島津久基の童話研究とその意義―再評価に向けて―」（『比較日本学』四十六号、漢陽大学校日本学国際比較研究所、二〇一九年十月）

ベトナムの説話世界の独自性と多元性
——東アジア世界論・単一民族国家論・ナショナリズムを超えて

Pham Le Huy（ファム・レ・フィ）

1　はじめに

近年、韓国・中国・日本など東アジア諸国からベトナムに足を運んで、説話文学も含めた「越南」の漢文学を研究しようとする研究者が急増してきた。これは、政治的に東南アジア諸国連合の加盟国と認定されたベトナムの古典文学を、東アジア文化圏のコンテキストのなかで再評価・再認識しようとする動きとして捉えることもできる。筆者自身も、ベトナム人でありながら、日本で日本古代史を学んだため、帰国後当初はベトナム人というよりむしろ東アジア人としてベトナムの説話資料を自分の研究に取り入れてみた。ところが、それを進めていくうちにベトナムの説話世界の独自性や多元性を意識し始めた。説話文学会五十五周年記念に当たって、これまで気づいたことを関係者に共有した上で、自分なりに今後の研究への期待や提言を述べたい。

2　東アジアにおけるベトナムの説話世界の独自性

中国と陸続きのベトナムはその地理的な条件により比較的早い段階から漢字文化圏に接触し、またその世界に取り込まれた。それに伴って、ベトナムの多くの古説話も早くから漢字で記録されるようになった。たとえば、陳朝期成立の説話集『越甸幽霊集』や『嶺南摭怪』に見られる「安陽王と神弩」説話が、すでに六朝時代から中国の役人たちによって『交州外域記』や『南越志』などに書き残された。これらの書物はもう散失したのだが、説話を語った逸文は北魏代の『水経注』や北宋代の『太平寰宇記』などの地理書に引用され、現在に伝わってきた。これらの逸文を『越甸幽霊集』や『嶺南摭怪』と比較することにより、それぞれの説話の古い姿やその時代変遷を明らかにすることができる。他に『越甸幽霊集』に引用された「趙公」や「曽公」の『交州記』は、唐代に安南都護としてベトナムに赴任した趙昌や曽衮が山川の遊覧で得た見聞に基づいて編集した記録だと考えられている。

ベトナムの説話は最初の段階ではこのようにベトナムに赴任し、一時的滞在を経て、やがて北方へ去っていった中国の知識人、言い換えれば外部の人たちによって外部の目で「外域」の説話として記録されたのだが、現地で漢字文化の教養が成熟するとともに、今度は地元と深い地縁や血縁がある人々によって内部の目で文章で語られるようになった。『越甸幽霊集』が素材にした『報極伝』や杜善の『史記』はそれに当たると考えられ、北の国を意識した「南国」云々の表現がまさに内部の視点を示している。なお、中国の役人たちも、ベトナムの説話を記録する外部の存在にとどまらず、説話そのものの人物として描かれるようになり、ベトナムの説話世界に盛り込まれた現象もみられる。『水経注』所引『交州記』の「龍編県功曹左飛、虎に変ず」や、『越甸幽霊集』などにみられる唐代の峯州都督李常明、安南都護李元喜・高駢に関する説話がそれをよく示した。

内部の目で地元の説話を語る際に、純粋な漢文、いわゆる「正格漢文」だけでは十分に現地の言葉や物事を伝えることができないという問題がやがて現れてきた。これはベトナムだけではなく、日本や韓半島などの、いわゆる中国の周縁地域が直面した共通的な課題であった。その課題を克服するために日本や韓半島などでは和漢混淆文や新羅様式のような変体漢文が導入され、さらに次の段階ではひらがなやカタカナ、そしてハングルなど独特な文字が創出された。それに類似するベトナムの工夫は「𡨸喃(喃字)」(チュノム)という文字の創出であったが、チュノムの誕生はベトナムの説話世界に他に例を見ない独自性をもたらしてきた。『越甸幽霊集』の馮興伝では、「布蓋大王」という王号に「夷俗呼父曰布、母曰蓋、故以名焉」との注記が加えられたのが、その代表的な事例である。タインホア省で流布した黎玉関係の伝説では、ベトナムの独特な植物を記すために、「此樹」の漢字の下に「俗名樓栘」とのチュノムによる注記がなされたことが興味深い(『東山県寿鶴総各社村神蹟』)。近年、筆者は国民的な説話「剣湖伝説」を検討する際に、それを漢文で記した王朝実録『藍山実録』や皇室系譜『皇黎玉譜』の漢字本以外に、読み上げるためのチュノム本も発見した(『御製玉譜記』)。チュノムがこうして注記や全文に活用されることにより、本来音声の世界から文章化された説話は、文字の世界から再び音声の世界に蘇ってきたのである。

3　多民族国家による多元性、多種多様な文字表記による説話の多様性

これまで中国、日本、韓国に対比するために、「ベトナムの説話」という言葉を当たり前のように用いてきた。ところが、その「ベトナム」は果たしていつまでさかのぼれるのだろうか。それを考える際に、不変的な国土論や単一民族国家論に対する近年のベトナム歴史研究の反省運動が説話研究に示唆的視点を提供してくれるだろう。たとえば、現在のベトナムの国土が出来たのは最後の王朝である阮朝期（十九〜二十世紀）であったということは、二〇〇〇年代に入って初めて認められるようになった。また「ベトナム」の歴史教科書や通史では、従来人口の大多数を占めた「京族」（「越族」とも）の歴史が中心となっていたが、筆者も現在関わっている新しい国史編纂事業では、南部のオケオ文化、中部のチャンパ王国に関する歴史叙述が求められるようになっている。なお、広大な国土を領有する中華人民共和国には五十六の民族がいると言われているが、それに比べて国土がわずか三十分の一であるベトナムでは、二十四もの民族が居住・共存しているということを考えると、ベトナムは間違いなく多民族国家である。さらに同じ民族にしても平野に居住する人々もいれば、沿岸部や山間部で生計を立てる人々、日本の歴史学者網野善彦氏が強調した「山の人」や「海の人」もいる。

その視点に立脚してベトナムの説話世界を考えると、これまでよく注目された京族の説話以外に、さまざまな民族やさまざまな共同体によって多様な文字表記で記録された説話の存在を忘れてはいけない。それに関して近年、ベトナムの漢喃研究所でタイー族（中国では岱依族）の独自なチュノム、いわゆる「チュノムタイー」（タイー族の喃字）による文学の集大成が編纂されたことがまず注目すべきである。資料の豊富さに関して、一部の学会ではベトナムの最古碑文は晋代の建興二年（三一四）の陶璜廟碑だとされているが、これはあくまでも漢字世界、東アジア世界を前提とした発表である。それとは別に、ベトナムの中部ではこれまでサンスクリットによる碑文が二百点以上も発見され、その最古年代が陶璜廟碑に匹敵する一世紀から四世紀までだと解明された。これらの碑文には、「ベトナム」の中部・南部にかつて存在した扶南・林邑・チャンパ各王国の神々の世界や説話が数多く刻まれており、今後の説話研究にとって貴重な材料となるのだろう。

韓半島、中国、日本と違って、ベトナムの説話はまたアルファベット系の文字でもよく記録された。フランス植民地主義の進出とともに、十九世紀末にフランス人学者Par A. Landesはベトナム各地の口頭伝承を調査し、それをフランス語で記録して、「安南の神話と伝説」（Contes et Légendes Annamites）と題して『遊覧と観察』（Excursions et reconnaissances）という刊行物に連載した。さらに一九五七年から一九八二年にかけての間、ベトナム民間伝承研究の先駆者グェン・ドン・チー氏はLandesの記録をベトナム語に翻訳した上で自らの調査で収集した地方伝承も加えて、『ベトナム昔話の宝庫』（Kho tàng Truyện cổ tích Việt Nam）という説話の集大成を書き上げた。『ベトナム昔話の宝庫』は、ベトナム語の音声を記録するためにヨーロッパの宣教師がラテン文字をもとに開発し、一九四五年以降ベトナムの公式な表記法である「チュ・クオック・グー」（国語）で書かれた。現在の小中学校の教科書に登場した説話の多くは、『ベトナム昔話の宝庫』から転載されている。このように考えると、ベトナムの子どもたちに親しまれた多くの説話の語りは、漢文から現代語訳されたものではなく、フランス語からベトナム語に翻訳されたものである。

ベトナムの説話は、こうして歴史の変遷とともに漢字、チュノム、サンスクリット、フランス語、国語などさまざまな文字表記で記録されてきた。高駢に関する説話や「剣湖伝説」に代表されるように、同じ説話にしても四つもの文字表記で文章化された事例もある。多民族国家の特徴を意識しながら、漢字・漢文世界に束縛されず、この多種多様な文字表記による記録を総合的に検討すれば、ベトナムの説話世界の基層や時代による変遷（言説）を多元的に解明することが可能である。

4 国民国家論やナショナリズムを超えて

現在のベトナムという国民国家とその文化は、上記に述べたように多民族の文化が結集した歴史の産物である。ベトナムの元歴史学会会長ファン・フイ・レー教授の言葉を借りて表現するならば、ベトナムの説話世界はベトナム歴史と同様、「多元的統一性」をもつ世界である。その統一性は、国民国家やナショナリズムが成長するとともに誕生したものである。その過程に関して、近年村落の神々に関する説話を調べていくうちに筆者は次の現象に注目した。黎朝（れいちょう）期や阮朝期には、朝廷は各村落に対して地元で祭祀された神々の尊号やそれに関する資料（石碑や冊封詔勅の存否）を申告させ、『南越神祈会録』『皇越神祈総冊』『大南神録』といった書物にまとめた。それをひもとくと、多くの村落は黎朝期に入って「事跡封勅失没」とあるように戦争や災害によってすでに神々の事跡を失った状況にあった。そのため、村落の事跡を復原するために「奉案国史」「奉攷嶺南摭怪」とあるように「国史」（『大越史記全書』）や『嶺南摭怪』の記述が参考にされた。これは、本来地域性があった説話が国家の事業で『大越史記全書』や『嶺南摭怪』の記述に刷り直され、一元化された現象であると考えられる。さらに景興年間（十八世紀後半）成立『南越神祈会録』の現存写本をみると、当写本は中央朝廷のものではなく、「良安村」という村落が「奉抄」（書写）したものだと判明した。すなわち、説話が国家レベルで刷り直されたあと、一部の村落は書写作業を通じて統一された説話を基準に、地元の説話を再整理したのである。ほぼ同じ現象は『皇越神祈総冊』の現存写本でも確認でき、文淵社という共同体が朝廷の「会録」を書写した上で自分の村落に伝わった神々への歴代王朝の冊封詔勅を綴ってできた写本である。

　説話の一元化は、二十世紀後半にさらに加速した。南北統一の一九七五年以降、公定教科書制度のもとで地域・民族を問わず、教科書の内容が全国で統一された。そこで国文教科書にベトナムの「伝統的な」説話として「安陽王の神弩」「剣湖伝説」などの説話が掲載された。これによって戦後「ベトナム」の子供たちは、どの民族やどの地域・共同体に属するとしても、結果的に同じ説話を読むことになっている。公定教科書が「ベトナム」という国民国家の結束力や求心力の向上に貢献する反面、ベトナムの説話世界の本来の多様性や多元性に対する排他主義を育む危険性もある。

　上記の問題に立ち向かう際に、ベトナムの説話研究は、学術研究を通じて、国民国家論やナショナリズムを超えて、国民国家的な説話への道のりを解明し、ベトナムの説話世界の多様性や多元性を掘り出して、広く社会に発信し、多民族の共存社会に寄与する社会的責任がある。多種多様な文字表記による説話の記録を収集するために、説話の記録が散在した各図書館のデータベースの構築・公開を実施し、その利用の利便性を向上しながら、国際的研究協力を促進することが切なる課題になると思われる。

Pham Le Huy（ファム・レ・フィ）●所属：ベトナム国家大学講師●専門分野：日本古代史、ベトナム古代・中世史●主要著書・論文：「賦役令車牛人力条からみた逓送制度」（『日本歴史』第九号、二〇〇九年）、「ベトナムにおける新発見の陶璜廟碑」（新川登亀男『日本古代史の方法と意義』勉誠出版、二〇一八年）、「ベトナムの年号史試論―丁・前黎・李・陳朝期（十世紀〜十四世紀）の事例を中心に―」（水上雅晴編『年号と東アジア―改元の思想と文化―』八木書店、二〇一九年）

デジタル時代の研究環境への一提言

楊 暁捷

説話文学の研究は、かつてデジタル技術を率先して利用し、その有効性や魅力をいち早く具体的に示していた。すでに十五年以上もまえになるが、いまだ制作段階で完成していなかった「説話データベース」を関係者からいただき、それを頼りにさまざまな人名、地名、事件などを延々と試したり確認したりしたときの興奮や喜びは、いまなおありありと覚えている。

だが、デジタル技術は、凄まじいスピードですべての社会生活の様子を塗り替えている。説話文学の研究について言えば、キーワードによる追跡などは、たとえば「ジャパン・ナレッジ」の基本的な検索機能に置き換えられ、しかも方法的に広く共有されながらも、むしろその限界が浮き彫りになった。一方では、研究環境の激変が続き、数年まえには思いもよらなかったようなことは知らない内に実現されている。研究成果のデジタル化や古典の原典へのアクセスでは、教育、研究機関がリポジトリを通して研究成果を公表し、かなりの数の研究誌は印刷出版とデジタル公開とを同時に行うようになっている。古典籍のデジタル化に伴い、画像公開や相互利用を目的とするIIIF規格が普及し、かつて現地調査でも簡単にアクセスできない一流の底本でもオンラインで閲覧したり、再利用したりすることができるようになった。

このようななか、古典文学研究を目指す者として、どのように行動し、いかにして新技術を応用して研究活動を続け、そして新しい世代の研究者を育てるべきだろうか。ここに研究環境の整備という立場で一つの提言を試みたい。

*

まず、古典文学における典型的な学問のやり方を振り返ってみよう。

研究に志す者は、日常的に続いた資料調査、研究集会、教育活動などから生まれた発見や思考を印刷物として形を結ぶことを目指して纏めていく。雑誌や書籍が伝播のおもな手段であり、活字になるということは神聖な響きを持ち、研究者の目標であり、到着である。そのような印刷物は、やがて「審査」、「完成」、「評価」、「継承」という一連のプロセスを踏み、学問の世界を築いていく。作成された原稿は、研究会あるいは出版社などが主体となる機関に審査され、それをくぐり抜けたものは編集、校正を経て出版され、流通、配布される。いったん読者の手に届けられた出版物は、姿かたちが定まったものとして受け止められ、書評などによって吟味批判され、そして新たな知見を触発したりして、継承されていく。一人ひとりの研究者がすっかり馴染み、当然のように享受してきたこの学問の伝統には、貴重な智慧が集結され、代えがたい秩序が含まれる。

学問の流儀に照らして考えれば、デジタル技術にかかわる研究環境のいくつかの特徴が見えてくる。在来の印刷物にみる「完成」のプロセスは、飛躍的な変貌を遂げ、完全に様変わりした。テキストの原稿でも、デジタル技術を駆使した成果でも、公開すれば即利用者の手元に届き、印刷のコストも、流通に載せる苦労も必要としない。技術の進歩は、利用者との距離を縮めることを目標の一つに掲げているので、少人数、ひいては作者一人の力で成果を仕上げて公開することが可能であり、完成に先立つ審査や選別のプロセスは不要となった。さらにデジタル技術は、更新を前提とし、不完全な成果でも公開しながら、すこしずつ直していくことを理想とし、完成品をかならずしも第一義に追求しようとしない。その結果、印刷文化にみられる「評価」、「継承」は、ほとんど不可能になった。肝心の成果物そのものが、絶えず更新され、あるいはそうでなくても変更されうる環境に置かれてみれば、真剣な批評も、有意義な引用も、成果物の不変が担保されないかぎり、現実的に望めない。

*

そもそもデジタル技術を応用した研究とはどのような性格のものだろうか。大規模なデジタル公開、データベースの制作、関連基準の設定などはまず考えられよう。一方では、それらの成果を利用する非常に小規模なものも存在している。誤解を恐れずあえて具体的に説明するために、あくまでも実験例にすぎないが、筆者がこれまで模索してきたいくつかのものを紹介してみよう。

オンラインで多数公開されている絵巻から関連の画像を集め、古典にみるビジュアル世界への手引きとする「古典画像にみる生活百景」。（二〇一六年一月公開。サイトタイトルを検索すれば簡単にアクセスできるので、アドレスの記述を省略した。以下「リンク略」と記す。）利用した画面は統一したタッチを加え、オリジナル画像公開へのリンクを添えた。変体仮名読解の一助として、連綿の仮名に書写の筆順をGIF動画で示した「動画・変体仮名百語」（二〇一六年六月、リンク略）。利用した仮名はすべて「e国宝」に収録されたものから抜き出し、動画表示にはそれぞれの文字例の引用元へのリンクを添えた。絵巻の名作「絵師草紙」の読解として、「まんが訳」と名乗り、動く画面を含む四コマ漫画「劇画・絵師草紙」（二〇一六年八月、リンク略）。利用した絵巻は国立国会図書館所蔵本であり、絵巻模写の利用についても一つの具体例を提示してみた。IIIF規格の応用を試し、御伽草子作品のマルチメディア的な表示を模索する「デジタル展示・からいと」（二〇一七年十月、リンク略）。音声朗読、朗読に合わせての底本文字への指示動画、アノテーション機能を用いた翻刻テキストと底本との照合、他の異本の紹介や物語の解説など、多様のメディアを「デジタル展示」という名のもと、一つのサイトに集合させた。

いずれも特設サイトの形を取り、特定のテーマに沿って、デジタル技術の有効性を確かめながらの実験的なものである。そのため、あえてそれぞれ異なる方法を開発し、課題の整合性やある程度の完成度を意図した。そして、比較的に利用しやすい方法を用いたので、どれもデジタル関連の専門家の手を借りずに、筆者一人の能力で対応した。あえて比喩的に言えば、それぞれの成果物は、在来の研究における一篇の論文を公表したようなものである。

＊

デジタル技術を利用し、マルチメディアの特性を活かしたさまざまなアプローチは、これから広く繰り広げられ、そしてそのような展開は、一日でも早く現実的なものになってほしい。デジタルとともに育ったつぎの世代の研究者は、この流れに積極的に参加してくることだろう。それを迎え、環境を整えるためには、どこから手をつけたら良いのだろうか。

ここでは、伝統的な学問のやり方に習い、それをデジタル関連の成果発表にも実現すべきだと提言したい。

デジタル成果物には、「審査」と、「評価」、「継承」の対象になる可能性を用意したい。然るべき基準によって成果物を選別し、制作と公開を切り離すことをその眼目として良かろう。著者の署名を持ちながらも、作品を作り手から離し、第三者の管理で公開すれば、改変される可能性が取り除かれたそのような成果物は、完成されたものとして批判、批評、そして引用される資格を持つようになる。このような審査や公開を管理する機関は、いわば在来の出版社あるいは学会誌の編集部のような役目を担うものだが、既存の研究会や研究機関に期待したい。プラットフォームの選定や運用、管理には、ある程度の専門知識を必要とするだろうが、成熟した技術に頼り、汎用性の高いもののみを対象とすれば、かならずしも途轍もない労力の要る創出ではない。

ここでも、筆者が試みた小さいな具体例を一つ取り上げたい。海外の大学に身を置き、専門分野の研究者とともに研究に携わる機会が少ないなか、以上の考えを教室のなかの学生たちを対象に実践してみた。日本の歴史をテーマとするレポートなどから優秀な作品を選び、PDFファイルに変換可能な文章、漫画、そして短いビデオ動画を、電子小冊子とYouTubeチャンネルという二つのプラットフォームに纏めて、特設ページ「Old Japan Redux」(二〇一五年より、リンク略)を開設した。この場合、審査や管理に務めるのは、クラス担当の筆者である。ちなみに、五年続いたいま、このサイトに作品を載せたいためにクラスに登録した学生まで現われはじめた。

＊

デジタル時代の到来は、いまだ始まったばかりで、古典文学研究のような悠長な歴史をもつ分野への影響は、これからすこしずつ形を持つものであり、研究者たちの仕事やそれに纏わる環境にみる変化は、ゆっくりと現われてくることだろう。だが、伝統的なメディアに加わり、デジタルメディアならではの表現やアプローチが教育や研究に欠かせない一席を占めるときはかならずやってくる。そのような展開を迎え、健全な環境を整えることは、今日のすべての研究者の責任であり、そしてそれを成し遂げ、新しい学問の枠組みを作り出すためには、在来の学問の方法を受け継ぎ、そこから発展させることこそ理想的で、あるべき道筋だと信じる。

楊 暁捷(やん・しょおじぇ)●所属:カナダ・カルガリー大学教授●専門分野:日本中世文学●主要著書:『鬼のいる光景』(角川書店、二〇〇二年)、『デジタル人文学のすすめ』(共著、勉誠出版、二〇一三年)

説話文学会55周年に思う

千本英史

かつて有精堂出版から日本文学研究資料叢書というシリーズが出ていた。若い会員はこのシリーズで当該分野の研究史について基礎的な知識をつけた経験などないかもしれない。著名な論文を二段組で活字化・集成したもので、レポートを書くときなどよくお世話になった。第一期第一回配本が『日本神話』で一九七〇年刊、八六年三月の『有島武郎』がどうやら最後で全九十九冊だった。説話関係は二冊あり、『今昔物語集』は第一期中の一冊で巻頭は山岸徳平氏の「今昔物語集の価値」。一九三〇年七月の論文だ。『説話文学』の方は遅れて第三期の一九七二年十一月の刊行で、全部で二十九編の論文が収録されている。ちょっと驚くのは巻末の「説話文学研究参考文献」でリストアップされるのが、山岡浚明『類聚名物考』から始まり、岩波新書『日本文学の古典』や長野嘗一氏編の『説話文学辞典』、続群書類従や古典文学大系に入ったテキスト類、さらに雑誌の各種特集号など全部合わせても個別論文を含め二百六十余点に過ぎないことである。

目次は作品別で、『日本霊異記』（六編）、『三宝絵詞』（まだ『絵詞』と呼ぶのが普通だったのだ、三編）、『打聞集』、『江談抄』、『宇治拾遺物語』（七編）、『古本説話集』、『善家秘記・真言伝所引散佚物語』、『撰集抄』、『沙石集』、『閑居友』の十項に分かたれている。作品名での分類がまだ可能な時代だった。『善家秘記・真言伝所引散佚物語』は、今野達氏の同題の『国語と国文学』掲載論文だが、「今昔物語集との関連において」という副題が添えられている。今日の研究とのあまりの落差に改めて感慨を催すのは筆者ひとりではあるまい。

そうした説話文学研究の動向の変化については、二〇一三年に刊行された『説話から世界をどう解き明かすのか　説話文学会設立五〇周年記念シンポジウム［日本・韓国］の記録』（笠間書院）で、記念事業委員会の小峯和明氏、当時の学会代表の林雅彦氏の巻頭あいさつでも振り返られているが、両者がともに挙げられるように、大きく「説話文学」（説話集）研究から「説話」研究へという流れとなろう。

ちなみに二〇一二年六月に開催された五〇周年記念大会は、三つのセッションのシンポジウムからなり、第一セッションは「説話とメディア―媒介と作用―」、第二は「説話と資料学、学問注釈―敦煌・南都・神祇―」、第三は「説話と地域・歴史叙述―転換期の言説と社会―」だった。また同年末に韓国日語日文学会との共催の形で行われた「ソウル例会」では、全体シンポジウムとして「古典の翻訳と再創造―東アジアの今昔物語集―」が開催され、中国から張龍妹氏、ヴェトナムからグエン・ティ・オワイン氏、韓国から李市埈氏を招き、東アジアを視野に入れたものとなった（今回の設立五五周年記念北京特別大会はその流れを直接に受けている）。この間の説話、説話文学をめぐる研究の方向性の大きな変化が再認識される。

説話文学会は、設立三〇周年にあたっては、設立当初からの会報だった「説話文学会会報」の一号（一九六二年七月）～二十三号（一九六七年九月）の覆刻版を出している。改めてその頁を繰ってみると、第一号に設立時点での会員名簿が載り、総数二百八人で、北海道四人、東北二人、中部と近畿はそれぞれ十六人、中国・四国が五人で、九州は九人。残る百五十六人（全体の七十五％）は関東地区に集中していた。今日までに研究の方向性の変化だけでなく、それを担う人々も大きく拡がってきたことを知る。

ある時期、「説話文学会という名称はもう変えてもいいんじゃないの？」という声を委員会などで聞いたこともあったが（かつて七〇年代半ば研究の基準として刊行された東京美術刊の『日本の説話』全七巻＋別巻の、別巻「説話文学必携」が新装改訂版として「日本短篇物語集事典」一九八五と題して刊行されたときには、何か裏切られたような感覚をもったことを覚えているが、近年の「説話」という語への「疑義」はもう少し切羽詰まったようなところも感じられる）、けれどもわたし自身はこうした変化の中で、「説話」だけでなく「説話文学」という語をも含めて、この切り口はかえってますます有効だと感じている。

ただし、「説話」ないし「説話文学」という語を、より研究の基盤にしっかり据えるためには少なくとも二つばかり、ぜひとも進めなければならない課題がありそうだ。

ひとつは「文学」という概念の再定義をも含めて、各国でばらばらに理解されているこの「説話」という概念をすり合わせていく努力である。

個人的な経験だが、かつて国文学研究資料館とコレージュ・ド・フランス日本学高等研究所との共同研究「集と断片」で、筆者は『発心集』の一人称叙述の問題を報告したことがあった（その報告は、他の諸氏のすぐれたご発表とともに『集と断片　類聚と編纂の日本文化』〈勉誠出版、二〇一四年〉に収載されている）。ディスカッサントをつとめてくださったのは、フランス国立東洋言語文化学院のミシェル・バロン氏だったが、氏は「説話文学というからには、事実性が第一のはずで……」など、かつてそれが説話の常識とされていた事柄を踏まえて筆者の発表の問題点を指摘された。バロン氏はあらかじめフランス語の文献で日本の「説話」について周到に概念を整理された上でディスカッサントをつとめてくださったのである。筆者は「いや、今日では説話というジャンルを事実性などで考える考え方はむしろ少数で」などと、しどろもどろに答えるしかなかったが、その応答を聞かれていた学習院大学名誉教授で近代文学がご専門の故十川信介氏から、「なんだ、説話の連中はジャーゴン（素人にはわからない専門語、特殊用語、業界用語の類）ばかり振り回してるのか」と厳しく一喝されたことを思い出す。フランスでの日本文学研究のレベルの高さは衆人の認めるところであろう。まして、コレージュ・ド・フランス初代日本学講座教授を勤められたベルナール・フランク氏は説話文学会発足時の会員名簿にもただ一人の外国人会員（地域分属は東京）として名を連ねられてもいる。そのようなフランスにおいてさえ、今日の説話文学研究の現状はまだまだ知られていないのである。ソウル例会、北京特別大会と、ようやく東アジア地域での開催が実現したが、さらに多くの地域で、「説話」という研究方法を試行していかねばならないだろう。

その際、次に必要なのは、各地から参加している出席者が、自由闊達に意見交流をできる場を保証することだろう。今回の北京特別大会では二日目の最後に、ラウンドテーブルとして「東アジアの〈環境文学〉と宗教・言説・説話」という場が設けられたが、これはかなり成功だったといえるのではないか。ひとつは大会のほぼ三ヶ月前に立教大学で、「国際会議　日本と東アジアの〈環境文学〉」が開催され、両方の場に出席した参加者も少なくなく、話題の継続性が得られたことも原因だろうが、筆者自身は、立教の国際会議の場で金文京氏が「環境文学という切り口に疑問も持っていたが、この台風はそのまま朝鮮半島にも中国大陸にも進んでいくわけで、東アジアの課題として環境という問題設定はふさわしいと思うに至った」（立教の国際大会はあいにくの悪天候のもとで開催された）と指摘されたことに大きな示唆を受けた。そうして確かに、環境文学という切り口で発表したパネラーの諸氏は、まことに伸びやかに自身の問題として自説を開陳されたのであった。

もちろん「環境文学」という視座が、いつも有効な切り口であるわけではない。立教のラウンドテーブルでは筆者は司会をつとめたが、その際、討論の素材にと三月六日付の毎日新聞奈良版の「大和森林物語」（十六）の記事のプリントを用意した。心配したとおりの時間不足で、とてもその内容に踏み込むことはできなかったが、それは生駒山は戦後しばらくまで「草しかないはげ山だった」というものだ。筆者は生駒山の東麓に住むが、これまでそんなことは考えたこともなかった。新聞記事の田中淳夫氏によれば「生駒山は古代より土器や瓦の産地であり、燃料として木が伐られ続け」たなどの結果、禿げ山化し、森林が戻ったのは戦後のエネルギー革命によってで、「七〇年代には、山腹を豊かな落葉樹林が覆ったのではないか」という。

改めて近江国田上の禿げ山を思い出す向きもあろうし（そうして源俊頼の「田上集」ではどの歌を見てもそこが禿げ山だとは気づかないのである）、近頃もてはやされる「里山」なるものが実際にはこの国の原風景とはほど遠いものだという事実を思い起こす向きもあろう。つまりは「環境」自体が、時代と場所とで大きく異なっているということ、さらにそれを言語化することとの間に一定の「距離」が生ずるという自覚が必要なのだ。参加者が自分の経験から豊かな討議を繰り広げることは高く評価できるが、その「前提」について厳密な考証が必要なことを忘れてはならない。

学会というものが、時と場を共有して討論し、さらにその後の宴席での酒杯をも含めての交流が大切なこと、よくよく承知しているつもりではあるが、事務局を預かった何年か前、遠隔地からのネット上での参加などもあってもいいのではないかといろいろに考えたことを改めて思う。配付資料の会員への（事前も含めての）ネット送信も可能かもしれない。そのことによって、わたしたちが「常識」として前提化している事柄のいくぶんかは相対化され、論に参加する人々の内で（その範囲はもちろん著しく拡大するだろう）根底的な討議が可能になるのではないかとの期待を持っている。

前頁までのコラムの初校を返したのは二〇二〇年の三月の初旬、タイプミスなどはあったが、筆者自身は中身についてはとくに問題は感じていなかった。送信を傍らで見ていた家人が、「文学研究ではネット利用はまだその段階なんだ」というのを、友人の複数の自然科学系の研究者がそれこそ世界中のメンバーと、時差を勘案しつつ設定時間をぎりぎり調整しながらネット会議をしていることはよくよく承知していたが、「そう急には変化しないよ」と答えていたのだったが、二校が戻ってきた四月下旬になると、そんな悠長なことは言っていられなくなった。

わたしが関係するいくつかの学会でも、ZOOMだのMicrosoft TeamsだのCisco Webex Meetingsなどといった用語が飛び交い、委員会などではそれにいやおうなく対応していかなければという感じになってきた。これまでSkypeというものの名前だけをかろうじて聞き知ってきた（使ったことは一度もない）身には、わずか一か月でのあまりにも急激な変化としかいいようがない。わたしは三月末で定年退職という「戦線離脱」をした身だが、大学の現場でも「遠隔授業」がむしろ「標準」になりつつある。

さて、こんどは今までと逆に、どのようにして対面、同空間の共有を保障できるかが問題となりつつある。

この追加原稿を書いているGW途上の某日時点で、今後のことを語るのは、後からみればあまりにも無謀だろうが、もとより、「遠隔」と「対面」を対立的に捉えるべきではないだろう。五十五周年企画で、北京に東アジア各国の研究者が一堂に会して行ったシンポジウム、その後のなごやかな懇談会、さらに遼時代の寺院の見学会で得られた実体験を伴う知見、いずれも忘れ難い思い出である。

説話文学会は、どうかこれからもフットワークの軽い研究団体でありつづけたいと願うし、また諸学会の中でももっともその実現可能性が高い存在だと信じている。

千本英史（ちもと・ひでし）●所属：奈良女子大学名誉教授●専門分野：平安・鎌倉散文文学●主要著書：『験記文学の研究』（勉誠出版、一九九九年）、『日本古典偽書叢刊』（共編著、現代思潮新社、二〇〇四・五年）、『高校生からの古典読本』（共編著、平凡社、二〇一二年）

國家典籍博物

北京所在の遼代の寺院をめぐって

——旅のしおり

●粟野友絵

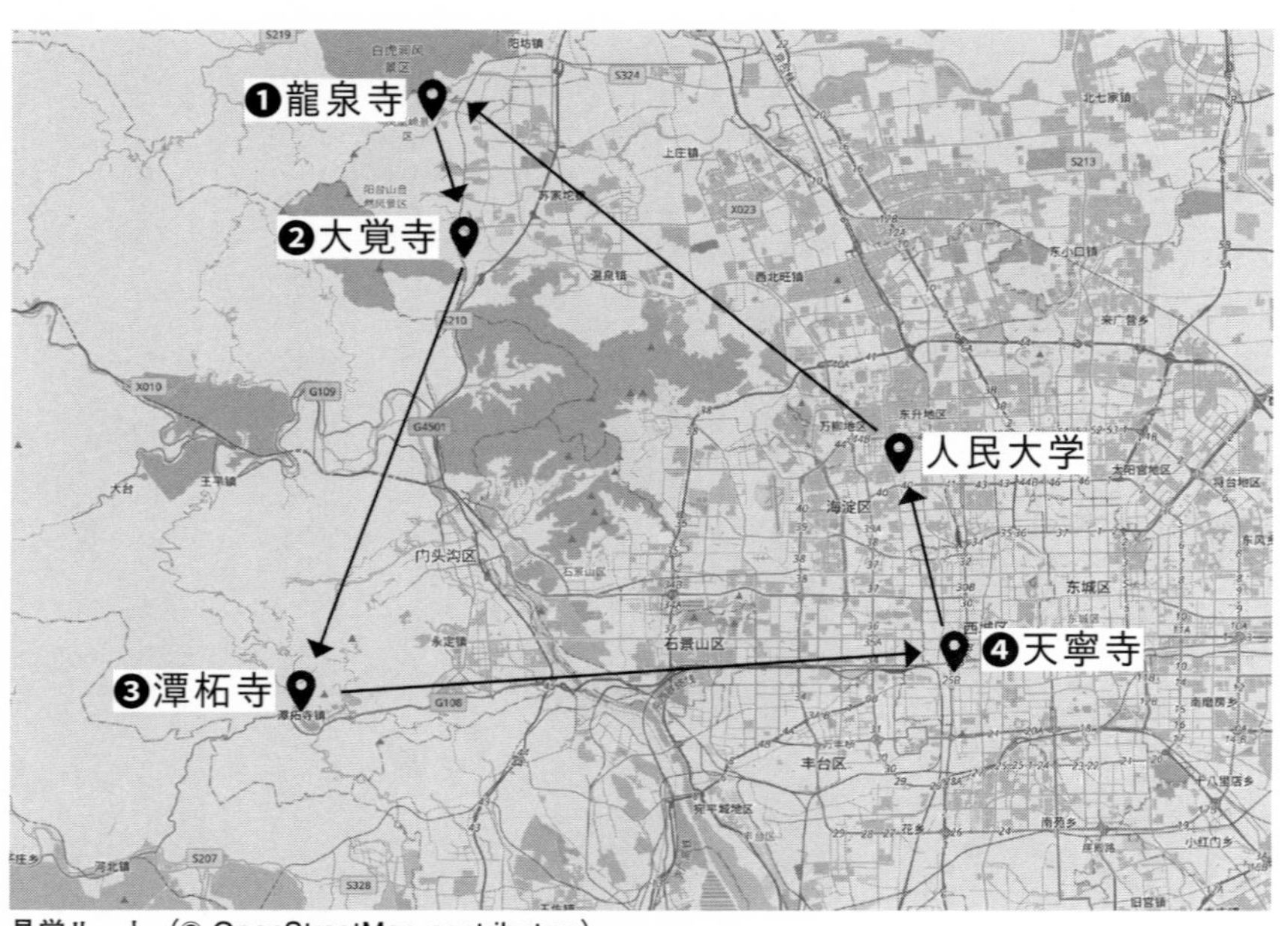

見学ルート（© OpenStreetMap contributors）

❶龍泉寺（りゅうせんじ）

龍泉寺は北京西山鳳凰嶺（せいざんほうおうりょう）[1]の麓に位置し、遼の時代（西暦九五一年）に建てられ、今から千年あまりの歴史を有する古刹である。明の末に寺院が衰退し、清の乾隆後期に昌平（しょうへい）州府はもとの寺院の東側にある余龍橋を中軸とし、建物を南に向き北に座し、もとの寺を「西寺」と称し、総称を「龍泉寺」とした。

龍泉寺の仏教の発展の歴史は長く、寺の背にしている鳳凰嶺は昔「駐陣山」「神山」「老爺山」と称され、山の上に

日程表

8:15	人民大学集合
8:30	出発
9:30	龍泉寺 着
10:30	龍泉寺 発
10:50	大覚寺 着
11:30	昼食
12:30	大覚寺 発
13:10	潭柘寺 着
15:00	潭柘寺 発
15:50	天寧寺 着
16:30	天寧寺 発
17:00	解散

は籠って修行するための洞窟が多数みられ、今でも完璧な状態のまま保存されている。近くには大覚寺、上方寺、黄普院、妙法庵、朝陽洞など仏教寺院遺跡群が点在する。

◆歴史

民国時代の縁日が栄えていたころ、ある広東の参詣者が龍泉寺に募金し、そのお金で万縁茶棚▼2を設けてお茶や粥を喜捨し、善い縁を結ぶことを図った。そして抗戦の時期、次第に侘しくなり、一九五〇年代前後の解放初期には十数軒の廟社しか残っておらず、文革のときに至っては、民間住居として使われた過去を持つ。

龍泉寺（撮影：筆者）

そして千年の風節と変遷を経て、龍泉寺はついに新しく生まれ変わることができた。一九八五年、現地の政府がこの山紫水明の寺院を修復することに多くの仏教の檀家、居士や参詣者たちが賛成し、支援し、今の西から東に向かう三座並列の寺院建築様式の工事を完遂した。

二〇〇五年、龍泉寺は正式に仏教活動の場所として本来の役目を果たせるようになり、建国以来の北京市海淀区で最初に市民に向けてオープンした三宝具足の仏教寺院である。

◆概観と建築様式

西院は正院とし、山門殿、正殿および東西配殿が配置されている。殿の前には古き柏の木が植えられ、殿内には壁画がみられる。寺の西の崖に泉があり、北の外には洞窟があって、中には浮彫の石像が置かれている。北東方面には、清代の覆鉢式の和尚の石塔がある。

現在の龍泉寺は八回以上の法会が毎年固定的に開かれ、週末や祝祭日には多くの信徒が仏法の勉強ができるよう学習のカリキュラムを組んでいる。このように多くの人々が参加することによって、信徒を増やし、今は「首都模範道場」という風に称えられている。龍泉寺は正真正銘、歴史上の仏教地位に回帰することができたといえよう。

注

1　通称「北京鳳凰嶺」、また山群が連なっている様子を称して「北京西山群」あるいは「京西小黄山」の名を持つ。北京海淀区西北部蘇家陀鎮に位置する自然風景観光地区であり、北京市の中心部から約三十三キロメートル離れている。観光地区内は龍泉寺を含め、仏教や道教などの人文景観は四十箇所あまりもある。

2　「茶棚」とは、道中に疲れた参詣人を労り、茶粥などを振る舞う休憩所を指す。最も有名なのは「万縁同善茶棚」であり、北京市龍泉鎮瑠璃渠村の西北部に位置する。規模も大きく、最善の保存状態を誇る茶棚である。そこは妙法山娘娘廟(北京市門頭溝)の参詣道でもあるため、人が絶えず、賑わっていた。「万縁同善茶棚」に関する記述は崇彝の『道咸以来朝野雑記』(北京古籍出版社、一九八二年)や奉寛の『妙峰山瑣記』(西苑出版社、二〇〇四年)などの民俗資料に詳しく見られる。

参考文献

・釈永芸、岳紅《北京伽藍記》商務印書館(二〇一五年)

❷大覚寺(だいかくじ)

北京の郊外(海淀区蘇家坨鎮西南部にある陽台山の麓)約二十三キロメートルにある大覚寺は、以前「霊泉寺」と呼ばれ、人々は泉の水に思いを致したのだろう。池は長方形の形状で、「霊泉」と名付け、映し出した池水は澄み切った碧色となり、大覚寺の絶景「八絶」の一つとして名高い。

◆PICK UP!

大覚寺の石碑は北京に現存する石碑の中で時代的に古く、重要な資料である。本稿では、松木民雄が研究した論文「北京・大覚寺と周辺の仏塔」[1]の内容を引用させていただきたい【図1参照】。

大覚寺は陽台山の麓に位置する。その創建は現在も寺院内に残存している遼代の石碑(西暦一〇六八年)によってうかがうことができる。石碑は覚苑[2]が清水院の寺務を務めていたときに建てられ、碑文の題名は『遼陽台山清水院創造蔵経記』といい、僧の志延[3]の文による。「陽臺山」と書かれているが、この「陽」の字は遼の時代前後に使われていて、明以降(後述『御製重修大覚寺碑』)には「暘」という字に変わり、現代は「陽台山」で定着している。この碑は文献的

奉為
太后皇帝
皇后萬歲
大王千秋

遼陽臺山清水院創造藏經記　燕京通天門外供御石匠曹翔鐫造
燕京天王寺文英大德賜紫沙門志延撰　昌平縣坊市鄉貢進士李克忠書
夫覺皇之誕世也示生以八象演法以一音軌物正時宏益無盡
自雙林樹圓寂而後七葉岩結集已還教道流通於是乎在若乃
舉方軍衍歷代弘揚雖夢入漢朝神應呉會曷若
我朝之盛哉陽臺山者薊壤之名峰清水院者幽都之勝槩跨燕
然而獨穎倅東林而秀出那羅窟邃韞性珠以無類兜律泉清濯
惑塵而不染山之名傳諸前古院之興止於近代雖竹室華堂而
卓爾而琅函寶藏以蔑如將搆勝緣旋逢信士今　優婆塞南
陽鄧公從貴善根生得幼年早事於重修淨行日嚴施度恆洽於
勒惜咸雍四年三月四日捨錢三十萬葺諸僧舍宅厥道人是念
界獄將逃非教門而莫出法輪斯轉趣覺路以何遙乃罄捨所資
又五十萬及募同志助辦印大藏經凡五百七十九帙創內外藏
而弁措之原其意也覩釋氏那尼常轉讀而增慧俗流士女時頂
戴而請福大士弘濟有如此者藏事既周求為之記聊敍勝因俾
信來裔非衒公之能故辭為媿時咸雍四年歲次戊申三月癸酉朔四日丙子日巽時
記京右街檢校太保大卿大師賜紫沙門覺苑玉河縣南安窠村邵　從貴　合家成辦永為供養

図１　遼代の碑文：清水院創造蔵経記（1068年）の前文

な価値だけではなく、文学的な価値も有している。駢儷体で書かれ、句は四文字あるいは六文字が多く、対句や平仄にもこだわり、典故や警句的表現を多用している。情・景・理が交った佳作である。[4]この碑文によれば、大覚寺の創建は遼の咸雍四年（西暦一〇六八年）で、当初の寺号は「清水院」と称したことが知られる。今でも湧き水が寺の境内を巡るように流れている。

その後の寺号の改称については、無量寺仏殿の東南にある明代の碑文によって辿ることができる。その碑文『御製重修大覚寺碑』（西暦一四七九年）によれば、清水院は明代には霊泉寺と称されており、それが一四二八年に大覚寺の寺号を賜って改名されたことが記されている（ちなみに碑文では、「後二十一年」とするのは誤りで、「後十八」が適正であると松木氏は指摘する）。

◆概観と建築様式

大覚寺は契丹族により建造されたため、寺は東に向かう配置で建てられ、当時の契丹族が朝日に向かって建物を建てる習俗をそのまま物語っている【図2】。背後には、美しい山がそびえる。敷地面積は四万平方メートル、建築物は伝統的な中国式寺院の配置に基づいている。起伏した

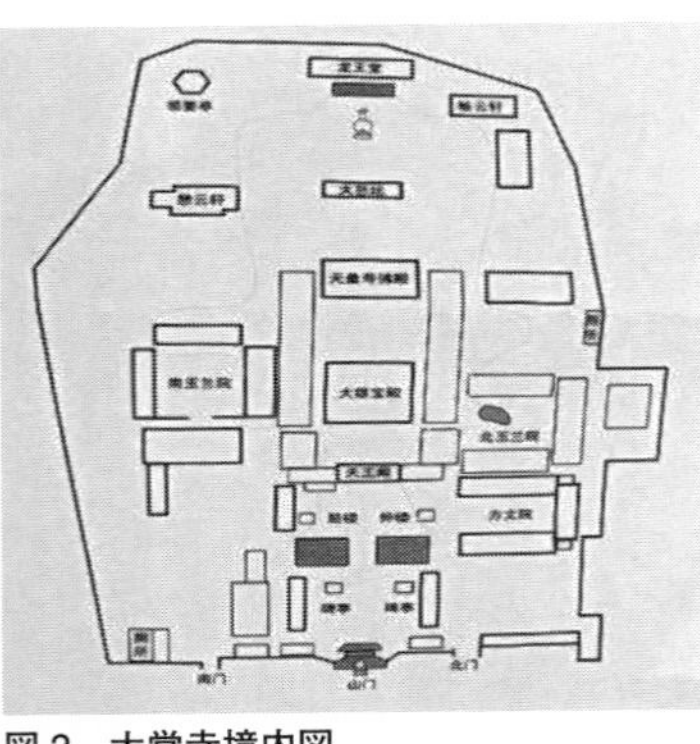

図2　大覚寺境内図

山々を一望すると、まるで一頭の獅子が静かに眠っているようにみえる。蓮華と善照の二つの配寺が、東と西の方角にある円形の丘にそびえ立ち、これを現地の人々は「獅子まりをころがし、一仏二菩薩」とたとえたという。

境内の古い建造物は中軸が対称になるように三つの道に建物を置き、真ん中の道に宗教活動を行う仏殿堂、東から西へと山門殿、天王殿、大雄宝殿、無量寿仏殿、仏塔、龍王堂などが置かれている。北の道には僧侶の宿坊があり、方丈院、玉蘭院と香積局、[5]南の道には清の時代の皇帝の行宮が設けられ、雍正帝が名付けた「四宜堂」[6]と乾隆帝が題した「憩雲軒」が設けられている。

寺院の中心部である大雄宝殿は明の時代に建てられたものである。殿内中央に石造の須弥座の上に木造の漆金の三世仏像が供奉され、五百年の年月を経て多少剥がれ落ちたが、彫刻や画法から今もなお仏教の厳かさと王家の風格がうかがえる。門の外には乾隆帝親書「無去来処」の扁額が掲げられている。その意味は、「どこから来たのか構わない、またどこへ行くのか構わない」。

無量寿仏殿内にある無量寿仏の壁板の後方には、海島を背景にして、中央に観音をすえた海島観音塑像が彫刻され、その色使いと完成度は清代の仏像彫刻の傑作を誇る。これは今のところ北京地区唯一の大型懸空彫塑造像である。

◆明の玉蘭

大覚寺で一番目を引くのは植物である。そしてその中でも一番名が高いのが玉蘭（ハクモクレン）である。院内にも院外にも植えてあり、高さは七メートルを超え、毎年の四月に咲きはじめ、一枚一枚の花弁が立派で、香りも濃い。聞いた話によると、南にある二株の玉蘭は清の時代乾隆年間、迦陵という僧が四川からこの地に移植し、樹齢は三百年を超えるという。ゆえに、大覚寺の玉蘭は「最古の玉蘭」と称され、人々に愛でられている。しかし、残念ながらそのうちの一株は亡くなり、一株しか残らず、いっそう貴重さを表している。

◆乾隆帝と迦陵

玉蘭の香りが漂う古刹に身をおくと、迦陵和尚のことを思い出さずにはいられない。彼と乾隆帝の間に結ばれた奇妙な因縁話がある。当時乾隆帝は大覚寺で出家を思い立ち、ある日座禅するときに居眠りをし、寝言で笑い声を出していたところに当時炊事に従事していた迦陵和尚が戒尺を手に取り、乾隆帝の身分を構わずたたいて目を醒まさせた。

大覚寺（撮影：筆者）

大覚寺古樹（撮影：筆者）

寺院にいる他の僧侶は皆そのことに冷や汗をかいたが、乾隆帝は自ら「私は仏界に縁はない、俗世界に戻る」と閃き、迦陵を罰するところか、宮殿に戻ったらわざわざ皇帝側近の宦官を遣わし、迦陵に拝礼させた。のちに迦陵和尚は寺院の住職になり、彼が植えた玉蘭は寺を飾る宝物となった。

迦陵が円寂したあと、彼の舎利塔は大覚寺の最も高い塔院に建てられ、高さおよそ十数メートル、塔身の彫刻は清代の典型的な芸術様式である。塔の傍らに松と柏の木が一本ずつ植えられている。松と柏の木の枝が塔を囲み、まるで木が塔を守ろうとしているかのような形になっている。またも心が痛いことに、当初の古松は病死してしまった（この話について諸説があり、詳しいことは参考文献の松木民雄論文をご覧ください）。

◆北京一番の銀杏！

その他にも、無量寿仏殿の前に樹齢が千年を超えている「イチョウの王様」が植えられている。十一月になると、巨大な黄色い傘のようになり、風が吹くと落葉が降りてきて、寺の景色が一層美しくなる。

珍しいイチョウは寺の北にもある。形が珍しいだけでなく、そのイチョウの木の周りを九本のまだ若いイチョウが囲んでいる。まるで母親と子どもたちのようで、「九子抱母」と名付けられている。遠くから眺めると、黄色い林になっている感じで、寺の珍しい景色として有名である。

注

1　松木民雄「北京・大覚寺と周辺の仏塔」『北海道東海大学紀要』人文社会科学系第12号（一九九九年、一二六～一二八頁）

2　【図1】の碑文の最後に「燕京右街検校太保大卿大師賜紫沙門覚苑」と記され、「検校太保」「紫沙門」から、遼代の密僧覚苑を指している。覚苑、山西省の人、号は鵬耆。燕京円福寺に住み、遼代密教の一流学僧である。西暦一〇三四年に生まれ、印度の摩掲陀国から遼へ旅した慈賢法師に師事し、一〇六八年三十四歳にして燕京右街検校太保に任じられ、紫服を賜れ、大卿大師と号す。陳術石、佟強の論文によれば、覚苑の著『演密鈔』は華厳宗の理論から『大日経』と『義釈』の思想を解き、当時の思想風潮に大きな影響を与えた。

3　志延：遼の後期僧人。俗姓高、出身は易州（河北省）高陽郡淶水県である。大・小乗に通じ、文辞や書道に長ける僧人であり、『契丹蔵』の校勘に携わったという。

4　姫脉利、張藴芬、宣立品、王松《大覚寺》社会科学文献出版社（二〇一六年、一九六頁）

5　寺院の厨房や斎堂を指す。

6　一七二〇年、清の雍正帝が自分の斎号（書斎の称）を用い名付けた建物。俗に「南玉蘭院」と称し、寺院の南側に位置する。

参考文献

・松木民雄「北京・大覚寺と周辺の仏塔」『北海道東海大学紀要』人文社会科学系第12号（一九九九年）
・釈永芸、岳紅《北京伽藍記》商務印書館（二〇一五年）
・姫脉利、張藴芬、宣立品、王松《大覚寺》社会科学文献出版社（二〇一六年）
・陳術石、佟強「興城白塔峪塔地宮銘刻與遼代晩期仏教信仰（一）」『遼金歴史与考古』（二〇一三年）

❸潭柘寺（たんしゃじ）

北京市の門頭溝区東南部の潭柘山の麓に位置する、北京の現存寺院の中でも最も古い寺である。潭柘寺は北京市内から約三十キロメートルあまりの郊外にあり、名前は寺院の裏側にあった龍潭と山の上の柘（ヤマグワ）の木に由来している。潭柘寺といえば、人々が真っ先に連想することわざがある。「先に潭柘があって後に幽州がある」。北京が都として繁栄する遥か前からこのお寺はあったという意味である。

潭柘寺（撮影：筆者）

潭柘寺塔林（撮影：筆者）

◆歴史

仏教がインドから北京まで伝わったのは西暦三〇〇年代。潭柘寺は、西晋永嘉元年（西暦三〇七年）に創建されたもので、約一七〇〇年の歴史がある。はじめは「嘉福寺」と呼ばれ、時代が下るにつれ、「龍泉寺」「万寿寺」「岫雲寺」と改名されてきた。寺院の総敷地面積は百二十一万平方メートルで、広大な規模を誇る。唐の時代華厳宗高僧の華厳和尚が開山祖師とされ、多くの門徒を有し、彼の説教を聞きに行く一般市民も多く、幽州（現在北京地区を指す）の中でも大きな影響力を持つ存在になった。唐で一度廃仏運動があったが、また再興し、禅宗の高僧が寺院を再建し、華厳宗から禅宗へ移り変わった。遼の時代、律宗が台頭し、禅宗としての潭柘寺の地位が下ったが、金の時代では国からの支持を得て盛期を迎えた。その後、臨済宗の高僧を絶えず輩出した。

◆概観と建築様式

潭柘寺が建立されてからは、各時代の統治者に重要視され、大事に保護されてきた。建築の規模も、中国仏教界における地位も、潭柘寺は北京の数多くの寺院の中で屈指のものである。潭柘寺の建築様式は、中国の伝統的な建築理念を表している。建築群の真ん中には、中軸線が通っており、主要な建物は、中軸線上に建てられている。また、他の建物も左右対称に、うまくつり合いを保っている。全寺院を三分割することができ、中央には仏殿、東路の高僧の住居や皇族貴族の宿泊行宮院、西路にはいくつかの経院や仏殿が散在している。天王殿、大雄宝殿、毘盧(びる)閣、観音殿を主要建築とし、外に山門外の山上に上下塔院と後山に建てられた少師(しょうし)[1]静室(ちょうしち)[2]、欠心亭(けつしんてい)[3]、および龍潭(りゅうたん)、御碑など多くの建築群が甍(いらか)を並べている【図3】。

◆塔林!

潭柘寺の塔院は「北京第一塔林」という名が冠されている。金、元、明、そして清の時代までの僧塔計七十五座を保有し、北京地区内で最も保存数が多く、状態も良好な塔林である。

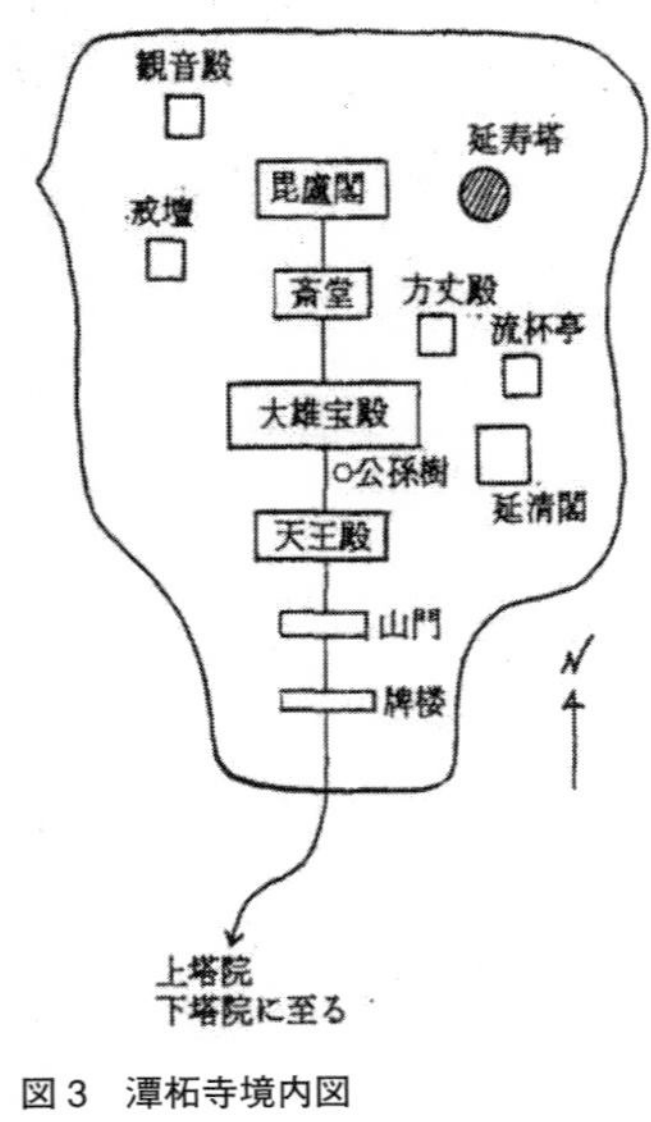

図3　潭柘寺境内図

遼代の塔院は潭柘寺を南に三里進んだところにあるが、年代が古いため、大変残念なことに僧塔は一つも残らず壊滅状態になっている。また、潭柘寺の史料の中でも遼についての歴史事跡があまり見られない。

◆上塔院!

上塔院は山門を出て急カーブの道を下った一区画にあり、石造の塔が二十八座、すべてラマ式塔である。高さ十三メートルの震寰[4]大和尚を祖塔としている。住職以外の僧塔の高さは平均して約三・二メートル、住職の僧塔の南側や両側の台地に集中している。

松木民雄によると、塔は南向きに建てられたものが圧倒的に多いゆえに建立年代は清代であろう。そして建塔の順は僧の世代が記されている塔により、西から東へ、上から下へと進んでいったようである。配置も整然と列を成していて下塔院と対照的である。[5]

◆下塔院！

下塔院は上塔院から更に南側に下ったところにある。四十七座の塔は、金・元・明の時代の僧尼の墓塔である。塔の様式は多層塔、単層塔とラマ式塔の三つに分けられる。[6]

松木氏の資料の中から最も古い霊塔を取り上げると、金の西暦一一三八年に建てられた遼式[7]密檐[8]塔の「仏日円明海雲大宗師之霊塔」がある。次に古いのは、西暦一一七五年に造られた「故広慧通理禅師塔」である。二つともレンガ造りで、須弥座と欄干および仰蓮弁の台が設けられ、第一層の南北に扉、多面に窓を置き、卍紋や菱形紋が刻まれている。違う点を挙げるとすれば、前者は塔刹に二重請花、[9]宝珠と相輪が載っているのに対し、後者は請花はなく、宝珠と相輪のみである[10]【表1参照】。

表1　潭柘寺下塔院一覧表

	形式分類	角一層	高さ(約)	建立年代	塔明（文字）その他
30	遼式密檐塔	6－5	7m		栢山智公長老靈塔
31	〃	6－5	12m	1300年	瑞雲靄公長老靈塔
32	〃	6－5	12m	1277年	萬泉文公大禪師塔
33	〃	6－7	15m		竹壽公之塔
34	〃	6－5	10m		観公無相和尚之靈塔
35	幢式密檐塔	6－7	3m	（1179年）	故奇公長老塔
36	〃	6－5	3m	1204年	故了公長壽塔
37	〃	8－5	3m	1272年	宗公長老壽塔
38	ラマ塔一般型	6	5m		（摩滅）
39	〃	6	2m		（摩滅）
40	遼式密檐塔	8－7	20m	1175年（案内）	故廣慧通理禪師之塔
41	ラマ塔一般型	6	7m	1614年	十方普同塔
42	〃	6	8m		（摩滅）
43	ラマ塔特殊型	6	1m		（題額なし）
44	ラマ塔一般型	6	5m		（摩滅）
45	遼式密檐塔	6－5	10m	1458年（？）	西竺源公大和尚塔
46	〃	6－7	17m	1138～40年	海雲運大宗師之靈塔
47	ラマ塔一般型	4	5m		（摩滅）
48	幢式密檐塔	6－5	3m	1162年	故言公長老塔
49	〃	8－3	2m	1292年	慧公禪師之塔
50	〃	6－3	2.5m	1247年頃	歸雲大禪師塔
51	単層塔装飾形	6－1	7m		信公中孚大和尚之靈塔
52	ラマ塔特殊型	6	1.5m	1438（原塔）	（摩滅）
53	ラマ塔一般型	6	6m	1468年	（題額なし）
54	遼式密檐塔	6－3	10m		東洲勝公之塔
55	〃	6－5	12m		終極初無禪師之靈塔
56	単層塔装飾形	6－1	7m		・・・海真・・・
57	ラマ塔一般型	4	7m		（摩滅）
58	単層塔簡素形	6－1	3m		（摩滅）
59	単層塔装飾形	6－1	6m	1465年	林立覺靈塔
60	〃	6－1	6m	1460年	恒公靈塔
61	〃	6－1	6m		仁菴禪師靈塔
62	〃	6－1	5m		古亭降公之塔
63	遼式密檐塔	6－3	10m		？琮禪師之塔
64	〃	6－3	8m		古礀泉禪師之靈塔
65	ラマ塔特殊型	6	1m		（題額なし）
66	単層塔装飾形	6－1	6m		如公一菴之靈塔
67	遼式密檐塔	6－5	6m		（摩滅）
68	ラマ塔一般型	8	8m	1594年？	（摩滅）
69	遼式密檐塔	6－5	11m	1330～40頃	妙厳大師之塔
70	単層塔簡素形	6－1	2m		（摩滅）
71	〃	6－1	1.5m		（摩滅）
72	〃	6－1	2.5m		本然正公之靈塔
73	〃	6－1	2m		（摩滅）
74	〃	6－1	2.5m	1485年	無盡用公覺靈
75	〃	6－1	2.5m		無邊智公靈塔
76	〃	6－1	3m		（摩滅）
77	（段状円錐塔）		1m		（題額なし）

◆日本の僧も！

下塔院には、時代が古い僧塔の他にも、有名な妙厳公主[11]の墓塔、インド僧や日本僧の墓塔、虎[12]をまつった虎塔などさまざまな塔が点在している。そこで日本の僧塔を紹介したい。

潭柘寺の三十三代住持を務めた日本人の禅師で、名は徳始である。彼は禅宗の真理を追究し、いくつもの寺院再興に一生をささげたが、生まれ故郷の信州から遥か離れた異国の塔林に眠っている。「無初徳始塔」は西暦一四二九年に建てられ、高さは十三メートルあまり、五層密檐式で、扁額には「前住当山第三十三代住持終極無初禅師之霊塔」とあるが、「終極（しゅうごく）」は号、「無初（むしょ）」は字（あざ）、典型的な明代の僧塔である。

◆PICK UP!

東北のすみに「金剛延寿塔」といわれる巨大な白いラマ塔がある。松木氏の論文によれば、この塔は仏舎利の奉納が名目であるが、明の越靖王朱瞻墉（しゅせんゆう）[13]が西暦一四二七年に建て、長寿を祈念するためにちなんで名付けられたという。塔の高さは約十六センチで、覆鉢の傾斜が急であり、相輪が細かく、傘蓋（さんがい）は小さいことから明代の特徴が表れている。

塔を囲む壁にはラマ塔の建立より古い碑文があり、金の西暦一一九四年、僧の重玉（ちょうぎょく）の七言律詩が書かれている。碑面はほとんど磨滅しており、読めない状態に近い。こちらも松木氏の論文より抜粋すると、

一林黄葉万山秋　鸞仗参陪結勝游
怪石斕斒蹲玉虎　老松盤屈臥蒼虯
俯臨絶壑安禅室　迅落危崖瀉瀑流
堪笑紅塵名利客　幾人于此暫方休
　従顕宗幸潭柘　金釈重玉

と書かれてある。[14]この石碑は潭柘寺が現存している中で最も古い石碑でもある。

◆潭柘寺の二宝！

建築物のほかに、潭柘寺には、主な見どころがいくつかある。まずは、入ってすぐ横にある巨大鍋である。

鍋の直径は一・八十五メートル、深さ一・一メートルにもなる。僧たちが料理を作るときに使った巨大な銅製鍋である。一度に米五千九百キログラムを入れることができ、お粥をつくるのに十六時間かかったと言われている。また、面白いことに、この大きな鍋のかまどには、お寺の名前「潭柘寺」が刻まれている。昔、寺院の建築はすべて木でできていたので、火事になりやすく、それに悩まされた住職はある日、夢を見て、「潭柘寺を火に入れれば火事にならない」と教えられた。そして夢から覚めた住職は、潭柘寺の名前をかまどに刻めば、毎日潭柘寺が火に入っていることになり、火事にならずにすむのでは、と考えた。そのために、潭柘寺という三つの字がかまどに刻まれたのだったという。

銅製鍋と並んで、お寺の「二宝」と呼ばれるもう一つの宝物は「石の魚」である。この魚は長さ約一メートル、重さ百五十キログラム、一見銅製だろうと思われるが、鳴らしてみると、とても甲高い音が響きわたる。材料に銅や他

の希少金属が含まれているため、魚の違う部分でたたくと、楽器のように違う音が出てくる。この魚は南海の竜王の宝物で、玉帝への贈り物だという言い伝えがある。玉帝が防災用にと潭柘寺に贈ったという。また、魚身の十三部位は十三の省をそれぞれ代表していて、どこに干害があれば、その部位をたたけばその土地に雨が降るという。従って、この石の魚は病気の治療や厄払いにとくにご利益があるといわれる。

◆大雄宝殿！

天王殿をすぎ、最高地位に君臨する大雄宝殿は、寺の中で最も雄大な建物である。扁額の文字「福海珠輪」は、乾隆帝によって書かれた。両端には、中国の神話上の生き物「チ吻」がみられる。碧い瑠璃の胴体を金色に輝く鎖でつなげている。神話上、竜王の子どもである「チ吻」は、水を大量に口に含んでいることから、防火の象徴として用いられた。康熙皇帝が初めて潭柘寺に足を踏み入れたとき、「チ吻」が今すぐ空の向こうへ飛び立つ様子をみて、従者に至急、金の鎖で逃さないよう命じたらしい。これらは元の時代の遺物で、寺院の装飾品としても大変珍しいとされている。

ちなみに大雄宝殿の裏にある銀杏の木には、「帝王樹」という名前が付けられている。清の時代、新しい皇帝が即位したら、この木に一本新しい枝が生えるとされたので、清の乾隆帝が名付けたという。

◆古樹！

潭柘寺の見どころはまだ他にもたくさんある。たとえば、古い樹木である。先述したように、潭柘寺の名前は柘の木に由来している。この木はカイコを飼うこともできるし、いろんな病も治すこともでき、木材としての価値が高く、使い道も多い。そのため、人々が見境なく樹木を伐採しはじめ、絶滅まで追い詰めたこともあった。そこで政府は一九四九年、伐採を禁止する条例を制定した。

お寺の境内には、大きなイチョウの木がある。樹齢千年以上にもなる。また、紫モクレンの木も二本残っており、樹齢は四百年を超え、なかなか立派である。毎年四月に咲くときには、多くの観光客でにぎわいを見せている。

注

1 周代の官職名であり、少保・少傅とともに三公（太師・太傅・太保）の下で、天子を補佐する。ここでは、明の時代の姚広孝（一三三五～一四一八年）を指す。

2　静かな部屋という意味から、「僧房」または「修行するための居室」を指すことが多い。従ってこの「少師静室」は姚広孝の参禅の場として、一四〇三年に作られた。ちなみに姚広孝は明の時代、永楽帝の軍師として名を馳せ、若くして三教に精通していた。日本の僧人（臨済宗）無初徳始との付き合いも深く、一四一二年、姚広孝の薦めにより無初徳始は潭柘寺の住持に任命された。

3　日本語の現代表記では「欠」と書くが、中国では「歇」と表し、「休む」「憩う」の意で使われている。高さは約六メートル、面積は二十五平方メートルの方形の建物である。中国の新聞記事「少師静室与姚広孝」によると、姚広孝は静室の他にも欠心亭を建て、無初徳始と山谷と渓流に囲まれて、景色を愛でながら仏道に励んでいた。

4　「震寰律師」「照福大和尚」「毘尼沙門照福」とも称される。中国仏教文献のデータベース「歴代渋仏文献」によると、震寰は一六三四年に生まれ、孟を氏とし、名は照福、字は震寰、順天大興（現北京の南部地方）の人であり、清の時代に入って一番最初に潭柘寺の住持を任命された律師である。

5　松木民雄「北京・潭柘寺仏塔研究」『北海道東海大学紀要』人文社会科学系第5号（一九九二年、五一頁）

6　松木民雄・前掲論文。

7　遼式とはいえ、遼の時代で建てられたものとは限らない。

8　複数の軒を積み重ねる様式を指す。

9　塔の相輪の下にある花形の飾り。多くは八弁で、上を向いている。

10　松木民雄・前掲論文。

11　言い伝えによると、元の初代皇帝フビライ（一二一五～一二九四年）の娘、妙厳公主は、父親が長年戦争へと出向き、多くの殺戮を繰り返したことを辛く思い、父の代わりに出家して贖罪した。長い年月にわたり毎日観音殿で跪いてお経を読み、その膝元に大きな穴の跡ができていたという。僧塔は下塔院に置かれている。しかし、それに関する記載は史書に見えない、と銭大昕は《潜研堂詩集》に記している。

12　「瘋癲和尚」と呼ばれる因亮法師の教化により、捕食をやめ、主食を粥や菜食に変え、毎日法師のお経を聞いた虎。法師が円寂後、悲しさのあまり五日後に死去。

13　明の第四代皇帝洪熙帝の第三子、母は誠孝皇后張氏。

14　松木民雄・前掲論文。

参考文献

・松木民雄「北京・潭柘寺仏塔研究」『北海道東海大学紀要』人文社会科学系第5号（一九九二年）
・包世軒《北京仏教史地考》金城出版社（二〇一四年）
・釈永芸、岳紅《北京伽藍記》商務印書館（二〇一五年）
・「少師静室与姚広孝」『京西時報』（二〇一九年八月二十二日）
・銭大昕《潜研堂詩集》巻十「妙厳公主拜磚」鳳凰出版社（二〇一六年）
・データベース「歴代渋仏文献」：「史部仏跡：潭柘寺岫雲寺志：歴代法統：大清欽命中興震寰律師」（二〇二〇年閲覧）

❹ 天寧寺（てんねいじ）

北京市宣武門広安門外の天寧寺は、北魏の孝文帝によって創建された北京の中で最も歴史が古い寺廟である。明の末からは、北京で菊の花を見る名所となり、秋の花市が開催されるほどの賑やかな場所である。

天寧寺（撮影：筆者）

◆歴史

一番最初に建てられたとき「光林寺」と呼ばれ、隋の文帝の時代では「宏業寺」、唐の玄宗が開元した七一二年では「天王寺」、金の時代で「大万安寺」、明の時代で「天寧寺」、それが現在に至る。

遼の時代に大きな舎利塔が建てられた。遼は十世紀（九一六年）契丹族が建てた国で、北から南下し、北京を含む長城以南の燕雲（えんうん）十六州をも征した。最盛期である第六代聖宗、興宗、道宗（三代の在位九八二～一一〇一年）の三代にわたり、約百二十年の間に「天寧寺塔」ができた。従って十三世紀後半までの北京は、遼や金の異民族の時代に南の都南京として位置し、唯一、都の中にあった「天寧寺塔」だけが数世紀を越えて今に残っている。

◆PICKUP!

唐の時代に名付けられた「天王寺」が一番長い期間に及んで呼ばれ、今は山門前の西側に「唐代天王寺故址」の石碑が立てられている。

◆唐の天王寺、遼の天王寺塔！

上述の天寧寺塔は北遼を開いた皇帝耶律淳（やりつじゅん）が一一一九年に建てたもので、たったの十ヵ月の時間で竣工し、「天王寺舎利塔」と名付けた。一九九一年に塔頂から遼の刻石が発見され、その記名は『大遼燕京天王寺建舎利塔記』である。

その内容は、この地が唐代天王寺の旧址であること、建塔者が耶律淳であること、遼の時代に天王寺塔を建てる工

事に、燕京（北京）のいくつか著名な寺院も修復に関わっていたことを証明したものである。▼1

◆天寧寺塔を回ろう！

天寧寺が一番誇る「天寧寺塔」は、遼の時代に建てられたため、北方の少数民族の風格を備えているように見える。軒だけを十三層重ねた密檐式の八角煉瓦塔で、高さ五十七・八メートルである。この十三重層は皇家特許の最高ランクでもあった。

須弥座式基壇と初層塔身の部分がとくに高く、木造を模した斗栱、欄干、格狭間、門や窓、力士、菩薩、雲竜などの彫刻・装飾がすぐれる。初層塔身には、四面に半円形の券門を備え、両脇に金剛力士、他の四面は窓とし、両脇に菩薩と天部を煉瓦で彫る。

天寧寺塔の塔身の彫刻は『円覚経』に基づいて道場が配置され、建築や装飾の様式は『華厳経』に基づいた大日如来を象徴する「華蔵世界」にデザインされ、遼の時代に重んじられた華厳宗と密教の特色がうまく融和されている。

清の時代に改修するまでは、全部で三千四百個の風鐸が下がり、一斉に鳴り響く音色と眺めはとても荘厳なものであった。毎年春節には皇帝が百官を率いて、三百六十個の灯明を灯し、仏に供え、国の安泰や民の健康を祈った。市民も大勢で見物して、三百六十の灯火に三千四百の鈴の声の盛観に言葉を失うほど感動したものだろう。しかし、残念なことに清代以降、風鐸が壊れ落ち、唐山大地震に至っては塔全体が損傷を受けた。

ちなみに、この煉瓦塔は舎利塔とされ、隋文帝が仏陀の舎利をこの舎利塔の地下に秘蔵したという伝説があり、真偽はまだ確かめられないまま、謎に包まれている寺院である。

◆＋αスポット！

このあたりは珍しく「宗教文化区域」としても名高い。周辺のスポットに道教の白雲観、キリスト教の珠市口堂、カトリック教の宣武門南堂、そしてイスラム教の牛街礼拝寺など五大宗教の建物が集まっている。また遼の時代の古址が多く点在し、「燕角楼」という白い大理石で目立った造型の建築物も街中にみられる。「燕」京の東北の「角」の目印として、楼を建てた。「燕」は篆文体で書かれ、「角」は金文体で書かれている。歴史や宗教を知るには最適な街であろう。

注

1　包世軒《北京仏教史地考》金城出版社（二〇一四年、一〇三頁）

参考文献

・包世軒《北京仏教史地考》金城出版社（二〇一四年）
・釈永芸、岳紅《北京伽藍記》商務印書館（二〇一五年）

粟野友絵（あわの・ともえ）●所属：中国人民大学外国語学院・大学院博士課程後期三年●専門分野：中国明清笑話、日本近世笑話●現在の研究テーマ：『笑府』の和刻本について。

あとがき

●小峯和明

記念すべき本学会に中国人民大学が選ばれたのは、中国での説話文学研究を牽引する李銘敬が主任教授を務めており、かつ小峯が二〇一三年秋から人民大学の講座教授（高端外国専家）として毎月、大学院の講義に出講している縁による。前年に当時の学会事務局（代表・近本謙介）から北京で十二月例会を開きたいとの依頼を受けて企画されたものだが、わざわざ北京に集まって開くなら大会に準ずる規模で大勢参加できる体制がよいのでは、ということで内容がふくれあがっていった。

二〇一二年に説話文学会五十周年記念行事の一環として、十二月例会をソウルの崇実大学で開いた前例に準ずる形で、実際は五十六年目であるが（つまり二〇二二年は六十周年になる）、五十五周年記念を旗印に北京特別大会と銘打つことになった（位置づけは十二月例会に相当）。

説話文学会に加え、人民大学外国語学院及び日本人文社会科学研究中心、JSPS 科学研究費基盤研究（B）「16世紀前後の日本と東アジアの〈環境文学〉をめぐる総合的比較研究」（16H03389　研究代表者：小峯）との共催の形となった。

先のソウルでは、二日間の日程で初日は『今昔物語集』を主とする東アジアの翻訳をテー

マとするシンポジウムと個人発表、さらに「日韓比較研究の諸問題」と題してのラウンドテーブルの三部構成、翌日の見学はバスで百済の古都扶余を廻るものだった（報告は五十周年記念論集『説話から世界をどう解き明かすのか』笠間書院、二〇一三年）。

これにあわせて、本会は「中国仏教と説話文学」を中心テーマとし、講演、シンポジウム、ラウンドテーブルなどを組み合わせ、全体を統一させるようにした。ちなみに、ラウンドテーブルとはアメリカの学会でよく行われ、一人の発表時間を短くして次々と問題提起を行い、自由に討論し合う形式で、一度に大勢の登壇者を集めて短時間で展開する際に有効な方法である。

また、ソウル学会に準じて、中国における若手の会員の発表場を提供するために個人の研究発表も盛り込み、六月の大会委員会で推薦された四名が発表、当日昼休みの委員会の投票により、学会誌への採択の如何も決める形をとった。司志武「中国史伝でたどる慧思後身説―『七代記』の成立を検証する為に」、高陽「南方熊楠と宋代の『夷堅志』―蔵書の書き込みを中心に」、蔣雲斗「浅井了意の仮名草子における儒者像」、崔鵬偉「『今昔物語集』にみる疫神・疫鬼―百鬼夜行説話を中心に」であったが、このうち、高陽、崔鵬偉の二名の発表が委員会で採択され、二〇一九年刊行の学会誌『説話文学研究』五十四号に掲載された。

いずれのセッションでも活発で有益な議論がかわされ、啓発されること大なるものがあった。とくに中国で日本文学を専攻している大学院生や若手の研究者にとって大きな刺激になったと思われる。

その年度は、李銘敬が在外研究で京都の日文研に滞在中で、小峯は文字通り机上の企画

のみ、実質的な学会の準備や運営の大半は日本語科の大学院生が献身的に担当してくれた。とくに博士課程の翟会寧、粟野友絵、修士の王志壮の三人が核になり、李銘敬とも連絡を取りあいつつ、万事取り仕切ってくれた。後輩の劉春柳、張校燕をはじめ、修士の新入生五名（中国は九月が入学の新学期、二年生は日本に留学中）、ＯＢの蒋雲斗や上級生の車才良達も彼らを種々補佐した。学会が成功裏に終わったのも、すべて彼ら院生・ＯＢたちのお蔭であり、深く感謝したい。

見学も郊外と市街の二回に分けて下見を行い、時間配分を策定したにもかかわらず、最後の天寧寺塔が時間切れで寺内に入れず、間近に塔を仰ぐことがかなわず（ポスターの図案にまで入れたのに）、今もって痛恨の極みである。参加者には当方の不手際をお詫びしたい。

お忙しいところ、学会への有益な提言エッセイを執筆していただいた各位にも御礼を申し上げる。原稿が出そろうまで手間取り、当初の計画から大幅に遅延したが、ようやくここまで来た。

人類史に残るようなコロナ禍で往来の道が閉ざされてしまったが、オンラインの試みも種々進展しつつある。学会のあり方は変わってゆくだろうが、説話研究が続く限り学会そのものの意義がなくなることはないだろう。今後も説話文学会が世界に向けて発信し続け、内外の若い人たちが自由に参加し、ともに研鑽を積み上げうる場となるよう切に期待したい。あらためて本会に参加し、ご協力頂いた方々に御礼申し上げる。

刊行を快諾され、編集の労を執っていただいた、文学通信社の岡田圭介、西内友美両氏に篤く御礼申し上げる。

二〇二〇年五月十日

編　者
説話文学会　http://www.setsuwa.org/

執筆者（掲載順）
※本書に記されている執筆者の肩書き・プロフィールは原則として現在のものに修正しています。

小峯和明／李 銘敬／金 文京／石井公成／馬　駿／小川豊生／小島裕子／野村卓美／渡辺麻里子／陸 晩霞／吉原浩人／周 以量／何 衛紅／劉 暁峰／染谷智幸／樋口大祐／米田真理子／金 英順／グエン・ティ・オワイン／近本謙介／井上 亘／水口幹記／山本聡美／丁　莉／福田安典／マティアス・ハイエク／趙 恩馤／ファム・レ・フィ／楊 暁捷／千本英史／粟野友絵

説話文学研究の最前線

説話文学会55周年記念・北京特別大会の記録

2020（令和2）年9月30日　第1版第1刷発行

ISBN978-4-909658-35-7　C0095

発行所　株式会社 **文学通信**
〒170-0002　東京都豊島区巣鴨1-35-6-201
電話 03-5939-9027　Fax 03-5939-9094
メール info@bungaku-report.com ウェブ http://bungaku-report.com

発行人　岡田圭介
印刷・製本　モリモト印刷

ご意見・ご感想はこちらからも送れます。上記のQRコードを読み取ってください。